Авторская серия

подполковника полиции Татьяны СТЕПАНОВОЙ

«ПО ЗАКОНАМ ЖАНРА»

www.eksmo.ru

ПО ЗАКОНАМ ЖАНРА

ТОТ, КТО ПРИДЕТ ЗА ТОБОЙ

ТАТЬЯНА СТЕПАНОВА

ПО ЗАКОНАМ ЖАНРА

ДЕМОНЫ БЕЗ АНГЕЛОВ

ТАТЬЯНА СТЕПАНОВА

ПО ЗАКОНАМ ЖАНРА

ДУША-ПОТЕМКИ

ТАТЬЯНА СТЕПАНОВА

ПО ЗАКОНАМ ЖАНРА

ПО ЗАКОНАМ ЖАНРА

ТАТЬЯНА СТЕПАНОВА

ЯД-ШОКОЛАД

ЭКСМО

МОСКВА

2014

УДК 82-3
ББК 84 (2Рос-Рус) 6-4
С 11

Разработка серии *А. Саукова, Ф. Барбышева*

Иллюстрация на обложке *Ф. Барбышева*

С 11   Степанова Т. Ю.
       Яд-шоколад : роман / Татьяна Степанова. — М. : Эксмо,
2014. — 352 с. — (По законам жанра).

       ISBN 978-5-699-70567-2

Это уголовное дело о жутких убийствах обрастало все более чудовищными и пугающими подробностями. А капитан полиции Екатерина Петровская, сотрудница Пресс-центра ГУВД Московской области, уже не могла спать по ночам — после того, как увидела фотографии молодых женщин — жертв «Майского убийцы». Два года назад по горячим следам арестовали Родиона Шадрина, психически больного человека, и пожизненно упрятали в психиатрическую лечебницу. Город и вся область вздохнули спокойно. Но вот снова месяц май — и снова двойное убийство, которого Шадрин никак совершить не мог — он находился в специализированной клинике. Значит, маньяк до сих пор на свободе? И что же означают его послания — на телах жертв были оставлены странные, никак не связанные между собой предметы: черепки глиняной посуды, старый будильник, наволочки от подушек и кожаная плеть из интим-магазина...

УДК 82-3
ББК 84 (2Рос-Рус) 6-4

ISBN 978-5-699-70567-2

Глава 1

СОЛОВЕЙ,
ЧТО ПРИЛЕТАЕТ БЕЗ СПРОСА...

Птица поет...

Нежная трель где-то совсем рядом, но не разглядеть ничего.

Птица поет в сумеречном парке, полном теней и майской свежести.

Это соловей?

Нет, не он...

Ну конечно же, это соловей, что прилетает без спроса, как в той старой детской сказке, и садится у окна. И поет, когда ночь...

Когда смерть совсем близко.

Она попыталась пошевелиться в кромешной тьме, но не смогла — руки связаны. И вот странно — она совсем не чувствовала себя... то есть своего лица, как будто оно вдруг куда-то делось, пропало.

Эта тьма вокруг, словно безлунная ночь поглотила парк, полный теней и майской свежести.

Связанные за спиной скотчем руки нестерпимо болели, их она чувствовала, чувствовала свое тело. Извивалась как червяк на чем-то холодном, липком, мокром. Не земля — нет, сырой твердый камень. Но пахнет землей, как в могиле. И еще пахнет прелью и свежей, дурманящей ум майской зеленью. И еще чем-то...

Она ничего не видела, не чувствовала своего лица совсем. Но ощущала все запахи ночи.

Ее звали Ася. Подруги и коллеги по работе любили ее за спокойный веселый нрав. Этой весной у нее впервые после института появился парень, и они порой выбирались куда-то вместе. Но не сегодня и не в этот парк. Если идти по боковой аллее, выйдешь прямо к кирпичным многоэтажкам. Она всегда здесь ходила по дороге с работы домой. За деревьями проносятся автобусы и машины. А тут свежо и пахнет молодой листвой. И травой. И влажной землей. Можно отдохнуть, подумать, расслабиться и вздохнуть в полную силу легких.

И соловей поет где-то рядом, но не разглядеть, потому что...

Глаза в этой тьме не видят.

Кофточка на груди совсем промокла.

Что-то липнет к коже.

И голос...

Этот голос, что звучит из темноты.

— Думаешь, я недостаточно хорош для тебя? Не обладаю, чем должен? Это ты... ты недостаточно хороша для меня. Не мила, не желанна.

Голос... он, пожалуй, даже красив. Мужской, со звучными обертонами. Вот только он прерывист сейчас и глух, словно обладатель его задыхается — от страсти ли, от ненависти ли, от вожделения или гнева. А может, все вместе в этом голосе, который она слышит над собой, когда соловей все поет и поет в непроглядной тьме.

И смерть близка...

— И та влага, что течет у тебя сейчас между ног... твой сок... он не нужен мне. Я не нуждаюсь в тебе совсем... Слышишь ты? Я люблю другую. А ты тварь, ты просто тварь.

Влага течет по груди, кофточка спереди промокла насквозь. И где-то в голове внутри поднимается великая боль.

— Ты ничтожная, грязная, вонючая девка, посмотри на себя, кто может пожелать, полюбить тебя. Только не я. Я даже не хочу касаться тебя. Я брезгую тобой. Слышишь ты, мокрая развратная тварь, я брезгую тобой!!!!

Соловей умолк, испугался, когда смерть протянула руку, чтобы свернуть ему шею.

Лишь этот голос — мужской, полный страсти и ярости.

— И все же я возьму тебя, достану глубоко... чтобы ты помнила... чтобы знала... чтобы помнила меня... всегда... всегда... Будет больно...

Волна боли ударила изнутри, в голове что-то лопнуло, прорвало плотину.

Все лицо опалило огнем, каждый нерв, каждый сосуд вибрировал от нестерпимой боли. В этой темноте... в этой страшной вечной темноте.

Ася забилась на холодном мокром камне, истошно крича, визжа.

Крики наполнили тихий вечерний парк, полный сумеречных теней.

Женщина кричала так, словно ее рвали на куски.

Женщина кричала...

Соловей улетел.

Смерть ждала, когда крик оборвется.

Глава 2

ПАЦИЕНТ

Орловская психиатрическая больница
специализированного типа.
Два года спустя

...Лечение и реабилитация психически больных лиц, совершивших преступления и признанных невменяемыми... освобожденных от уголовной ответственности по решению суда по причине невменяемости...

Монотонное бормотание под нос и скрип тележки, на которой в больнице развозят свежие постельные принад-

7

лежности — только что из прачечной. Тележку толкает худенький человечек в больничной робе, и он все бормочет, бормочет. Когда-то давно он вызубрил наизусть служебную инструкцию больницы специализированного типа и теперь всякий день, помогая дежурной санитарке развозить белье, памперсы и чай, повторяет вызубренное, как священную мантру.

...Совершивших преступление и признанных невменяемыми... освобожденных от уголовной...

Это тихий больной.

Это очень тихий больной.

Только он не выносит вида острых предметов.

Их от него — даже обычные канцелярские карандаши — прячут за семью замками.

Больничные корпуса из красного кирпича — приземистые, с толстыми стенами, покатой крышей и новыми стеклопакетами с решетками изнутри на улице Ливенской. Это сразу за парком Танкистов — спросите любого в Орле, всякий покажет. Можно идти по Итальянской улице, а можно через знаменитые Орловские Лужки — результат один: упрешься в КПП и больничную ограду. По периметру — охрана.

За оградой — все очень благопристойно и цивильно, двор убран — ни соринки, все очень чисто, но чистота эта тюремная.

Охрана по периметру.

Толстые стены.

Теплые окна-стеклопакеты с могучими решетками внутри.

Длинные коридоры, выкрашенные в мрачно-голубой цвет.

Двери как в тюрьме.

Нет ручек, персонал пользуется спецключами.

Тележка с бельем, памперсами и горячими чайниками катится, скрипя, по одному из таких коридоров.

Тихий больной бормочет свою вечную мантру.

По коридору к одному из отдельных боксов неспешно идут двое интернов-практикантов. Орловская психиатрическая специализированного типа — место знаменитое, немало прославленных психиатров-экспертов проходили тут практику, почитая это за честь и великую удачу для карьеры.

В Орловской психиатрической можно увидеть такое, что нигде никогда больше не увидишь, редкие случаи в практике.

Интерны молоды и немного легкомысленны, но место... это место действует на них. Среди женского обслуживающего персонала больницы — санитарок и нянечек они пользуются почти таким же оживленным радостным вниманием, как и охрана, которая не вмешивается в лечебный процесс. С мужчинами как-то все же спокойнее, надежнее в компании больничного контингента.

Все палаты в Орловской психиатрической, как всегда, переполнены. Но бокс, этот бокс, у дверей которого останавливаются любопытные интерны, одноместный. Он оборудован камерой видеонаблюдения.

Один из интернов приникает к глазку на железной двери.

— Все по-прежнему, — говорит он после довольно долгой паузы. — Отметь в листе — все без изменений. Та же поза, но ритм другой. Все по-прежнему или хуже. Лекарства не действуют.

Внутри бокса на мягких матах сидит мужчина. Судя по фигуре — молодой, худощавый. У него темные волосы и покатые плечи. Он сидит, поджав ноги «по-турецки», и с невероятной скоростью и бешеным точным ритмом барабанит ладонями по мягким матам.

Тара-тара-тарарара-рам там там!

Тара-тара-тарарара-рам там там! — как эхо одними губами вторит ритму второй интерн:

— Теперь это... ах ты, что-то очень знакомое, — говорит он, и его губы шевелятся, словно смакуя четкий ритм.

— Это Чайковский, из симфонии «1812 год», фрагмент марша. Мое любимое место.

— Ты говорил ему, что любишь эту симфонию?

— Нет, когда его приводили к главному, это звучало на диске, потом выключили.

Главный — это главврач Орловской психиатрической, он курирует практику интернов и пользуется у них непререкаемым авторитетом как светило психиатрии.

— Сколько он тут уже так, без остановки, барабанит? Три дня? — спрашивает первый интерн и снова прилипает надолго к глазку.

— И еще ночь. Сразу после того инцидента его отвели в медпункт, обработали ссадины, и главный приказал поместить его сюда под наблюдение.

Инцидент произошел глубокой ночью в девятнадцатой палате. Другие больные внезапно напали на этого вот больного, начали душить и бить чем попало.

— Удивительно, — говорит первый интерн.

— Что удивительно? Что он не устает? Это просто своеобразная реакция на...

— Что он не убил никого там, в палате ночью, когда они набросились на него. Учитывая, какой за ним тянется хвост... странно, что он никого там не прикончил в драке.

— Главный решил перевести его сюда, понаблюдать.

— А ты когда-нибудь слышал, как он говорит?

— Всего один раз, он очень неохотно идет на любой контакт.

— А где ты его слышал? В кабинете у главного?

В кабинете главврача — просторном и светлом — на стене висит большая картина, написанная больным, в прошлом художником. На картине — копии полотна из Лувра — изображен французский врач восемнадцатого — начала девятнадцатого века Филипп Пинель, снимающий цепи с умалишенных.

Интерн кивает — да, он слышал, как этот больной говорил с главврачом. Тот может подобрать ключ к любому, самому сложному пациенту. Это большое искусство, это пик профессии, этому еще предстоит учиться обоим молодым интернам.

— Знаешь, главный им заинтересовался с самого начала, — говорит интерн.

— Из-за того, что этот тип совершил на воле?

— Да, но не только. Что-то в нем необычное... главный так считает — и в самом этом пациенте и его случае. Что-то странное.

— Я не понимаю, о чем ты, — второй интерн пожимает плечами. — Он же убийца, садист. Так, ладно, ждем еще сутки, удваиваем дозу лекарства. Если не увидим улучшений, надо ставить вопрос о принудительном кормлении.

Глава 3

РЕЙНСКИЕ РОМАНТИКИ

Они оба любили это место. Только вот, как всегда казалось Олегу Шашкину, по прозвищу Жирдяй, он любил его больше.

Они называли это место — Логово. Логово, где собирались они все — Рейнские романтики, группа «Туле».

Группа действительно настоящая, существовавшая взаправду, как любил отмечать Олег Шашкин — рок-группа, пытавшаяся играть тяжелый рок и совмещать несовместимое: убийственный романтизм бытия и пошлую низменность «мечт».

Именно «мечт», так говаривал Дмитрий Момзен вместо слова «мечтаний». Тексты для песен сочинял он сам, и у него неплохо получалось. Группа «Туле» выступала по закрытым клубам, ездила по стране и СНГ. Но потом внезапно начались всякие сложности и неприятности, связанные с названием.

Приходили грозные письма с требованием это самое название изменить — из разных государственных инстанций, которые вдруг стали очень придирчиво, чуть ли не под микроскопом изучать — а что же это там поют и играют в этой самой группе «Туле».

Дмитрий Момзен — человек образованный, «головастый», как считали все Рейнские романтики, умно парировал все эти официальные выпады.

Да боже упаси, господа начальники. «Туле» — это такой воображаемый остров на Крайнем Севере в воображении еще античных поэтов. Край края земли — за ним лишь небесный чертог да райские врата, если вы верите в них.

— Вы верите в райские кущи? — спрашивал он у помощника прокурора — молодого и злого, ведущего официальную проверку деятельности группы «Туле». Спрашивал прямо там, в прокуратуре, в кабинете, наивно округляя свои прекрасные голубые глаза цвета арктического льда и от этого делаясь еще красивее и наглее.

Так вот, даже если вы не верите в рай, то откройте справочник по истории и убедитесь, во что люди верили раньше — в этот самый край края земли, мистический остров «Туле» — там, далеко на Севере, куда вы, господин проверяющий, уж конечно, никогда не доедете и не доплывете.

В конце концов их с этим названием все же оставили в покое, однако в Москве и Питере им перекрыли весь кислород наглухо. Все концертные площадки, все клубные сцены были теперь для них недоступны.

Рок-группа «Туле» играла лишь у себя дома, в Логове. Да и то теперь уже совсем не играла, потому что они лишились классного барабанщика. А найти нового ударника — дятла в такую группу, как «Туле», ой как не просто.

Студию они устроили в подвале — толстые кирпичные стены старого московского особняка в Пыжевском переулке в Замоскворечье глушили все, даже звуки мощных электрогитар.

Особняк на Пыжевском и был Логовом Рейнских романтиков, а также штабом сбора всех частей перед большими военными шоу, пунктом отправления в дальние поездки и местом, куда так приятно возвращаться.

Такое уютное логово — восемь комнат анфиладой с большим залом, небольшая восхитительная мансарда с застекленной террасой — никакого зимнего сада, всей этой бабьей белиберды с цветами — там они хранили военную амуницию. А внизу огромный подвал — тут и музыкальная студия, и комната собраний, и вход на склад. А рядом магазин — настоящий армейский магазин, лавка для своих, все что надо для военных шоу и исторической реконструкции — от солдатских ремней, пряжек и пуговиц до киверов, касок, шинелей и сапог.

Особняк в Пыжевском в прошлом был куплен отцом Олега Шашкина. Шашкин — Жирдяй сколько помнил себя, всегда любил отца. И всегда они жили хорошо, богато. Отец занимался большим бизнесом, дома появлялся нечасто. Он женился трижды, но ребенка имел лишь одного — Олега. Все свое детство Олег провел в частной школе и на попечении учителей французского и английского языков. Он уже учился на третьем курсе (платно, конечно) исторического факультета МГУ, когда пришла трагическая весть — отец разбился на вертолете под Ханты-Мансийском. Полетел в непогоду в пургу что-то там инспектировать по бизнесу и поплатился жизнью.

Олег Шашкин получил после отца все, что не досталось мачехе. Большие деньги и этот вот особняк в Замоскворечье, гараж, полный машин разных марок, и еще акции и счета в банке в Австрии, и почти все это он с радостью отдал... нет, конечно, не отдал вот так просто — передал в управление, в распоряжение своему другу, нет... гораздо больше чем другу — Дмитрию Момзену.

Если и есть на свете святая чистая мужская дружба без всех этих грязных примесей и инсинуаций на тему голубизны, то это их с Момзеном случай.

Они познакомились в Московском университете. Момзен не принадлежал к богатому классу, о своем прошлом не особо распространялся, в университете посещал собрания Исторического клуба. Он был старше — высокий блондин, атлет, друживший со спортом, поездивший по миру, знающий жизнь вдоль и поперек, и тут и там, за бугром, умеющий рассказать так много всего интересного.

Он покорил Олега Шашкина с первого взгляда, с первой их беседы. Он, конечно, не мог заменить погибшего в авиакатастрофе отца. Но он стал больше чем отец. Он стал предметом обожания и поклонения. Он стал истинным кумиром.

В нем Олег Шашкин по прозвищу Жирдяй видел все то, о чем грезил во сне, все то, чем хотел обладать.

Этот самый убийственный бешеный, отвязный романтизм бытия, необъяснимый словами...

Когда вы таскаете на себе сто тридцать килограммов собственного веса, собственного жира, от которого, несмотря на все диеты, несмотря на все усилия, весь этот долбаный триумф воли, никак не можете избавиться, говорить о романтизме смешно.

Но сердцу ведь не прикажешь. Даже под слоем жира в груди сердце порой бьется так, что...

Хочется кричать на весь мир от счастья, а потом плакать от боли где-нибудь в уголке, когда никто вас не видит.

Но сегодня Олег Шашкин плакать не собирался.

Утром он плотно и вкусно позавтракал в кафе на Полянке и сейчас вернулся домой в Логово с кучей пакетов в руках из магазина «Возьми с собой» — бургеры, кофе в пластиковых стаканах, свежая выпечка, пирожные, плюшки...

Да, да, именно плюшки с корицей...

Все Рейнские романтики, несмотря на суровость стиля милитари, который они активно культивировали, плюшки обожали.

Шашкин спустился в подвал, миновал сумрачную студию с погашенными софитами и прошел в комнату собраний — небольшую, с кожаными диванами и креслами и огромной плазменной панелью на стене. Компьютерное телевидение — они уже давно признавали только его.

Дмитрий Момзен полулежал на кожаном диване — ленивый и праздный в это утро и щелкал пультом, выводя на огромный экран фотографии из Интернета.

Из динамиков мощной стереосистемы тихо, ненавязчиво лилась Giovinezza. Хор итальянских теноров браво исполнял итальянский фашистский гимн.

На огромном экране на стене возникла фотография времен Маньчжурской кампании — стайка лощеных японских офицеров в идеально подогнанных мундирах, шинелях внакидку и до блеска начищенных сапогах. У каждого офицера на носу золотые очки, а в правой руке плотно прижат к бедру... нет, не самурайский меч, а офицерский палаш.

Или все же самурайский меч?

Олег Шашкин застыл с пакетами в руках и вперился в картинку с живейшим любопытством.

— Положи все на стол. Кофе горячий? — спросил Дмитрий Момзен.

— Двойной латте, как ты любишь, без сахара.

— Спасибо.

— Классная фотка, — сказал Олег.

— А эта?

Дмитрий Момзен кликнул пультом, и возникла новая фотография.

Те же японские офицеры почти в такой же геройской позе на фоне голых повешенных. Самая настоящая, не бутафорская, виселица, а на ней в петлях — трупы. Голые женщины с телами, как белый фарфор.

— Маньчжурия. Год, кажется, тридцать седьмой, — прокомментировал Дмитрий Момзен. — А это годом позже, но тоже Маньчжурия.

На снимке снята просто куча. Можно подумать, что самый обычный мусор, но это не мусор, это отрубленные человеческие головы, в основном женские.

— Китаянки, — Момзен под звуки итальянского марша укрупнил изображение. — Вот как они там с ними поступали.

Олег Шашкин кивнул, сгрузил все пакеты, что до сих пор занимали его руки, на низкий круглый стол из беленого дуба.

— Когда видишь на фейсбуке все эти наши смешные потуги... Путь самурая, искусство войны... Наших бедных желторотых офисных цыплят, которые что-то там лепечут в комментариях по поводу порток хаками, самурайских доспехов и лапши удон... Вот если это реконструировать, показать, как оно все было на самом деле...

— Это же китайцы, — сказал Олег Шашкин. — Они их тогда в Маньчжурии за людей не считали.

— Да, если кого-то совсем не считаешь за человека, тогда, конечно, наверное, проще. Намного проще, — согласился Дмитрий Момзен. — Ты как думаешь?

— Я вообще-то, Дим, не знаю, как-то не думал об этом.

— Намного проще, — повторил Дмитрий Момзен и кликнул пультом опять.

Новый снимок.

Изнасилованная женщина.

Ноги широко распялены, юбка задрана на голову.

Белое фарфоровое тело.

Воткнутый штык.

Итальянские тенора — фашисты сладкоголосо пели что-то про Абиссинию, мужество и военный поход.

— Кофе горячий? — повторил свой вопрос Дмитрий Момзен.

— Да, я торопился, как мог.

— Пешком или на машине?

— Пешком, как ты велишь, после завтрака.

— Тебе надо больше двигаться. Ты парень храбрый, здоровый, сильный, но тебе надо быть подвижным, ловким. И еще тебе надо...

— Что?

— Да так, ничего.

— Нет, скажи, — Олег улыбался... то есть пытался улыбаться.

— Надо учиться переступать через некоторые вещи. Ну и через себя тоже. Через «не могу», «не хочу», через то, что коробит или пугает.

— Я стараюсь, ты же знаешь, я очень стараюсь.

Убийственный романтизм бытия... Они говорили как ни в чем не бывало о самых простых, но очень важных вещах.

На фоне фотографии изнасилованной китаянки, пригвожденной к земле японским штыком.

Олег Шашкин внезапно ощутил, что тошнота глубоко внутри начинает подниматься и...

— Мне надо отлить, — сказал он нарочито грубо, хрипло.

Все Рейнские романтики очень ценили такую вот брутальность в патовый момент.

Он оставил Момзена наедине с экраном, кофе латте и итальянскими тенорами, быстро, как мог, поднялся по лестнице, обливаясь потом, и плюхнулся на широкий подоконник — это вот маленькое узкое окно во внутренний двор у самой лестницы в подвал, оно всегда открыто.

Не то чтобы он чувствовал дурноту, дрожь или там боялся чего-то... Этой вот старой фотки, что ли, в Интернете? Просто на одну секунду ему почудилось...

Белое женское тело — гладкое, как китайский фарфор. Задранная юбка скрывала лицо бедняжки. Но все остальное так щедро выставлено напоказ.

Гладкие ноги, упругие ляжки, тонкие щиколотки. У Машеньки ноги еще красивее. Он видел ее в шортах. Он видел ее в платье. Он видел ее в том классном костюме для верховой езды — бриджи в обтяг, сюртук и этот черный шлем, из-под которого выбиваются пряди рыжих волос.

Рыжая Машенька...

Сердце в груди забилось сильно и сладко. Олег Шашкин по прозвищу Жирдяй дотронулся до створки окна. Он вспомнил.

Они ехали на машине. Они опробовали недавно купленный и отремонтированный армейский «УАЗ», с которого сняли брезентовый верх, превратив его в открытую военную тачку. Они с Момзеном рулили по колдобинам пустыря у железнодорожной станции, пробуя сцепление и передачу. А затем рванули через парк напрямик по аллее к озерам.

И она возникла из чащи как видение, как лесной дух. На гнедой лошади! Она мчалась галопом через лес на гнедом коне, точно уходила от злой погони.

Нет, нет, нет, конечно же, нет... Она просто появилась на аллее. И конь был — самой обычной гнедой ленивой пузатой кобылой из клуба верховой езды, что в парке. И не гнался за ней никто.

Это они чуть не сбили ее там, на парковой аллее. Момзен чудом выкрутил руль вправо, и они разнесли бампер о старую липу.

Олег Шашкин выскочил из «УАЗа», не помня себя, бросился к всаднице. Она не пострадала. Только вот у старой кобылы случился чуть ли не обморок от пережитого шока. И она сразу навалила с испугу огромную кучу дерьма.

Пахло конским навозом...

Это первое, что врезалось в память Олегу Шашкину по прозвищу Жирдяй.

Второе — что у девушки рыжие волосы и глаза как фиалки.

Она стала орать на них, что они придурки и сволочи, ездят так только одни лишь идиоты ненормальные, а они и есть эти самые ненормальные идиоты, потому что тут парк и конный клуб и много детей катается и вообще...

Момзен кратко, но с большим чувством извинился: девушка, простите, мы не хотели, мы честно не хотели...

Олег Шашкин что-то бормотал, все гуще, все неудержимее заливаясь краской под ее гневным взглядом. Словно его обварили кипятком.

Этакая здоровенная туша... толстый пацан в армейских брюках из камуфляжа, в черной майке, в татуировках, бритый наголо.

Он тогда еще и голову брил, как идиот...

Он и сейчас бреется наголо...

Это она обозвала его идиотом... нет, не его, ИХ, а потом...

Она взглянула на него сверху, с седла.

Старая гнедая кобыла все еще продолжала неудержимо какать, содрогаясь всем своим телом.

Девушка нахмурила темные брови и сказала, что ее зовут Машенька.

Не Маша, не Мария, а вот так — Машенька.

Потом она велела Олегу Шашкину подержать стремя и спрыгнула с лошади. Та наконец угомонилась.

Девушка взяла лошадь под уздцы и пошла по аллее. А он отправился, поплелся, полетел, как на крыльях, за ней следом.

Проводил ее до самого клуба, до самой конюшни.

Дмитрий Момзен в тот день ничего ему не сказал.

Сидя на широком подоконнике в проходном закутке, видя перед собой широкую анфиладу комнат Логова

Рейнских романтиков и одновременно через окно внутренний двор, вымощенный плиткой, Олег ничего этого не замечал — он вспоминал в мельчайших деталях тот их самый первый день с Машенькой, как они шли через парк вдвоем.

Да, пахло конским навозом.

Он полюбил этот запах с тех самых пор.

Солнечные лучи пробивались сквозь зелень и пятнали траву.

И еще пела какая-то птица... назойливо так и сладенько пи-и-и-и! Отчего-то сейчас воображалось, что это пел соловей.

В тот день Олег Шашкин по прозвищу Жирдяй поклялся себе страшной клятвой Рейнских романтиков, которую не нарушал еще ни один Рейнский романтик, что похудеет, сбросит вес до восьмидесяти килограммов.

Он так и не похудел. Он не смог.

Машенька что-то говорила — и тогда, и потом. Она смеялась, она так нежно, заливисто смеялась.

Перед глазами возникла китаянка с задранной на голову юбкой, раскинутыми ногами. Штык вошел глубоко в самую плоть.

Сейчас об этом совсем не страшно думать, совсем, совсем...

Олег Шашкин вздохнул — ему захотелось выпить сладкой кока-колы и съесть еще один бургер.

Глава 4

МАШЕНЬКА

День Машеньки Татариновой складывался из череды приятных и неприятных вещей.

К неприятностям дня можно, пожалуй, отнести утренний ад общественного транспорта — поездку на двух переполненных рейсовых автобусах и жуткой маршрутке из дома на работу. И вскочивший прямо на носу алый прыщик. Вот, пожалуй, и все дневные гадости.

Приятных вещей — намного больше. Во-первых — новенькая блузка в песочно-коричневую клетку. Да, да, тот самый неповторимый принт английского Barberry. Она купила блузку по Интернету, в общем-то там ее продавали за настоящую люксовую вещь. Но денег просили подозрительно немного. И Машенька не устояла, кликнула на «корзину» «купить».

Во-вторых, предвкушение сегодняшнего вечернего урока верховой езды. Ну это как обычно, когда она не слишком уламывается на работе. Но все равно адски приятно.

Можно сказать, что Машенька Татаринова родилась и выросла на конюшне. Ее мать работала инструктором верховой езды. Мать была бойкой и отважной, рыжей, как лисица, имела пропасть любовников и в свои сорок пять выглядела на тридцать один. Этот клуб верховой езды в парке у Святого озера в Косино она просто подмяла под себя после того, как уложила в койку его владельца — армянина Ару.

Ара — очень пожилой, однако любвеобильный и весьма великодушный человек — по матери с ума сходил, исполнял каждый ее каприз, и очень скоро фактически именно она стала хозяйкой этого престижного конного клуба. В результате Машенька каталась верхом когда и сколько хотела, на любых свободных лошадях, в любое время, в любую погоду — по настроению.

В-третьих, самой главной приятной вещью дня была сама работа. Не верите, что такое случается? Только не с вами, дорогой читатель? А вот Машеньке Татариновой повезло, она нашла такую работу. И никто ее не устраивал, никакого блата, она просто подала резюме, и ее приняли на должность младшего менеджера — экспедитора при управленческом офисе огромного нового торгового центра «МКАД Плаза».

Этот гигантский комплекс, похожий на город с магазинами, бутиками, кафе, ресторанами, кинотеатрами и катком, возник на пустыре у самой Кольцевой, словно построился сам собой, сложившись из разноцветных кубиков ЛЕГО. Офис, в котором работала Машенька, управлял всей этой махиной — технические службы, электросети, Интернет, охрана, все аккумулировалось здесь.

Сюда поступали также различные запросы, претензии и жалобы на неисправности от арендаторов. Например, в торговом зале магазина одежды внезапно вырубились кондиционеры. Продавцы по Интернету отсылают заявку на ремонт в управленческий офис в группу технической поддержки. Или в солярии, что на первом этаже, неполадки с автоматикой. В туалетах на третьем этаже необходим сантехник. В кинотеатре надо проверить систему стереозвука. И десятки подобных вещей, когда требуется вмешательство мастеров-ремонтников.

В обязанности Машеньки входило каждый день отправляться в вояж по торговому комплексу и проверять качество и время выполненных заявок. Когда пришли мастера, как все исправили, есть ли новые жалобы и претензии к качеству ремонта.

Машенька начинала свой обход в десять утра с толстым блокнотом. К четырем сведения должны быть обработаны, к шести занесены в компьютерную базу управленческого офиса.

С десяти до четырех в своих чудесных деловых путешествиях по городу развлечений Машеньку вообще никто не контролировал.

Очень быстро она научилась использовать каждый свободный миг для собственного удовольствия. Например — заскочить на десять минут в тот же солярий. Скоренько, скоренько разоблачиться в кабинке, заказав всего-то трехминутный загар. Раз, два, и готово. Кожа смугла, как южный плод. Она одевается и спешит дальше. Претензия насчет туалетов, сушилка для рук на фотоэлементах... мастер приходил, фотоэлементы заменил, теперь работает, жалоб нет, все в блокнот и... Дальше, дальше, дальше вдоль стеклянных витрин по чудесному городу.

Вот это маленькое черное платьице, его стоит примерить..

Черт, какая зверская цена...

Ах, какой купальник, это какой размер?

Надо купить трусики в итальянском бутике белья.

Ой, какие босоножки... Этот обувной просто разорение, ладно, со следующей зарплаты... Или нет, лучше у матери денег попросить. Такие босоножки на такой шикарной шпилечке упускать нельзя.

А вот и «нейл-бар», тут можно задержаться на четверть часика у Юльки — подружки.

Да, в этом уютнейшем салоне маникюра, похожем на стеклянный аквариум, Машенька обычно зависала на приятнейшие четверть часа. Садилась на высокий табурет за стойку, протягивала Юльке-маникюрше руки и придирчиво начинала выбирать новый цвет лака для ногтей.

— Это что, синий?

— Ага, французский.

— Нет, это как-то уж чересчур стремно.

— Ничего не стремно, давай покажу.

И Юлька наносила на Машенькин мизинец синий лак. Они внимательно разглядывали.

— Нет, мне не нравится, — Машенька хмурила брови — темные шнурочки.

— Самый шик, ты что!

— А мне не нравится. А это... о, жуть... это черный?

— Черная роза. Но это только готы себе выбирают.

— Ну-ка, покажи.

— Ты же синий не хочешь, а этот совсем темный. Черная роза!

— Ну, сделай мне, покажи, — Машенька нетерпеливо тыкала ручкой в подружку Юльку, и та, виртуозно владея кисточкой, легко касалась ее ногтей.

Лак «Черная роза», который выбирают для себя лишь готы... Ну эти, которые такие странные и так чудно́ одеваются... и косят под вампиров в реальной жизни и не в ладах с полицией.

Машенька задумчиво созерцала свои ногти цвета Черной розы.

— Оставить? — осведомлялась ехидная любопытная Юлька-подружка.

— Да... то есть нет, смой. Давай, как обычно. Собственно я за этим к тебе пришла, тот лак, что в прошлый раз. А то если мой шеф «Розу» увидит, в обморок хлопнется.

Юлька начинала вдохновенно трудиться над «французским маникюром». И вскоре Машенька покидала ее и отправлялась дальше в своем радостном путешествии.

Порой по дороге мимо витрин, у стеклянных лифтов она оглядывалась и видела в толпе огромного толстого неуклюжего парня в армейских брюках, тяжелых шнурованных ботинках очень дорогой фирмы и кожаной косухе.

Ну того самого Олега Жирдяя, который с другом едва не сшиб ее своей тачкой, когда она каталась верхом в парке.

Странно вообще, что они после того случая в парке познакомились вот так близко и стали даже чем-то вроде приятелей.

Они общались, болтали. Но порой он, этот Жирдяй, вел себя подозрительно прикольно — вот так прятался в толпе, как будто он, такой здоровый и толстый, может от кого-то спрятаться!

Порой Машенька махала ему рукой, улыбалась, и тогда он моментально подходил, краснел, потел, улыбался, как лысый младенец, и они болтали несколько минут ни о чем.

Но иногда она игнорировала его. Особенно по четвергам и пятницам, потому что в эти дни она торопилась в «Царство Шоколада» — кондитерский бутик, что на первом этаже рядом с «Космос-Золото» и «Азбукой вкуса».

Очень вкусное место, а какой там аромат! Шоколад, корица, ваниль... Бутик небольшой, весь отделан темным дубом. В витринах наборы дорогих шоколадных конфет, фигурки из литого шоколада.

В «Царстве» тоже порой возникали претензии и неполадки. У них там в подсобке имелись холодильники и иногда что-то ломалось. Машенька быстро завела приятельские отношения с обеими продавщицами — страшными сплетницами, потому что...

Да все потому, что... нет, она не так уж и любила шоколад... Просто по четвергам или пятницам сюда в «Царство» заглядывал сын владельца бутика-кондитерской и конфетной фабрики-поставщика. Точнее сын покойного владельца, почти сам уже хозяин всего этого. Только еще *молодой, глупый*, как говорили продавщицы, поэтому всеми делами там, на фабрике, и тут, в бутике, заправляла его дражайшая мамаша.

Машенька увидела его у витрины с шоколадным слоном — высокий и немного нескладный парень, но так мил! Брюнет. Сначала она решила, что он гей. Этот грим на лице... и этот чудной сюртук и кружевное жабо. Она подумала, что он гей... или нет, наверное, просто актер, приглашенный выступать тут в торговом центре на шоу перед показом мод.

Оказалось все не так, все совсем не так.

От продавщиц она узнала — что это молодой хозяин «Царства». Что его зовут Феликс. Что он красится и одевается в сюртук девятнадцатого века из черного бархата с белым жабо, потому что он по жизни и по убеждениям антикварный гот и у его мамаши столько денег, что он может себе это позволить.

И еще она узнала от продавщиц, что он совсем чокнутый парень, но порой, когда он начинает трепаться, его невозможно не слушать — так он приколен и обаятелен. Правда, лишь в те мгновения, когда сам этого хочет — быть обаятельным.

А потом она услышала, увидела его — у витрины с шоколадным слоном. И поняла, что ее работа преподнесла ей еще один редкий сюрприз.

Она начала заглядывать в Царство Шоколада каждый четверг и каждую пятницу, интересовалась — нет ли жалоб на работу холодильников и вообще... как у вас тут дела? Все в шоколаде?

Антикварный гот иногда появлялся. Порой с ним приезжала старшая сестра — так, ничего особенного, женщина лет тридцати — самая обычная, крупная, широкобедрая, с темными волосами — не скажешь, что из такой богатой семьи. И что вот это чудо в перьях — в черном бархате и жабо — доводится ей родней.

Машенька Татаринова боялась признаться сама себе, что она жутко влюбилась в антикварного гота по имени Феликс.

Но если уж и смотреть правде в лицо, то...

Если делить свой день так категорично лишь на гадости и приятности, то к гадостям такое событие в жизни, как любовь, уж точно отнести невозможно. Но и приятного было мало, потому что...

Антикварный гот Феликс Машеньку Татаринову не замечал. Не видел ее в упор.

Или это тоже ей лишь казалось, когда слезы наворачивались на глаза цвета фиалки?

Тот чертов алый прыщ на носу, что вскочил вдруг и который пришлось густо замазывать тоналкой. Говорят, это такая примета, четкий вернях: если прыщ вскочил на носу, значит кто-то к вам очень неравнодушен, только скрывает свои чувства. Потому что час для них еще не пробил.

Глава 5
СТАТЬЯ ДЛЯ ЖУРНАЛА

— И что ты ко мне все пристаешь? Почему ты вечно ко мне пристаешь? Что за новые фантазии опять? И время-то как нарочно выбираешь, когда я по горло занят.

Голос... мужской, хриплый, простуженный звучал почти плаксиво и жалобно. Вот так послушаешь и представишь себе бог знает что, кто-то там к кому-то... то есть к обладателю этого густого хриплого баса, пристает, изводит его как комар ночной, мучает, а может, соблазняет?

— И зачем тебе это нужно?

— Мне интересно.

— Ей интересно! Вечно тебе все интересно. Нечего этим делом интересоваться.

— Но я хочу.

— Она хочет!

— Я уже договорилась.

— Она договорилась? Какие тут могут быть договоры?!

— Я договорилась насчет статьи для «Вестника МВД».

Катя... Екатерина Петровская — капитан полиции, криминальный обозреватель Пресс-центра ГУВД Московской области, изящно, однако очень энергично взмахнула рукой перед самым носом шефа криминальной полиции области полковника Гущина. Тот отшатнулся, кожаное кресло под его грузным телом заскрипело.

Обстановка — самая обычная, будничная. Кабинет полковника Гущина — огромный, с совещательным столом, с кожаными креслами, с письменным столом у окна, заваленным рабочими бумагами.

Шеф криминальной полиции жестоко простужен, говорит хрипло, однако сидит не дома на бюллетене, а тут, в своем кабинете в Главке на Никитском. Кате... бессердечной Кате его немножко жалко, но она решительно настаивает на своем.

— Федор Матвеевич, «Вестник МВД» заказал мне большую статью. Это по сути исследование. Я поделилась с ними одной идеей, я давно об этом думаю. И вот решила написать в форме рабочей статьи. Журналу эта идея нравится. И я собираюсь работать над статьей. Мой непосредственный шеф, начальник Пресс-службы, очень это одобряет, потому что мы пишем не так уж много статей в профессиональные журналы на чисто профессиональные оперативные темы. Короче, я обо всем уже договорилась.

— От меня что тебе нужно?

Гущин укрылся бумажным носовым платком, точно чадрой — одни глаза несчастные, мутные от простуды, и громко, трубно на весь кабинет высморкался.

— Мне нужно ваше принципиальное согласие, что я могу работать с этой семьей и буду иметь допуск к делу в спецархиве и ко всем материалам ОРД.

— Ты собираешься делать публикацию о деле Шадрина?!

— Да не для прессы, а для нашего ведомственного журнала. И не о самом Шадрине. О его семье. Мне нужен адрес. Их новый адрес и их новая фамилия. А это знают лишь трое — начальник МУРа, начальник нашего Главка и вы, Федор Матвеевич. Я вот к вам пришла по старой нашей дружбе.

Полковник Гущин швырнул скомканный носовой платок в мусорную корзину.

— Шадрин сидит в психиатрической больнице специального типа, — сказал он. — Его не судили.

— Я знаю об этом.

— За три недели — четыре жертвы! Но его не наказали. Его лечат... его там лечат... этого сукиного сына, этого подонка!

— Федор Матвеевич...

— Скажи мне, ответь, кто тебя надоумил писать об этом деле?

Катя вздохнула, выпрямилась в кожаном кресле. А вот с этим все сложно, дорогой мой коллега, шумный громкий Федор Матвеевич... Как бы вам все это получше объяснить, чтобы вы поняли и помогли, а?

С тех самых пор, когда в сердце полковника Гущина при одном памятном и трагичном задержании попала пуля... в сердце, правда, прикрытое бронежилетом, но все равно — ведь это... сердце, он изменился. Катя, находившаяся рядом с ним на том памятном задержании, отметила это — Гущин изменился. Например, он вдруг признал наличие у него второй неофициальной семьи и побочного взрослого сына (это после двадцати пяти лет безупречного брака!). И он стал чрезвычайно благоволить к ведомственной прессе, хотя в прошлом гнал всю эту ведомственную полицейскую прессу от себя взашей.

Катя отмечала — они с шефом криминальной полиции не просто коллеги. Они подружились! Кто бы мог предположить, что толстый лысый циничный суровый профи — шеф полиции способен на дружбу с криминальным обозревателем Пресс-центра! Но Катя радовалась как дитя и пользовалась плодами этой дружбы беззастенчиво и чуть ли не нагло.

Если что-то интересное случалось в области по части криминала... убийство или еще какое-то громкое необычное дело, она больше не сбивалась с ног в поисках крох информации. А шла прямо в приемную полковника Гущина. Порой он сам обращался к ней за помощью, и она исполняла его поручения. И они так работали, помогая друг другу по целому ряду дел.

Отчего же сейчас Гущин упрям как осел? Почему не желает допускать ее к делу Шадрина? Зачем все эти вопросы: кто тебя надоумил об этом писать...

Кто-кто... конь в пальто... Это не сказка, это присказка бывшего мужа Вадима Кравченко, именуемого на домашнем жаргоне Драгоценным. Муж, теперь уже окончательно бывший... хотя он так до сих пор и не дал (не дал, представляете!!) ей, Кате, официального развода, вот уже несколько лет жил постоянно за границей.

Его работодатель, старый и хворый олигарх Чугунов, при котором Вадим Кравченко состоял начальником службы личной охраны, давно уже собирался ложиться в гроб по причине своих многочисленных болезней. Но западная и тибетская медицины, канадские шаманы и филиппинские целители, монахи из монастыря Шао-Линь и индийский гуру Баба сотворили с Чугуновым настоящее чудо. Теперь он помирать не собирался. Он схоронил жену и старую любовницу и вместе с Кравченко, которого уже официально во всех письмах, во всех документах, беседах с адвокатами именовал не иначе как «сынок», «мой сын», в свой семьдесят седьмой день рождения сиганул из самолета с парашютом.

Он был бездетен, этот старый Чугунов. А Кравченко, который в начале своей службы в качестве личного телохранителя открыто насмехался над своим неотесанным боссом, с годами все больше... все крепче, все сильнее привязывался к нему, прикипал душой, особенно когда старик тяжело болел, особенно после тех двух операций на сердце... Кравченко тогда не отходил от постели шефа, и тот со всей силой, оставшейся в хвором дряхлом теле, сжимал его руку.

— Не уходи... сынок... ты только не уходи... я умру скоро, но ты не уходи, не бросай меня...

Когда двое таких разных мужчин — пожилой и молодой — становятся друг другу необходимы как воздух... Катя думала об этом не раз, об этой странной причудливой метаморфозе отношений работодателя и наемника. Когда двое мужчин — пожилой и молодой — становятся друг другу родными, как старый больной отец и сын, что не дал, не позволил отцу умереть.

Порой Катя думала очень зло обо всем этом — что Драгоценный променял ее на своего работодателя Чугунова и жизнь с ним за границей из-за денег. У старика олигарха ведь огромное состояние...

Но нет. Там все гораздо сильнее, глубже. Чугунов не умер только благодаря тому, что Драгоценный не дал ему умереть, выходил его (конечно, конечно, старика лечили в лучших европейских клиниках, но Драгоценный это организовал). Он находился постоянно рядом. В одной палате на расстоянии вытянутой руки, чтобы всегда можно было прийти на помощь, когда смерть...

Когда смерть совсем близко.

Мой старый больной отец...

Сынок... Мой единственный любимый сын...

Да, там все гораздо сильнее между ними, у них. И Катя думала об этом часто с огромной печалью. Ей нет там места. Она лишняя. Хотя муж Драгоценный так до сих пор и не дал ей развода из своего заграничного далека.

Вместо развода — деньги, регулярно поступавшие от него ей на банковскую карту. И она эти деньги брала.

Если уж совсем честно, то это ведь она изменила Драгоценному первой, хотя и эта рана, этот шрам давно уже в прошлом.

Так вот, о прыжке с парашютом. Эти два идиота — старый и молодой — сиганули вместе! Кате об этом подвиге рассказывал красочно, взахлеб друг детства Драгоценного Сергей Мещерский. Он сравнивал двух идиотов — старого и молодого — с троянским Энеем и его хворым отцом. Ну вы, дорогой читатель, помните, как герой Эней уносит на закорках из оплавленной пожаром Трои самое для него дорогое — дряхлого немощного отца, при этом безвозвратно теряя жену.

Так и здесь — перед прыжком с парашютом — старого Чугунова приторочили к здоровяку Кравченко как вьюк, и они прыгнули вместе.

Парашют раскрылся, и они летели над каким-то вулканом, над водопадом где-то на Гавайях. Над джунглями.

Они приземлились — старый Чугунов благополучно, а вот здоровяк Драгоценный сломал себе обе лодыжки. И очутился в лучшей клинике на Гавайях.

Оттуда он и позвонил Кате по сотовому. Впервые за много месяцев молчания.

Катя сейчас в кабинете полковника Гущина вспоминала этот разговор. Ах, Федор Матвеевич, что вы спрашиваете, кто надоумил... никто... конь в пальто. С этого краткого разговора все началось... Такая тоска на сердце.

— Привет.

— Привет.

— Я вот думал о тебе сейчас.

— Надо же. Спасибо.

Словно и нет долгих месяцев разлуки, долгих дней и ночей глухого молчания.

— Как у тебя дела, жена?

— Хорошо. А как твои, Вадик?

— Да вот, лежу, скучаю.

— Где лежишь? С кем?

— С капельницей в обнимку.

— С капельницей? Что случилось?

— Ничего. Маленькая спортивная травма.

— Тебе больно?

— Нет, мне щекотно.

— Мне прилететь к тебе? Ты, кстати, где?

— Нет, это далеко.

— А, понятно, — сказала Катя. — Есть, кому за тобой ухаживать, да?

И она отключила сотовый. И слезы... эти чертовы слезы после стольких месяцев хлынули как град, как ливень, они затопили ее всю — все ее существо. Она рыдала, уткнувшись в диванную подушку. Она так рыдала! Наверное, целый час. А потом кинулась звонить

Сережке Мещерскому узнавать подробности — что случилось, где, когда, что за спортивная травма, очень ли это опасно?

Мещерский рассказывал взахлеб — он несказанно обрадовался тому, что Катя расспрашивает о Драгоценном, что они наконец-то пересилили обоюдное упрямство и гордыню и пообщались по телефону. От него распухшая от слез Катя узнала и про прыжок с парашютом, и про вулкан, и про джунгли, и про сломанные лодыжки. Мещерский все токовал как тетерев про троянского Энея и его отца на закорках, а Катя спрашивала:

— Кто там с ним? Что за девица?

— Нет никакой девицы! — горячо заверял Мещерский. — Чугун там с ним, он над ним как орлица над орленком... теперь он, а раньше Вадька его выхаживал... Я их видел в прошлом месяце в Женеве. Чугун совсем спятил на почве отцовской любви. Дошел до того, что справки наводит — нельзя ли Вадьку официально усыновить. Это такого-то лба в таком возрасте! Прыжок этот с парашютом они вместе затеяли. Они неразлучны. Чугун сначала на ходунках ходил после клиники, потом с костылями, а теперь и Вадька-оборот со своими лодыжками на костылях. Чугун там с ним, в больнице, они скоро улетят опять в какой-то монастырь ноги Вадькины лечить. Чугун волноваться начинает, когда Вадьки пять минут в комнате нет. Он совсем старый, Катя... у него, кроме Вадьки, никого нет в целом свете. Ты должна это понять. Эней и его отец.

Не хотела Катя ничего *этого* понимать. Ах ты, какая же тоска на сердце...

Способ борьбы с этой грызущей тоской лишь один — работа. Работа, что поглощает тебя без остатка. Интересная. Чтобы это стало как наркотик, как наваждение. И заглушило все — и ожившую память, и тупую душевную боль.

И эта статья для журнала МВД. Сложная статья, с которой придется повозиться... она пришлась так кстати, так вовремя в горький час.

Но как объяснить это полковнику Гущину, чтобы он понял и не стал, упаси бог, ее, Катю, жалеть?

— Мне очень нужно написать эту статью, Федор Матвеевич, — сухо сказала Катя. — Я давно собиралась, обдумывала эту тему. Семья маньяка... Сколько было случаев в практике с серийными убийцами... Так вот, всегда семья, родственники — родители, жена, братья, сестры, они все отрицают. Говорят потом на следствии, что они *ни о чем не подозревали никогда*. И я на примере семьи Шадрина хочу доказать обратное. То, в чем я абсолютно уверена. Семья маньяка всегда знает о нем то самое главное, что неизвестно другим. Семья знает и об убийствах, которые он совершает. Потому что после убийств он приходит с *этим* домой к своим родным. А это не скроешь. И дело не только в одежде и обуви, которые потом приходится отмывать от крови, от грязи. Сам его облик после убийства, эта аура, которая его окружает — аура смерти, он пахнет смертью, он смердит... Они — все его родные, они не могу этого не чувствовать, не замечать.

— Семья Шадрина... ты знаешь, кто его семья?— спросил Гущин.

— Да, это есть в короткой информационной справке. Мать, отец, брат и сестра.

— Пацану десять, сестренке двенадцать. Из-за них, собственно, эта семейка и попала под программу защиты свидетеля. Ведь детям еще целую жизнь жить. А с этим как жить, с такой фамилией? В общем, мы все, совместно с прокуратурой, с комитетом по делам несовершеннолетних, решили, что семья воспользуется патронатом программы защиты свидетеля по полной — смена фамилии, адреса, замена паспортов... Ну и так далее, — Гущин посмотрел на Катю. — А ты что же, в статье все это собираешься раскрыть? Наизнанку вывернуть?

— Я не стану указывать ни настоящей их фамилии, ни адреса. Это же громкое дело, но оно закрытое. Федор Матвеевич, я тогда в отпуск уехала. А это случилось все за один месяц — убийства, потом вы его задержали в Дзержинске. И все — тайна. И суд был в закрытом режиме, никакой информации.

— Когда его задержали, сразу стало известно, что он психически больной. Что толку звонить во все колокола, когда эксперты сразу сказали — невменяем. Не ведал, что творил, а сотворил такое... Три недели весь юго-восток Москвы, наши районы, области как в кошмаре — где, когда проявит себя опять? И Шадрин себя проявил, да так, что... До сих пор, как вспомню картину места происшествия, меня тошнит. А ведь я тридцать лет служу, много чего повидал.

— Я читала только короткую справку — приложение, — сказала Катя. — Мне нужно ваше разрешение на использование материалов ОРД и дела из архива.

— Семья Шадрина всегда отрицала, что они знали о совершенных им убийствах. Мать и отец заявляли это на следствии не один раз.

— Они лгали, Федор Матвеевич, — убежденно парировала Катя. — Да вы и сами в этом уверены. Они и вам, и МУРу, и следователю лгали. Тем более что Шадрин — психически больной, такие ничего ведь не могут скрыть. Они его просто жалеют. Они жалеют своего сына-маньяка.

— И как же, интересно, ты собираешься добиваться от них правды?

— Ну, для начала я просто с ними встречусь, погляжу на них, побеседую, — Катя пожала плечами. — У меня еще пока нет четкого плана. Отказаться со мной говорить они не могут. Программа защиты свидетеля обязывает их к сотрудничеству с нами. Они подписали все документы, они дали свое согласие. Так что разговор мы начнем. А там увидим. Я стану, как обычно, задавать вопросы и ждать ответов на них. Я же криминальный репортер, не забывайте.

— Я никогда об этом не забывал, — Гущин кивнул. — Но и ты не забудь вот о чем. Это дело попало под колпак секретности не только потому, что Шадрин психбольной и невменяемый. Знаешь, что там случилось тогда, в мае, два года назад?

— Да, слышала разговоры в управлении. Наша сотрудница из Дзержинского УВД погибла при его задержании.

— Марина Терентьева, лейтенант, в отделе кадров она работала. Да, так мы написали в рапорте и во всех официальных документах — погибла при задержании, при исполнении служебного долга. Но все было не совсем так.

Катя внимательно посмотрела на Гущина — больной, простуженный, мрачный.

— А как, Федор Матвеевич?

— Она стала его четвертой жертвой. И это произошло не при задержании. Его задержали через два дня. Лейтенант Терентьева... она просто возвращалась домой в тот вечер, и он на нее напал, так же, как и на остальных. Сотрудник полиции — жертва маньяка, которого ловят все правоохранительные органы столичного региона... Мы посчитали, что это не подлежит огласке в том виде, в каком есть. Он растерзал ее как бешеный зверь, нашего лейтенанта, коллегу... Она не смогла себя защитить. Да и никто бы не смог. Но поди объясни это обывателю. Тогда в мае такие жуткие слухи гуляли от Вешняков до Люберец, от Рязанки до Дзержинска, мы не знали, как успокоить народ, население. А если еще выплыло бы, что его очередная жертва сотрудник полиции, такое бы началось... Люди решили бы — раз уж полиция себя от него защитить не в состоянии, то что уж нам делать, вооружаться, что ли? Ведь он намеренно это сделал — выбрал ее, Терентьеву, потому что она носила погоны. Вменяемый он там или нет... он сделал это нарочно, чтобы показать нам — с кем мы имеем дело.

Катя ждала, что он скажет что-то еще, продолжит, но Гущин умолк. Видимо, считал, что сказал достаточно — имеющий уши да услышит, имеющий разум — поймет.

— Какая теперь у них фамилия, у семьи? — спросила Катя после долгой томительной паузы.

— Все еще собираешься об этом деле писать?

— Да. Предельно корректно, Федор Матвеевич. В этом я даю вам свое слово.

— Его родителям заменили паспорта, брату и сестре свидетельства о рождении. У них теперь у всех девичья фамилия матери — Веселовские. Хороша фамилия для семьи Майского убийцы? Четыре жертвы за неполные три недели в мае.

— Они уехали из Дзержинска? Далеко? Я возьму командировку, хоть в Мурманск. Я уже договорилась со своим начальством.

— В Мурманск ехать не придется, — сказал Гущин. Он грузно поднялся из-за стола, открыл сейф, достал оттуда тоненькую красную папку, а также компакт-диск. — До Косина ты и на автобусе доедешь прекрасно.

— Они переселились в Косино?

— Черное озеро. Вот здесь их фамилия, номера паспортов, адрес и телефоны.

Катя открыла красную папку — всего два подшитых документа с гербовой печатью.

— Но сначала посмотри вот это, — Гущин вручил ей компакт-диск. — Это видео с похорон лейтенанта Терентьевой. Перед тем как начнешь писать статью, тебе полезно это увидеть.

Глава 6
ЛЕКЦИЯ

Лекция получалась немного сумбурной — так всегда, когда в аудиторию набивается слишком много студентов.

Аудитория в старом здании Московского университета с огромными окнами прямо на Моховую улицу. Белые широкие подоконники, белый мрамор, скрипучие старые ступени, потемневший дуб панелей.

И сам воздух здесь какой-то особый, да, конечно, очищенный мощными кондиционерами, но все равно терпкий, пьянящий как вино.

Золотые пылинки в лучах закатного солнца...

Запах воска, запах дерева, аромат духов, которыми пользуются студентки.

Оранжевые блики на чисто вымытых стеклах окон, смотрящих на Моховую.

Огромный демонстрационный экран на стене бледен, слайды, иллюстрирующие лекцию, видны на нем из-за солнца нечетко.

Но Мальвина Масляненко лишь крепче сжала лазерную указку. Она медлила нажать кнопку на пульте и опустить на окнах жалюзи.

Такой чудесный вечер в старой аудитории университета. И столько студентов пришло, некоторые сидят даже на ступеньках в проходах, отложив сумки и рюкзаки, открыв ноутбуки, достав планшеты, и слушают ее, и записывают за ней, ловя жадно каждое слово.

Да, каждое слово...

Когда лектора... когда своего преподавателя студенты слушают вот так, это чего-то стоит.

Ох, это и есть истинное вдохновение! И пусть, пусть лекция выходит сегодня немного сумбурной, зато она блестящая, оригинальная, она чрезвычайно информативна.

Конечно, все, возможно, гораздо более прозаично — сегодня в старой аудитории собралось столько народа, потому что на носу экзамены, сессия. Студенты стараются, что называется, впрок наглотаться знаний, чтобы потом не корпеть над скучными учебниками и не торчать в библиотеке.

Но Мальвине Масляненко, отлично все это понимающей — она же преподаватель, лектор, — хочется думать, что не угроза экзаменов, а ее лекция, ее блестящая речь привлекает в аудиторию слушателей.

Она лишь крепче сжимает в руке лазерную указку, убирает со лба волосы и продолжает лекцию:

— Таковы рассмотренные нами провансальские тексты той эпохи, чрезвычайно существенные для понимания культурной среды, в которой формировался этот сборник «Жизнеописания трубадуров». Роль, которую сыграли «Жизнеописания» в становлении не только французской, но и ранней итальянской литературы, огромна. При более подробном знакомстве с текстами вы проведете сравнения и ознакомитесь со старинными, самыми первыми комментариями к «Божественной комедии» Данте и «Триумфам» Петрарки. Поэтическая перекличка текстов, возможно, поразит вас, и вы откроете для себя удивительные вещи, вчитываясь в фрагменты латинских хроник и папских эпистол, к которым имеются отсылки...

— Почему у него в руке отрубленная голова? Да к тому же его собственная?

Этот вопрос с места задала студентка в белой майке с логотипом Apple, сидящая чуть ли не под самым потолком на заднем ряду над головами других, но обладавшая чрезвычайно громким противно настырным голосом.

Она указывал на бледный экран, где в лучах закатного солнца возник новый слайд: мощная обнаженная фигура, потрясающая собственной головой, которую этот ходячий труп держал за волосы. Голова что-то беззвучно орала, широко распялив свой рот. На переднем плане рисунка корчились раненые, а две фигуры в левом нижнем углу все это созерцали с ужасом. Одна из фигур — высокая, в лавровом венке.

— Вот как раз пример этой самой поэтической переклички. Это иллюстрация Гюстава Доре к «Божественной комедии». Вы видите, как сам Данте и Вергилий — вожатый поэта — встречают знаменитого трубадура Бертрана де Борна, упомянутого в «Жизнеописаниях», в аду. И тот несет отсеченную от тела собственную голову. — Мальвина Масляненко нажала кнопку на пульте и наконец-то опустила жалюзи на окна аудитории.

На мгновение стало темно, затем вспыхнул боковой свет. Экран на стене стал ярким, четким. Все узрели старинную гравюру.

— Трубадура казнили? За что? За его стихи? — спросила блондинка — студентка с первого ряда.

— Апрельский сквозняк, блеск утр и свет вечеров, и громкий свист соловьев... И расцветающий злак, придавший ковру поляны праздничную пестроту... И радости верный знак, и даже Пасха в цвету гнев не смягчают моей дамы — как прежде... Разрыв глубок, но я подожду...

Мальвина Масляненко обвела глазами полную аудиторию. Какое же счастье, когда они слушают ее!

— Я подожду, — повторила она строчки стихов. — За такие стихи разве можно казнить?

— Но Данте ведь поместил его в ад, — возразил кто-то из прохода.

— Ибо я даму нашел без изъяна и на других не гляжу. Так одичал от любви — из капкана выхода не нахожу! Взор ее трепетный — мой властелин на королевском пиру, зубы — подобие маленьких льдин блещут в смеющемся рту, стан виден гибкий сквозь ткань пелерин, кои всегда ей к лицу. Кожа ланит и свежа и румяна — дух мой томится в плену. Я откажусь от богатств Хорасана — дали ее б мне одну!

— Он же так многим писал, вы сами говорили, он был страшный бабник этот рыцарь!

— Да, бабник, забияка, хулиган и поэт, — Мальвина звонко ответила студенту с задних рядов.

— Значит, его казнили за распутство?

— Всю жизнь я только то и знал, что дрался, бился, фехтовал. Везде, куда ни брошу взгляд — луг смят, двор выжжен, срублен сад. Пуатевинца жирный зад узнает этой шпаги жало! И будет остр на вкус салат, коль в мозги покрошить забрало!

Мальвина подняла руку с лазерной указкой, и алое пятнышко заскользило по обнаженной фигуре Бертрана де Борна, рыцаря и трубадура, размахивавшего собственной отрубленной башкой в аду.

В каком там круге ада? Не сбиться бы со счета...

— Бертран де Борн был знатный рыцарь и владетель замка, беспрестанно воевал со своими соседями, графом Перигорским и виконтом Лиможским, и братом своим родным Константином и с королем Ричардом Львиное Сердце. Еще в ту пору, когда тот был молод. Был он доблестный воин и храбр в битве и куртуазный поклонник дам и трубадур отличный, сладкоречивый, равно умевший рассуждать о добре и зле. Когда б ни пожелал, всегда он умел заставить короля и сыновей его поступать по своей указке. А желал он лишь одного — чтобы все они друг с другом воевали. Желал, чтобы все время воевали между собой король французский и король английский. Когда же они уставали... и насыщались кровью, и заключали мир, Бертран стихами своими старался обоим внушить, что себя они этим миром опозорили, пойдя на уступки, и мир разрушал. От войны и крови получал он великие блага, но и бед претерпевал немало. — Мальвина Масляненко остановила алое пятнышко лазерной указки точнехонько в отверстом рту отрубленной головы трубадура. — Вы видите, уже в то время автор «Жизнеописаний» вполне критически относился к личности нашего поэта-рыцаря. Но это не мешало ему Бертраном восхищаться безмерно.

— Так за что все-таки он попал в ад блуждать там с собственной отрубленной головой? — спросила тоненьким жалобным голоском студентка откуда-то сбоку — Мальвина Масляненко ее даже не разглядела. — Вы, госпожа лектор, отчего-то постоянно уходите от прямого ответа на этот вопрос.

— Я ухожу? Да что вы, — Мальвина улыбнулась, освещая лазерным алым пятнышком раскрытый в немом крике рот Бертрана де Борна. — Я просто хочу, чтобы вы сами поняли, за что поэт, слагающий стихи о любви для своей дамы, может очутиться в аду вот в таком ужасном виде.

— Он попал в плен к кому-то из королей — Ричарду Львиное Сердце или его противнику и его казнили? — Голос из прохода у дверей аудитории.

— Или его застукали в постели королевы? Он ее соблазнил своими стихами? Только вот которую из королев? — Голос с верхотуры, с задних рядов.

— Да его просто убили в бою! Отрубили голову и насадили на пику! — голос с первого ряда.

— А может, это был заговор?

— Или к нему подослали наемных убийц?

— Да, его решили прикончить, потому что он всех достал своими стихами!

Мальвина Масляненко уже не различала, кто из студентов задает вопросы, тянет руку — целый лес рук поднялся над рядами, голоса звучали отовсюду.

Ах, какая лекция, какой ажиотаж! Как они все загорелись, как хотят знать... Жажда знаний, жажда нового, кто сказал, что студенты люди малосведущие и не любопытные? Когда преподносишь скучный сухой филологический материал вот так, когда читаешь свою лекцию оригинальным способом, то просыпается такой жгучий интерес — у них. А у тебя — такой драйв...

— Его любили многие женщины. Но в его душе царствовала всегда одна «прекрасная дама», и напрасно мы будем искать конкретное лицо... Может, оно и было, но Бертран хранил ее имя в тайне, воспевая в стихах так называемую Составную Даму, чей образ он сложил из многих черт милых и прелестных, приятных и заставлявших его пылать, желать, гореть, страдать... Они же, все эти рыцари, были тогда день-деньской облачены в железные латы. Трудно мастурбировать мужику в латах, в таком наряде. Практически невозможно. Значит, остается слагать стихи.

— Ого!! — пронеслось по рядам университетской аудитории. — Госпожа лектор, ну вы даете!

— Я хочу, чтобы вы представили... Представили себе все сами. Молодые люди знают, о чем я, девушки догадаются.

— Круто!!

— Дама мне уйти велит, ваш безжалостный приказ... Но, вовек покинув вас, не найду другую. Ваш отказ меня потряс... О-о-о-о, когда б желать как вас Даму Составную!

Мальвина Масляненко произнесла это самое «О-о-о-о!» Бертрана де Борна так протяжно и громко, что все голоса в университетской аудитории разом смолкли. Наступила тишина.

— Все, дорогие мои коллеги, лекция окончена. Попрошу вас ознакомиться с текстами на французском и записать идеи и мысли, если они у вас возникнут по ходу чтения, это всегда помогает при дальнейшем анализе. В следующий раз мы поговорим с вами о поэтах Плеяды.

— Так за что все-таки Данте поместил трубадура в ад? — спросила студентка в белой майке с логотипом Apple.

— Ах, вы считаете лекцию без этого не оконченной? Надо поставить точку? — Мальвина Масляненко улыбалась.

Она была сегодня очень довольна — и лекцией, и собой, и этой атмосферой в аудитории. Они заинтересовались всерьез, они даже не вскочили с мест, как обычно, устремляясь к выходу. Студенты сидели на местах как пришитые. Они хотели знать.

— Бертран де Борн не погиб в бою, и его не казнили, он умер, когда пришло время ему, поэту, покинуть этот мир, — сказала она. — Но другого поэта это не устроило. Поэты, они ведь такие люди... сложные по своей натуре. Этим другим был Данте Алигьери, и силой его фантазии трубадур Бертран очутился в «Божественной комедии» в аду как поджигатель военных конфликтов. В наказание он вечно обречен нести по адскому кругу свою отсеченную от тела голову. Она читает стихи, вот тут на этой гравюре... Прислушайтесь, разве вы не слышите, как эти мертвые губы все еще бормочут собственные стихи?

> Чей гибок был стан, чей лик был румян,
> Кто бился и пел — лежит бездыхан.
> Увы, зло из зол! Я встал на колени...
> О-о-о-о! Пусть его тени
> Приют будет дан
> Средь райских полян...

Глава 7

ЧЕТВЕРТАЯ ЖЕРТВА. ПОХОРОНЫ

Вернувшись от полковника Гущина к себе в кабинет Пресс-центра, Катя внимательно прочла оба документа из красной папки. Затем она включила ноутбук и поставила диск.

Видеосъемка...

Дзержинский УВД — двери его распахнуты настежь. Во дворе, обычно забитом патрульными и оперативными машинами, столько людей — не протолкнуться.

Люди в полицейской форме, люди в гражданском и цветы, цветы, цветы — море цветов.

Камера снимает улицу перед УВД — она вся тоже запружена народом. Люди стоят на тротуарах, на проезжей части, люди скорбно застыли у машин с полицейскими мигалками — океан людей, словно весь город собрался здесь... И Москва приехала, и из областного Главка приехал народ, и с Петровки, 38, и из министерства, и с окрестных улиц и дворов, из близких мест, из дальних — отовсюду.

Похороны...

Сотрудника полиции хоронят сегодня в городе...

Сотрудницу...

Лейтенант... не он, а она...

Молодая?

Очень молодая...

Красивая была?

О, да...

Посмотрите на фото...

Катя, глядя на экран, видела, слышала негромкие разговоры в толпе, уловленные камерой и микрофоном.

Похороны лейтенанта полиции Марины Терентьевой.

Вот она какая была...

В толпе перед УВД девушки в полицейской форме держат большую фотографию. Девушки в полицейской форме плачут, ни от кого не скрывают своих слез.

В толпе люди тоже плачут. Женщины — в форме и в штатском.

Мужчины... мужики не плачут, но по их лицам... По их лицам, которые сейчас показывает видеокамера...

Море цветов — алых и белых роз, лилий, хризантем, орхидей...

Море цветов... море колышется раз... море колышется два...

Все новые и новые фотографии плывут в поднятых руках над толпой — чтобы все видели, *какая она была*...

Чтобы все запомнили лейтенанта Марину Терентьеву — такой.

Лейтенант полиции с фотографии улыбается, она думает о чем-то хорошем — такая у нее там, на фото, улыбка.

Катя смотрит на мертвого лейтенанта Марину Терентьеву.

В распахнутых дверях УВД появляется гроб. Закрытый, черный, с полированной крышкой.

Его несут сотрудники в парадной форме.

Оркестр МВД начинает играть похоронный марш.

Почетный караул — винтовки, белые перчатки, фуражки.

Гроб плывет над толпой среди цветов... Вот его уже почти не различить — потому что розы, лилии, хризантемы, орхидеи, тюльпаны покрывают его точно пестрым траурным ковром.

— Каждый представляет себе смысл жизни... Путь, который ему подходит. Но некоторые выбирают очень трудный путь и проходят его до конца...

— Когда так мало лет... несправедливо, что надо умирать...

— Она такая прекрасная на фотографии...

— Если все время следовать путем, что ты выбрал, никуда не сворачивая, презирая опасность и страх...

— Она всегда хотела быть только полицейским, она избрала для себя эту профессию...

Траурная процессия начинает свой последний марш по тихому городу. Сотрудники полиции, горожане, народ, граждане...

Никакого официоза, никаких помпезных речей...

Они все говорят в толпе то, что на сердце, и Катя их слышит.

— Она в одиночку кинулась его задерживать... ну того, вы знаете, о ком я... А он ее убил... Бешеный волк...

— Она... Марина всегда была храброй...

— Да, очень храброй, если бы не она... Его взяли наконец-то, и это ее заслуга...

Оркестр...

Похоронный марш...

Цветы как саван...

Саван из лепестков...

— Трудно умирать молодым...

— Страшно умирать вообще...

Катя просмотрела всю запись до самого конца. И кладбище. И поминки в городском ресторане.

Слезы...

Залп почетного караула...

Глухие рыдания...

Новый залп — последний салют.

И стая птиц — вспугнутая выстрелами, взметнувшаяся в майское небо с кладбищенских лип.

Это было в подмосковном городе два года назад.

Теперь это уже — почти легенда.

И сама Марина Терентьева — почти легенда там... городской мрачный миф о красавице, которая билась с чудовищем насмерть. И не спаслась.

Катя выключила ноутбук. Долго сидела, не шевелясь, точно силы, прежняя решимость, любопытство, рабочий азарт криминального репортера внезапно покинули ее, улетучились как дым.

А может, полковник Гущин прав? Надо ли ворошить всю эту историю, если окончание ее — вот такое — почти что новая городская легенда о герое полицейском, погибшем при исполнении служебного долга?

Так все было или не так, но миф уже есть, он существует в умах горожан и... там ведь все кончено в этом деле. Маньяк пойман и сидит в психиатрической клинике. Его упрятали туда навсегда.

А что там думали и знали его родные, его семья — так ли уж это и важно?

Если тебе так уж невтерпеж дома в тоске и печали, во всех этих своих воспоминаниях о прошлом, угрызениях совести, гордыне и одиночестве... может, не стоит принимать *вот это* лекарство... вот это горчайшее смертельное лекарство от собственной скуки? Чужое горе, чужая боль... Это не допинг от одиночества. Если уж *это* воспринимать как допинг, то это просто какое-то извращение, душевный перекос.

Но Катя... упрямая Катя не послушала свой внутренний голос, который вот так — может, не слишком приятно, без церемоний предупреждал ее там, в кабинете Пресс-центра.

Толстый солидный умный ведомственный журнал заказал ей статью. И она жаждала эту статью написать. Ей всегда казалось, что она способна на что-то большее, чем все эти криминальные ушлые репортажики для криминальной полосы в интернет-изданиях.

Да в тот миг упрямство и любопытство — главная, самая страстная черта ее натуры — все же пересилили здравый смысл и внутренний голос. Катя и представить себе не могла, *с чем она столкнется в самом недалеком будущем. Какие ужасные, пугающие, невероятные события впереди.*

Она вытащила диск из ноутбука и положила его в красную папку к документам с новым адресом семьи серийного маньяка.

Но перед тем как ехать туда к *ним*, она решила посетить Дзержинский УВД.

Марина Терентьева, лейтенант полиции — на ней все и закончилось. Перед тем как встретиться с семьей, надо не только читать уголовное дело и оперативно-розыскные данные, но лично побеседовать с теми, кому известен самый конец этой истории.

На следующее утро Катя отправилась в подмосковный город Дзержинск.

А там в УВД — самый обычный рабочий день. Временами скучный, вялый, конфликтный, временами внезапно начинающий бурлить и пузыриться, как крутой кипяток. Сотрудники заняты делами, уголовный розыск хмур и не склонен к праздному общению, коридоры полны свидетелей, вызванных по разным делам на допросы. В приемной начальника УВД тоже народ.

Но Катя переговорила с секретаршей, и та, доложив, пропустила ее сразу — человек из Главка не может ждать.

Катя поздоровалась с начальником УВД и сказала:

— Я не отниму у вас много времени. Я по делу Родиона Шадрина.

Начальник УВД молча указал на кресло. Крупный, полнокровный, оживленный, холерик по жизни, он как-то сразу потемнел лицом, едва лишь Катя назвала это имя.

— Точнее, не только из-за него, а из-за Марины Терентьевой. Я смотрела видео с ее похорон вчера и... Вы ее хорошо знали, да?

— Она работала в нашем отделе кадров пять лет. За все годы никаких нареканий, только благодарности. Она училась заочно в Правовом институте. У нас в управлении ее помнят. Таких людей надо помнить всегда. Она ведь погибла при задержании.

Тут Катя подумала, а стоит ли задавать свой следующий вопрос после вот такого ответа. Городская легенда... миф, как песнь песней он уже сложен здесь и звучит... А как там все произошло на самом деле... Но она собралась с духом, приготовилась даже к тому, что ей сейчас, возможно, укажут на дверь. Ей — человеку из Главка, который покушается на местный миф. На легенду о герое.

— Можно вас попросить?

— О чем? — начальник УВД посмотрел на Катю.

— Расскажите мне все, пожалуйста, так, как было. А не так, как описано в рапортах. Как в рапортах, я знаю. И я... я бы тоже так все написала. Потому что это правильно, это нужно. Но сейчас мне надо знать правду.

— Для чего? — спросил начальник УВД.

— Потому что я изучаю дело Шадрина, его семью. Хочется, чтобы такое больше никогда не повторилось. Может, найдется какая-то полезная для будущих расследований информация, какие-то общие законы, правила...

Катя лукавила, и начальник УВД — человек мудрый это сразу просек.

— Статью пишете про маньяка, сенсацию вам подавай?

— Нет, то есть да, я пишу о нем статью. Не сенсация меня интересует, а его семья и то, что они все знали. Они были в курсе, что он творил. Но на следствии лгали, все отрицали. Я уверена в этом. Я хочу это доказать.

— Что? — спросил начальник УВД. — Что вы сможете доказать? Не смешите меня, девушка.

— Капитан полиции, — вежливо поправила Катя. — Я постараюсь, я вам обещаю. Помогите мне тут, в Дзержинске. Он, Шадрин, ведь жил здесь. И она тоже тут жила, его четвертая жертва, лейтенант Терентьева.

— Они жили всего в квартале друг от друга. А убил он ее на соседней улице. Там старую котельную снесли и строили новый дом, но тогда, два года назад, фирма лопнула, обанкротилась, и строительство законсервировали. Подойдите к окну.

Катя встала и подошла к окну.

— Видите высотный жилой дом?

— Да, вижу.

— Дом теперь стоит там, где он ее убил. Она возвращалась домой в девять вечера. В кадрах всегда полно работы, они там вечно засиживались допоздна. Тут пешком всего четверть часа, а автобуса ждать только время потеряешь. Было светло, май месяц. Он сначала оглушил ее сзади, затащил туда, на стройку и сбросил в котлован. И спустился сам. И уже там все и произошло.

— Она была в форме полицейского?

— Нет, она на работе переодевалась, сотрудникам отдела кадров надлежит всегда быть в форме на рабочем месте. Домой она возвращалась в обычной гражданской одежде.

— Я слышала версию, что Шадрин выбрал ее намеренно как сотрудника полиции, чтобы показать... ну, показать, с кем мы имеем дело, что он не боится убивать и наших.

— Да, эта версия верная.

— Как, по-вашему, он узнал, что она полицейский?

— Он из нашего города, родился тут, вырос. Они жили практически на соседних улицах. Он знал, кто она и где работает.

— Может, следил за ней перед убийством?

— Возможно.

— У вас же много камер на здании и по периметру, что-то было на пленках?

— Нет. Шадрина мы на пленках тогда так и не увидели. Прятался от нас он весьма искусно.

— Он ведь психически больной. Он способен искусно прятаться?

— Он с детства страдает аутизмом. Это и есть его болезнь. Многие с этим неплохо живут всю жизнь. И он жил. Играл в рок-группе, барабанил в свои барабаны. Чувство ритма — мне коллеги в Главке говорили, у него почти что гениальное чувство ритма. Вот вам и психически больной.

— Кто обнаружил тело Терентьевой?

— Наш патруль. Ее мать около полуночи позвонила дежурному — спрашивала, не задействована ли Марина в каком-то рейде, мол, домой она не вернулась и ее мобильный не отвечает. Мы... мы сразу же подняли всех, весь отдел по тревоге. У нас тут и так весь тот май был... сами понимаете, должны помнить, что творилось тогда и в Москве, и здесь в связи с теми убийствами.

— Я в отпуск ездила, его уже задержали, когда я вернулась.

— А, тогда ваше счастье. Мне до сих пор тот май снится. В ту ночь мы сразу прошли маршрутом, которым она ходила домой — подруги в отделе об этом все знали. И в котловане, когда стали с фонарями все на стройке осматривать, мы ее нашли.

— А как вы вышли на Родиона Шадрина? Как вы его задержали?

Начальник УВД помолчал.

— Это не мы его задержали, — ответил он после паузы.

— А кто?

— Из Главка приехала опергруппа, полковник Гущин. Они нам ничего не объяснили тогда. Сразу же поехали по тому адресу на Кирпичную улицу, где Новые дома.

— Шадрина задержал полковник Гущин? — переспросила Катя.

— Так точно. Винил меня, наверное, что я лейтенанта Терентьеву не уберег. Я тогда готов был рапорт подписать... уже написал на уход с должности... Мне не подписали мой рапорт.

Катя помолчала, собираясь с мыслями.

— Выходит, на месте четвертого убийства теперь дом стоит, люди там живут, — сказала она. — Ничего не осталось от того котлована.

— Выходит, что так.

— А где он сам жил? Вы сказали, Кирпичная улица, Новые дома... Он там жил со своей семьей? Это далеко от места убийства Марины Терентьевой?

— Нет, если пешком — минут двадцать. Вряд ли он тогда в автобус или в маршрутку полез, в кровище ведь весь с ног до головы.

— С ног до головы в кровище? — переспросила Катя.

— Он ей нанес больше двадцати ран, там, в котловане, — сказал начальник УВД, — Сначала оглушил, сбросил тело, спрыгнул туда сам на самое дно. Там он ей горло перерезал и нанес раны в низ живота в область половых органов. Орудовал как мясник на бойне.

— Можно попросить у вас его прежний адрес, в Новых домах? Я знаю, они ведь уехали из города... его родители и дети, брат и сестра... Кто теперь живет в их квартире?

— Никто. Квартира их, только закрыта. Шестой дом, двадцать шестая квартира — видите, наизусть до сих пор помню адрес. Новые дома — это... целевая городская программа по улучшению условий жизни многодетных семей. Моя жена в комиссии при мэрии, они занимались и семьей Шадриных. Это уж потом мы все вспомнили тут, когда ясно стало, что это *он*, когда забрали его на Никитский к вам. Здесь у нас все шерстить стали, всю подноготную их семейки. Так вот под программу они не подходили тогда — трое детей всего, но он ведь, этот подонок, инвалид детства — аутист. И в комиссии решили... В общем, решили облагодетельствовать семью, заменили их старую квартиру в блочном доме на новую, четырехкомнатную в Новых домах. Видно, кто-то похлопотал за них наверху. Мэр Подмосковья их навещал там, представляете? Прошлый мэр, такая получилась реклама, по радио, по местным телеканалам, такая помпа... Если бы тогда нам стало известно, какие возможности у этой дражайшей семейки, мы бы...

— Какие возможности? О чем вы?

Но начальник УВД лишь махнул рукой, и лицо его ожесточилось.

— Квартирой они владеют. Не сдают. Тут в городе сдать ее никому из местных нельзя, не поселится никто из местных. Но приезжих хоть отбавляй сейчас, гастарбайтеров, этим все равно, лишь бы крыша над головой была и плата не кусалась. Но семейка квартиру не сдает.

Катя записала на бумажке — шесть, двадцать шесть, Кирпичная. Она поблагодарила начальника УВД и покинула управление.

Путь ее лежал к тому высотному дому. И она увидела его как маяк, пройдя, возможно, тем самым путем от здания УВД до...

Никакого котлована, никакой ямы в земле, где Шадрин убивал, кромсал свою четвертую жертву. Новый с иголочки современный многоэтажный дом с подземным гаражом и баннерами на каждой лоджии — «Аренда и продажа квартир!».

На автобусной остановке Катя спросила, как дойти до Кирпичной, до Новых домов.

— Вот на автобус садитесь, тут всего три остановки.

— Спасибо, но я лучше пешком, как пройти, подскажите, пожалуйста.

Женщина с хозяйственными сумками, у которой Катя спросила, воззрилась так, словно увидела призрака.

— А зачем вам туда?

— Я... мне нужно, у меня там дело.

— А.. ну, если дело у вас там, — женщина внимательно разглядывала Катю — чужую в городе Дзержинске.

Вот так... два года, новый дом на месте убийства, а память, а городская легенда крепка... И это не в словах, не в вопросах, это во взглядах — там, на самом дне темных зрачков.

— Можно по улице, можно дворами, как уж вы хотите, — сказала женщина. Ее автобус посигналил ей — давай садись, что застыла? В маленьких городках водители ждут пассажиров, не то что в больших городах, где норовят перед самым носом захлопнуть двери.

— Вечерами... какой путь самый темный?

— Что вы сказали, простите?

— Где фонарей меньше, уличного освещения?

Женщина не сводила с Кати пристального взора.

— Тогда... раз уж так надо в Новые дома... ступайте дворами. Вот сюда за ракушки и двором, потом следующим, там опять гаражи. За ними дома, но там лишь лам-

почки над подъездами вечерами и окна горят. А больше-
то ничего.

Катя поблагодарила. И свернула во двор. Она была
уверена, что идет тем самым путем, которым Родион Шадрин возвращался после убийства Марины Терентьевой.

Домой торопился...

К своей семье.

Все время держась в тени, во тьме, избегая фонарей.

Через тихие безлюдные ночные дворы.

Она ожидала от этих Новых домов все что угодно —
пыли, плесени, затхлости, смрада, как от логова, где оби-
тало чудовище.

Но дома оказались самыми обычными новыми до-
мами, каких сотни в Подмосковье. Новый микрорайон
с тщательно распланированными автостоянками, дет-
скими площадками и чахлыми деревцами, которые посадили на очередном городском субботнике коммунальные
службы.

Катя подошла к шестому дому, и... ей даже не потребовалось входить в подъезд, чтобы определить, где та самая двадцать шестая квартира.

Она увидела, узнала ее сразу — закрытая ролл-
ставнями лоджия справа на третьем этаже.

На всех остальных лоджиях по причине жаркого майского дня... ведь опять на дворе стоял май... так вот на
всех лоджиях распахнуты окна и двери.

И лишь третий этаж навечно отгорожен от света.

Запечатан наглухо, словно комнаты смерти.

Глава 8

ОПЕРЕДИЛИ!

Вернулась Катя из Дзержинска в Москву в Никитский переулок, где располагался Главк, в половине второго, а это значило, что в архиве Главка, который она

намеревалась посетить, чтобы посмотреть дело Родиона Шадрина, обеденный перерыв.

Тогда она решила пообедать сама, вышла из ГУВД на Никитскую улицу... столь любимую ею, почти родную Никитскую улицу и добрела до кафе в здании консерватории.

Сколько воспоминаний связано с этим кафе, и счастливых и печальных. Но Катя в эту минуту не собиралась предаваться думам о былом. Она заказала пасту болоньезе и овощной смузи, секунды три созерцала памятник Чайковскому, летнюю веранду кафе и припаркованные рядом с ней мотороллеры и велосипеды и тут же углубилась в свой планшет. Медленно перелистала фотографии, которые она сделала в Дзержинске. Вот новая высотка на месте убийства, а вот и Новые дома, окна *его* квартиры, закрытые от мира.

Все *новое* там, в этом Дзержинске, из которого они все... вся семья серийного убийцы переехала в Косино.

Она еще раз проверила адрес — опять-таки новый, выписанный ею из документов красной папки, пообедала, попробовала смузи, посолила его посильнее, выпила и решила, что пора идти в архив за секретным делом.

— Вот у меня допуск, подписанный начальником управления криминальной полиции. Литера S, дело Родиона Шадрина, и материалы оперативно-розыскного плана.

Сотрудник архива едва взглянул на разрешение — допуск, который протягивала ему Катя.

— Ничем не могу вам помочь.

— То есть? — Катя опешила.

— Дело сегодня утром уже выдано на ознакомление. Тоже литера S, подписано не только начальником криминальной полиции, но и начальником ГУВД.

— Но я же только вчера разговаривала с полковником Гущиным, и он мне обещал... Сегодня выдали дело? А кому?

Сотрудник архива бесстрастно смотрел на Катю.

— Это дело Родиона Шадрина, самого известного и страшного за последние десять лет серийного убийцы, — сказала Катя. — Вы все отлично понимаете, что это за дело и материалы ОРД. Я что, кроме разрешения, еще и удостоверение свое должна предъявить, вот... вот мое удостоверение, чтобы вы знали, кому дело выдаете, и занесли файл в картотеку. Так кто меня опередил? Кто он, тот, кто забрал дело Шадрина?

— Из Орла сегодня приехали в командировку. Главврач Орловской психиатрической больницы и его секретарь — интерн. Дело Шадрина выдано им на ознакомление по особому распоряжению начальника Главка.

— Главврач Орловской психиатрической больницы приехал?

— Он же там лечится, этот ваш маньяк.

— Да, я знаю, но... зачем они в Главк явились?

— Я так понимаю, что за делом уголовным, снова читать все материалы, — сотрудник архива разговаривал с Катей покровительственно, как с несмышленышем. — Как ваша фамилия? Капитан Петровская? У меня тут для вас пакет оставлен из сопроводительных материалов уголовного дела. Вот, получите, распишитесь. Это можно выносить из архива, только вернуть должны мне сюда до восемнадцати ноль-ноль. Завтра получите снова, если сегодня не закончите изучать.

— А кто оставил для меня этот пакет?

— Полковник Гущин.

Катя забрала пакет — тоненький, плотный, заглянула — в нем опять какая-то папка, из картона.

Она хотела сразу ринуться в приемную Гущина узнать, в чем дело? К чему все эти непонятные странности?

Но любопытство пересилило. Нет, сначала мы почитаем, что там в этой новой папке.

Катя поднялась к себе в кабинет Пресс-центра на четвертый этаж, включила ноутбук, включила планшет, вытащила из сумки мобильный — что называется, обложилась со всех сторон гаджетами и достала из пакета картонную папку.

Несколько документов, фотографии, протокол допроса, и... снова диск для просмотра.

И это все???

Первый документ она узнала по грифу — такие в ОРД, в делах оперативной разработки. Но это ксерокопия. Фамилии, имена, возраст, место работы и фотографии — прижизненные и посмертные.

Катя поняла, что она держит в руках список жертв серийного маньяка.

Она стала просматривать фотографии. Жертв четыре, а фотографий всего шесть. Из-за того, что это ксерокопии, все нечетко и смазано. Может, это и к лучшему сейчас... потому что посмертные фотографии запечатлели жертв такими, какими они стали после того, как Родион Шадрин...

Орудовал как мясник... так о нем сказал начальник Дзержинского УВД.

Катя ощутила внезапную тошноту. Если уж ее вот так ведет, корчит от этих снимков, на которых мало что видно, а то, что видно — пугает до дрожи, то что станет с ней, когда она все же откроет уголовное дело со всеми фотографиями со всех мест убийств?

Она просмотрела фамилии, имена, возраст, место работы. Это у третьей жертвы, Аси Раух двадцати восьми лет, нет фотографий. Лишь указано ее место работы — Единый расчетный центр столичного округа, тут и адрес. Это Москва, район Вешняки.

Что это может значить, что фотографии не приобщены? Только одно. Они столь ужасны, что с них нельзя делать копий. Это все строго конфиденциально в уголовном деле.

Катя сделала на ксероксе копию с копии. Затем обратилась к протоколу допроса.

Дата — 3 июня, протокол двухлетней давности. Место допроса — ГУВД области. Личность допрашиваемого — Шадрин Роман Ильич.

Сначала Катя решила, что это он, сам маньяк, это его допрос, но затем вспомнила — нет, он же Родион. А это Роман... и возраст гораздо старше. Это же его отец.

Она держит в руках протокол допроса его отца, главы семьи, породившей маньяка.

ОТВЕТ: Вы же только что допросили мою жену, она вам, наверное, все рассказала, мне нечего добавить к ее словам...

ВОПРОС: Откуда вы знаете, что она нам рассказала. Вы же не присутствовали на допросе, Роман Ильич. Или это означает, что вы с женой уже заранее договорились о том, что говорить, а что не говорить в кабинете у следователя?

Катя на секунду оторвалась от текста. Вот... вот оно, уже в этом допросе можно отыскать кончик этой лживой веревочки, когда семья, родители лгут ради собственного чада. Это единственный случай в уголовно-процессуальной практике, когда статья «Дача заведомо ложных показаний» не работает. Никто никогда еще всерьез не привлекал родителей и членов семьи, близких членов семьи — жену, мужа, взрослых детей за дачу ложных показаний, которыми они выгораживали своего родственника — преступника. Статья существует, но как бы и не для них. Это словно некий негласный немой договор... Видимо, считается, что это ложь во спасение... Или же это последний, самый окончательный акт милосердия — к ним... к людям, породившим чудовище.

Но надо ли быть к ним столь милосердными?

ОТВЕТ: Я бы хотел предупредить вас, правоохранительные органы, прежде чем вы начнете... ну, всю эту вашу работу по расследованию с нашим мальчиком, с Родиошей... вы должны понять, запомнить — он болен. Он серьезно болен. И он был больным с рождения. Жена принесла вам его больничную карту и другую больничную карту из психдиспансера. И медицинские справки.

ВОПРОС: Какой же диагноз?

ОТВЕТ: Врожденный аутизм. Родиоша таким родился. Он учился в коррекционной школе. Мы с женой заботились о нем, делали, что могли. Но он... вы же понимаете... аутизм есть аутизм. Это неизлечимо.

ВОПРОС: Сейчас он взрослый, ему двадцать пять лет. Вот у меня данные — он работает.

ОТВЕТ: Это никакая не работа. Да что вы! Они просто с товарищами играют музыку. Он играет в музыкальной группе. Там один парень сочиняет, аранжирует или, как это называется, — оркеструет, а наш... а Родиоша, он с детства очень хорошо, очень чутко чувствовал ритм. Может повторить любое ритмическое сочетание почти мгновенно.

ВОПРОС: Кто же он в этой музыкальной группе? На каком инструменте играет?

ОТВЕТ: Он ударник. Не в смысле, что хорошо трудится, а в смысле игры на ударных... на барабанах.

Катя отметила — как чудно отвечает этот самый Роман Ильич Шадрин. Тогда, два года назад, он, его отец, носил свою прежнюю фамилию. До программы защиты и смены всех паспортных данных еще далеко. Но как он чудно изъясняется, объясняет самые простые вещи так подробно. Или дураком прикидывается на допросе, или, скорее всего, просто тянет время, собирается с мыслями, чтобы не сболтнуть ненароком лишнее.

ВОПРОС: Ваш сын постоянно проживал с вами?

ОТВЕТ: Естественно, с самого детства.

ВОПРОС: У вас есть еще дети?

ОТВЕТ: Да, двое младших — Любочка и Фома, они учатся в школе. Не подумайте, с ними все нормально. Это хорошие здоровые дети. Мы с женой решили, что родим здоровых детей. А для Родиоши мы всегда делали, что могли. Мы и сейчас делаем, что можем. Наша семья...

ВОПРОС: В апреле и мае этого года ваш сын тоже проживал вместе с вами? Он не снимал квартиру? Не жил где-то у приятелей? По другому адресу, не в Дзержинске?

ОТВЕТ: Нет, он проживал с нами. У него своя комната. Это его мир. И мы с женой это уважаем.

ВОПРОС: А репетировал он где? Ударные инструменты — это же очень громко.

ОТВЕТ: А это... у них есть помещение, у рок-группы, они в Москве где-то в Замоскворечье. Старая Москва, знаете ли, такие красивые особняки. Они... ну группа, они снимали или купили студию, там богатые парни... Впрочем, я особо-то не в курсе, только лишь то знаю, что жена мне говорила. С Родиошей ведь не очень побеседуешь о его делах. Он чрезвычайно замкнут. Порой и слова от него целыми днями не добьешься.

ВОПРОС: Как называется музыкальная группа?

ОТВЕТ: «Туле»... Да, кажется, «Туле»... Странное название, вы не находите? Я пытался с ним говорить на эту тему, вы не подумайте, мне ведь как отцу не все равно. Но я повторяю, с Родиошей порой общаться очень трудно. Он в своем мире. И редко оттуда выходит в наш мир реальный.

ВОПРОС: Вы говорите, ваш сын болен с детства, у него есть какой-то особый распорядок? Когда он встает, когда принимает лекарства, когда уходит из дома, когда возвращается?

ОТВЕТ: Раньше, когда он еще в школе учился в коррекционной, у него имелся некий ритуал... в общем некоторые действия он любил повторять и... это особенность его недуга, поймите. Но с тех самых пор, как он познакомился с ребятами и начал играть в этой рок-группе... Знаете, музыка оказывает порой потрясающее терапевтическое воздействие. Он словно ожил, и мы с женой так этому радовались, потому что...

ВОПРОС: Я спрашиваю вас, Роман Ильич, в мае и апреле сего года когда ваш сын обычно уходил из дома и когда возвращался?

ОТВЕТ: Да боже мой, мы же не следили за ним в подзорные трубы! Он взрослый, у него своя жизнь, он наконец нашел себе дело по душе. Вставал он поздно, уходил из дому. Приходил, когда хотел. Поймите, мы с женой уже не в состоянии его контролировать. У нас младшие дети, мы заняты их воспитанием, их здоровьем, их образованием. А Родиоша... он жил... он просто жил, как хотел.

ВОПРОС: Так он возвращался домой поздно?

ОТВЕТ: Да, иногда очень поздно. Мы живем в Подмосковье, а он ехал из Москвы.

ВОПРОС: Были случаи, когда он не ночевал дома?

ОТВЕТ: Нет, такого я не припомню.

ВОПРОС: 3 мая, 10 мая, 19 мая и 25 мая в какое время ваш сын приходил домой?

ОТВЕТ: Я не помню. То есть он уходил из дома днем, а возвращался иногда поздно.

ВОПРОС: Он не находился с вами в эти дни вечерами?

ОТВЕТ: Нет, я же объясняю вам, парни играют в музыкальной группе. Там клубы ночные, выступления.

ВОПРОС: Если ночные клубы и выступления, значит, он часто не ночевал дома?

ОТВЕТ: Он всегда у нас ночевал только дома... то есть... я не помню, спросите у жены.

ВОПРОС: Вы не помните, что было 25 мая? Это же всего неделя назад.

ОТВЕТ: Я все помню, я отлично помню... Родиоша был с нами в тот день... вечер... То есть нет, его не было, он, как обычно, ездил в Москву. В общем, спросите лучше у жены. Она все помнит точно.

ВОПРОС: Роман Ильич, вы употребляете алкогольные напитки?

ОТВЕТ: В смысле, не пропил ли я свою память? Что ж, иногда употребляю. Но умеренно. Порой без этого мужчине нельзя. Вы разве такой уж отъявленный трезвенник, товарищ... или как вас там, гражданин следователь?

ВОПРОС: Ваш сын подозревается в совершении нескольких убийств.

ОТВЕТ: Ни про какие убийства мы с женой не знали. Занесите это в протокол. У нас младшие дети... мы... Да разве же мы могли про такое знать???!

ВОПРОС: Вы никогда не подозревали, что ваш сын может совершать подобные поступки?

ОТВЕТ: Нет, никогда, что вы такое говорите!

ВОПРОС: В присутствии вас и вашей жены ваш сын Родион проявлял когда-либо агрессию в отношении кого-либо?

ОТВЕТ. Нет... то есть, ну было конечно... да, эти самые акты агрессии. Спросите у жены моей. Когда еще в школе учился и потом. Во дворе... знаете, ребятня, пацаны порой жестокие, дразнят... Псих, псих... А он ведь не такой, как все. Ну и было — срывался. И дома тоже иногда все может поломать, разорвать, когда не в себе.

ВОПРОС: Родион проявлял агрессию в отношении вас, родителей и младших детей?

ОТВЕТ: Нет, никогда! Он любит нас и младших любит — Любочку и Фому. Это, наверное, единственное, что он любит в этой жизни, что его еще держит здесь. Это мы... наша семья.

Катя дочитала последний ответ в протоколе допроса.

Какой необычный допрос...

Ощущение от прочитанного какое-то неопределенное... двойственное.

Ну конечно же, он, его отец, лжет, оттого так путано изъясняется.

А маньяк-то, оказывается, *любит свою семью...*

Она снова перечла допрос, затем и с него сделала для себя ксерокопию.

Потом вставила в ноутбук новый диск. Интересно, а что там?

Комната для допроса в изоляторе временного содержания. Резкий свет галогеновой лампы. В кабинете для допросов трое.

Катя увидела полковника Гущина — без пиджака, в одной рубашке, рукава засучены, галстук криво на боку, во рту крепко прикушена сигарета — ну точь-в-точь «злой коп», как его показывают в блокбастерах. Рядом с ним долговязый и невозмутимый субъект в сером костюме — скорее всего следователь. В дверях — могучего вида — просто горилла настоящая — оперативник, в черной форме спецназа, незнакомый Кате. С наручниками у пояса и таким выражением на лице, словно он сейчас, если только услышит команду, начнет всех тут мочить и крошить в капусту.

Однако вопрос, прозвучавший на записи, странно диссонировал со всей этой взрывной грозной ситуацией. Предельно вежливый и спокойный вопрос следователя в сером костюме:

— Вы не могли бы хоть на минуту перестать стучать по столу? Прекратить барабанить?

Камера медленно наехала на того, к кому обращались.

Катя увидела сидящего за столом мужчину. Темноволосого. Только что из протокола допроса ей стало известно, что Родиону Шадрину... вот этому мужчине за столом, всего двадцать пять лет. Но выглядел он намного старше — лет на тридцать пять. Очень худой парень, но с отечным опухшим лицом. Очень бледный. Опустив голову, он вперился в стол. Сам он сидел неподвижно, а вот руки его дергались, пальцы выбивали на крышке стола глухой четкий ритм. Очень быстрый ритм, рваный, назойливо сверливший тишину, наступившую после вопроса следователя.

— Хорош дурака валять! Думаешь, мы с тобой тут цацкаться будем?!

Гущинский бас — как из пушки.

Четкий отбойный ритм в ответ как дробь дятла.

— Прекратите, Родион, прекратите стучать! — Следователь сел напротив. — И отвечайте на наши вопросы.

Нет ответа. Нет реакции. Катя смотрела, как Родион Шадрин... да, вот таким она впервые увидела его на этой видеозаписи... барабанит. И бледное одутловатое лицо его не выражает ничего, и взгляд его темных глаз пуст. И лишь руки неистовствуют, продолжая отбивать четкий грохочущий ритм все громче, громче...

— Прекратить сейчас же!

Барабанная дробь пальцев.

— Да он же издевается над нами!

Гущин кивнул спецназовцу — мгновение, и тот молниеносно сдернул Шадрина со стула, пригнул его могучим рывком к полу, заламывая руки за спину.

В кабинете для допросов воцарилась тишина.

— Под идиота полного косишь... Думаешь, мы на это купимся, я на это куплюсь? — Гущинский бас теперь тих и зловещ там, на записи, как шипенье змеи. — Четыре девчонки за три недели... их кровь на тебе. Изуродовал, искромсал, убил... Удовольствие получал? Отвечай! Ты там вот так с ними наслаждался, кайфовал? А теперь тут у нас под дурака косишь, думаешь, это тебе все с рук сойдет? Отвечай, когда тебя спрашивают, сукин ты сын!

— Тише, спокойно, так мы с ним все равно ничего не добьемся. Я прерываю допрос, уведите арестованного.

Запись оборвалась. Катя сидела перед темным экраном ноутбука. Следователь просек — «злой коп» вот-вот выйдет за дозволенные рамки. А это недопустимо. Как ни крути, маньяк... «сукин сын», как его именует яростно полковник Гущин — больной.

Родион Шадрин психбольной... Это даже по лицу, по всему его облику можно понять.

Однако видеозапись на этом не кончилась. Возникла вторая часть. И здесь та же обстановка — кабинет для допросов в изоляторе и даже та же самая горилла из спецназа в дверях в качестве конвоира. Но вот народа в кабинете гораздо больше. Кроме Гущина и следователя еще знаменитый на все управление эксперт-криминалист Сиваков и двое медиков в синих робах.

Освидетельствование и личный досмотр задержанного. Медики ловко и быстро сняли с Родиона Шадрина толстовку и майку. Катя поняла, что эти вещи — чистые, то есть не предназначенные для биоэкспертизы и исследования ДНК. Для этих экспертиз изъята другая одежда и обувь при обыске в его квартире.

Шадрин позволял медикам делать с собой то, что они делали, подчинялся вяло и безропотно, словно тряпичная кукла. Его повернули боком к свету, к галогеновой лампе.

Гущин молча указал эксперту Сивакову на татуировку Шадрина. В очень необычном месте она была сделана — не на предплечье, а на боку, почти что на ребрах. Крупная татуировка. Они все очень внимательно рассматривали ее.

Разглядывала на видеозаписи и Катя. Не пойми что, какая-то геометрическая линия. В тот момент ей не показалось все это важным. Гораздо важнее было осознание того, что Шадрин не давал никаких показаний. Вообще не произносил ни слова. Медик поднял его руку вверх, давая возможность эксперту Сивакову сфотографировать татуировку крупным планом.

Катя видела, как пальцы Родиона Шадрина там, вверху, задвигались. Он словно щупал, перебирал пальцами воздух.

Или снова барабанил? Даже вот так.

Глава 9

КОКАИН В ШОКОЛАДЕ

— А у тебя тут премиленькое гнездышко!

— Такие хоромы!

— И сколько сладкого, конфет, это все нам?? Ох-х-х, мальчик, да тут все в шоколаде!

Феликс — молодой хозяин кондитерского бутика «Царство Шоколада» и фабрики, да, да, тот самый Феликс, по которому тайком вздыхала нежная Машенька Татаринова, Феликс — антикварный гот по образу жизни и по костюму, очень активно, непринужденно и страстно обслуживал столичных шлюх.

Сегодня днем он набрал один из своих излюбленных телефонных номеров и заказал девушек на дом. В семейный особняк конфетных магнатов, который после смерти его отца казался каким-то странно пустым, тихим, почти заброшенным со всей его внутренней великолепной отделкой, мебелью и комфортом.

Да, ведь они столько прожили за границей... Вот дом и зачах. Мать на этом настояла, и они покинули этот дом. Они с сестрой.

Феликс прислушался — нет, сестра наверху у себя, как всегда, что-то читает и учит. Вряд ли она спустится вниз — в гостиную или столовую. Она не одобряет домашних оргий. Она, конечно, способна устроить большой хай, если застукает его вот сейчас... сейчас... в таком виде...

— Ну, мальчишка, чего ты ждешь? Ложись, я приказываю! Нет, не так, на спину, я угощу тебя от души!

Шлюха Валерка — тонкая, как хлыст, с длинными ногами, взмахнула плетью.

Да, вид, возможно, не совсем пристойный сейчас у него. Даже совсем не пристойный. И сестрицу это, наверное, дико разозлит, возможно, грянет гром, если она спустится и увидит всех этих шлюх, но она никогда ни за что не донесет на него матери. Сестра не доносчик. И за это он ее уважает и даже любит по-своему.

Где-то там, в глубине души...

Очень глубоко...

— Ой, сколько же тут всего на столе! И какие конфеты, я в магазине таких никогда не видела... Это ваша фабрика такие готовит? А пирожные, просто пипец, как же вкусно, как же все это вкусно, сладко! Вы для «Азбуки вкуса» поставляете вот эти с шоколадом и с кремом? Божественно! Я, наверное, сейчас лопну! Ленка, да ты только попробуй, как тут все вкусно! И это все нам? Для нас?

Шлюха по имени Виля — рыженькая, пухлая, облаченная сейчас лишь в коротенький шелковый черный топ на бретельках, открывавший ее розовый прикольно подбритый лобок, застыла в восхищении у щедро накрытого стола в соседней с гостиной столовой.

Белыми хищными зубками своими она сейчас с аппетитом надкусывала сразу два пирожных, которые держала в обеих руках — «Три шоколада» и «Малиновый мильфей».

Она обращалась с набитым ртом к шлюхе Ленке — маленькой, как черная кнопка, брюнетке, тоже в одном шелковом белом топе на бретельках, открывавшем лобок небритый, густо обросший черными волосами. Ленка всегда ела сладкое очень жадно и сейчас лишь мычала в немом восторге. Что там бормочет, не различить... нет, все же можно различить...

— А конфеты с чем? Шоколад с чем? Что тут беленькое сверху?

— Мышьяк, — ответила подруге-товарке шлюха Сиси — самая образованная и отвязная из всех четверых. — Он нас всех потравит сейчас к такой-то матери. Он же хрен его знает кто... антикварный гот. На кладбище они мессу служат, им жертвы нужны, а мы... такие, как мы, им самое оно для жертвоприношений. Девки, выплюньте конфеты! Ну, быстро, я кому сказала, плюй!

Сиси протянула руку — она вообще стояла у стола совершенно голая, смуглая, горячая и неистовая, как огонь... так вот она протянула руку, варварски ухватила шлюху Вилю за пухлую мордашку и сильно сдавила ей щеки.

— Плюй, толстая задница!

— Пусти, зараза! — Шлюха Виля взвизгнула и ударила ее по плечу недоеденным пирожным «Три шоколада». — Убью, п... недоделанная!

Она мазнула товарку пирожным «Малиновый мильфей» прямо по лицу, оставив ярко-розовый след крема на смуглой коже.

— Девочки, прекратите драться, — нежно попросил Феликс.

— Хорош прикалываться! — скомандовала товаркам шлюха Валерка с плеткой. — Что в конфетах? Это ж кокаин, вы что, забыли, как было в прошлый раз?

Шлюха Валерка с хлыстом наклонилась над Феликсом, и он скормил ей с рук шоколадную конфету, щедро посыпанную кокаином.

Он сидел сейчас на полу в любимой гостиной, обставленной в стиле прованс с фиолетовыми диванами и толстым сиреневым ковром на полу, с белыми французскими старинными столиками на гнутых ножках, зеркалами, мраморным камином и огромной хрустальной люстрой. Эта обстановка необычайно шла к его костюму, когда он был одет как антикварный гот, но сейчас от костюма его почти ничего не осталось.

Шустрая шлюха Сиси только что стянула с него его черные кожаные брюки. Бархатный камзол валялся на полу у двери. Батистовое жабо разорвали в клочья ловкие пальчики хищной обжоры Ленки. Он сидел на полу в одном кожаном корсете и чувствовал, как каменеет там, внизу, наливается небывалой невиданной мощью.

Эта четверка шлюх работала слаженно и четко и заводила его всерьез. Обычно ведь как случается? Открываешь сайт в Интернете «Шлюхи — на дом». И там такие красотки на фотках, глазам больно. И строгие госпожи, и пышечки, и мохнатые киски, и наглые стервы — на любой вкус. Но когда заказываешь и они приезжают на дом на такси, выясняется, что девушки-то обычные, вовсе не такие убойные, как на фотографиях на сайте.

Но эта четверка, пусть и не красотки, пусть и потасканные, не совсем свежие и не такие уж молодые, оказалась, что называется, сделанной для него. Они работали отлично, понимали, чувствовали его с полуслова — все его запросы, фантазии, все его нужды исполняли так, что он... да, он наслаждался с ними. Он по-настоящему наслаждался или воображал, что это — вот это и есть наслаждение.

Кокаин в шоколаде...

Много-много кокаина — его он покупал, тратя деньги, что брал у матери.

Много шоколада — этот ему почти ничего не стоил, потому что фабрика... их семейная фабрика в Подмосковье работала превосходно и приносила доход.

Мать всем этим занималась — доходами, деньгами, фабрикой. Вот и сейчас укатила она на три дня в Петербург на бизнес-форум с иностранными партнерами обсуждать мировые цены на какао-бобы, на сахар, на кофе, вырабатывать стратегию инвестирования и развития, учиться приемам жестокой экономической борьбы, чтобы удушать своих конкурентов — кондитерские фабрики Украины и Белоруссии.

Мать уехала на бизнес-форум, и он, ее сын Феликс — антикварный гот, сразу же... ну почти сразу заказал для дома для семьи шоколад, кокаин и четырех шлюх.

— Я сейчас тебя угощу от души, — весело, грозно, зловеще пообещала шлюха Валерка, размахивая плетью. — Ты нас кокой и сладким, а тебя вот этим. С оттягом!

Она замахнулась и ударила его плетью в промежность без всякой пощады.

Феликс придушенно вскрикнул и повалился на спину на сиреневый ковер.

— Вот так, вот так и вот так... и еще вот так! — шлюха Валерка лупила его по члену. — Горячо... сладко... ну же, вставай, вставай вялый перец!

Кокаин вскипятил кровь Сиси, Ленки и Вили, они бросили стол с пирожными, с шоколадными конфетами, с тортами... нет, они много чего прихватили с собой в гостиную.

Шоколадную конфету с кокаином в рот, в рот, еще одну, еще, еще... Пока плеть гуляет по причинному месту, пока он, клиент, там кричит и извивается на полу, умоляя не давать ему пощады, бить, бить, только не давать никакой пощады...

Они набросились на него, возбужденные кокаином, как вакханки. Схватили за руки, растянули его на полу. В прошлый раз он показал им старинную гравюру в Интернете — индийский раджа удовлетворяет сразу четырех наложниц, и они решили повторить эту прелесть впятером.

Вот сейчас... сейчас, пока плеть нещадно лупит, оставляя на коже бедер алые полосы, пока он стонет там, на полу, как больной.

Шлюха Ленка схватила его правую руку и, широко расставив ноги, уселась на полу, завладев его пальцами. Шлюха Виля проделала все то же самое с его левой рукой, заставляя его гладить себя там, внутри, во влажной нежной пахучей норе.

Шлюха Валерка упала на пол рядом с ним в его ногах и тоже вся раскрылась, растопырилась, как набухший влажный бутон. Она завладела его ногой, большим пальцем левой ноги. Не бог весть какое наслаждение, однако она терлась о его палец и постанывала от удовольствия и продолжала охаживать его плеткой.

Хлесть, хлесть... кричи, пацан, вопи, тебя тут все равно никто не услышит в этом огромном пустом доме...

Сестра, говоришь, там, наверху... Она стро-о-о-гая, она не терпит оргий в доме...

Что ж, пусть спускается, мы ее научим, мы всему ее научим! И ей, твоей сеструхе, найдется место, великое, теплое место в шоколаде, в кокаине, между теплых ног, на вялом перце, который все никак... никак... никак...

— Да вставай же ты, вставай, торчи!

Шлюха Сиси, которая следила за всем происходящим с нетерпеливым профессиональным любопытством, поняла наконец, что момент настал.

Она прыгнула на Феликса, оседлала его, но не успела даже угнездиться, устроиться как следует на его бедрах, как он кончил — быстро и бурно, вскрикнув при этом так болезненно и страшно, словно его самого, а не ее, эту жадную до наслаждений проститутку Сиси, пронзили копьем.

Сиси задвигалась на его бедрах, неистово заскакала, но ей досталось меньше, чем остальным. Остальные кое-как кончили на пальцах Феликса, а Сиси пришлось удовольствоваться лишь новой порцией кокаина и шоколада.

Затем они просто ползали по полу и ели конфеты и теряли себя в кокаиновых грезах. Смеялись, плакали, целовались, начинали возбуждать Феликса снова и снова. Но все тише, все медленнее, все нежнее...

Неистовство уступило место странной болезненной нежности. Кокаин в шоколаде действовал отупляюще сладко.

Потом они просто лежали вповалку, в обнимку на сиреневом ковре все вчетвером — не разобрать, где кто, чьи там руки и ноги, чьи волосы на лобке, кто в шелках, кто в корсете. Они все перемазались шоколадом и кремом пирожных, оставляя на ковре неопрятные пятна.

Феликсу хотелось нежности и любви. Но он почти уже засыпал, утомленный, обессиленный, мокрый от пота. Он чувствовал лишь слабость во всем теле и боль от ударов плетью. И еще он ощущал странное облегчение. Словно в нем лопнул — там, глубоко внутри, какой-то вызревший нарыв.

— Скажите, что теперь все, все, все будет хорошо, — просил он шепотом их всех — четырех шлюх.

Никакие от кокаина, они уже не слышали его, лишь шлюха Валерка что-то промычала нечленораздельное и снова по привычке замахнулась на него плетью.

Он пнул ее ногой, и она, ойкнув, затихла на сиреневом ковре, перемазанная шоколадом.

Глава 10
СЕМЬЯ. ПЕРВЫЙ ВЗГЛЯД

Следующий день Катя решила не тратить на препирательства с полковником Гущиным по поводу того, что это дело выдали психиатрам, а не ей, хотя она уже заявила о своем намерении писать статью. Она решила отправиться прямо с утра в Косино на Черное озеро к семье.

Веселовские теперь, значит, вы все...

Веселитесь много?

Семейка еще та...

Она не собиралась с ними церемониться. Программа защиты свидетелей — хотя они никакие и не свидетели — обязывает их к сотрудничеству с правоохранительными органами. Значит, отказаться от встречи они не могут. Не принять ее — официального представителя Пресс-центра ГУВД — тоже не могут. Завтра выходной, суббота, лишь бы куда не улимонили...

Катя позвонила Веселовским накануне вечером. Надо держать с ними официальный вежливый тон. Ответил ей мужской голос: алло!

На секунду она замерла... да нет, нет же, нет... он не сбежал из этой Орловской психиатрической. Не по этому поводу явились в Главк психиатры. Он сидит там, он надежно заперт, а это говорит его...

— Роман Ильич Шадрин? — Катя намеренно назвала прежнюю фамилию отца семейства.

— Нет, вы ошиблись, я... мы не...

— Я не ошиблась, — Катя говорила веско и настойчиво. Она представилась по полной форме и объявила, что завтра в десять приедет к ним домой задать несколько вопросов. Затем напомнила, что по программе защиты они обязаны отвечать, сотрудничать и вообще — не вздумайте завтра уехать из дома!

Мужской голос на том конце что-то промямлил этакой потерянной скороговоркой, заплетаясь языком. И только в этот миг до Кати дошло, что говоривший с ней Роман Шадрин-Веселовский пьян.

Она тут же сделала себе пометку в блокноте планшета: папаша — алкоголик, сын — потрошитель.

Она быстро делала выводы. Правда, чего церемониться с ними? Она, как всегда, бежала впереди паровоза по своей репортерской привычке.

Наутро, постояв под горячим душем несколько дольше, чем обычно, отлично позавтракав, Катя захватила с собой все необходимое — мобильный, планшет, диктофон, и отправилась сначала в гараж.

Гараж-«ракушка», где скучала их с подружкой Анфисой Берг купленная напополам машина «Мерседес-Смарт», располагался в соседнем дворе, на родной для Кати Фрунзенской набережной. Катя открыла «ракушку», погладила любовно малютку «Мерседес» (У каждого — свой «Мерседес», так говаривала подружка Анфиса) и, усевшись как барыня на роскошное кожаное сиденье малыша, тут же шустро начала нажимать все кнопки, включая эту напичканную электроникой коробочку на колесиках.

Затем она ввела адрес в навигатор, проложила маршрут, перепроверила его на планшете и решила пока что добраться до Нового Косино по переполненной, как обычно, машинами Волгоградке. А там разберемся, где они живут, в какой крысиной норе нашла себе приют переехавшая семейка маньяка.

Двигаясь потихоньку, лавируя в бесконечных пробках, Катя слушала Abney Park. Сколько с этой группой воспоминаний связано... Эта их улетная песня Airship pirates, воздушные пираты... Да, да, скоро понадобится весь кураж и вся храбрость, чтобы разговаривать с этими людьми в их новом доме спокойно. И не срываться на оскорбления, обвинения и крик за то, что они породили такого урода, который резал людей на куски.

Песня подбадривала, Катя то и дело прибавляла звук, и маленький «Мерседес-Смарт» громыхал словно безумная музыкальная шкатулка на переполненном Волгоградском шоссе.

Затем навигатор предложил сделать поворот налево. И Катя въехала в новый микрорайон Новокосино.

Она сразу выключила музыку. Черное озеро... надо же какое название, прямо для них...

Но кругом тянулись бесконечные новостройки, те же самые Новые дома, как и в Дзержинске. Затем пошли пустыри, участки, огороженные бетонными заборами. Катя снова сверилась с навигатором и открыла планшет. Ввела адрес в поиск, и на экране планшета запульсировала алая точка. Вот их дом на карте, но где же он тут?

Она свернула направо и увидела впереди ограду, шлагбаум, а за ним целые ряды коттеджей кондоминиума — разноцветные секции лепились друг к другу. Катя посигналила, и шлагбаум поднялся сам собой. Она въехала на территорию кондоминиума, все время глядя в свой планшет, лежащий сбоку на сиденье.

Алая точка пульсировала, вела за собой. Катя проехала площадь, супермаркет, новехонькую, словно пряничную, церквушку. Дальше небольшой парк, видно, старые деревья Черного озера не стали рубить, когда строили кондоминиум. И тут в парке разбросаны кирпичные коттеджи. Никаких аршинных заборов — мягкие зеленые лужайки у тех коттеджей, где уже живут, и строительный мусор возле тех, которые еще в отделке, незаселенные. Таких большинство.

А вот и тот самый, крайний, на отшибе...

Катя заглушила мотор. На ухоженной лужайке перед ней — отличный новый двухэтажный коттедж, крытый металлочерепицей. На лужайке большая белая тарелка спутниковой антенны. На окнах тяжелые шторы, на террасе — плетеная новая мебель. Достаток и благосостояние в каждом кирпичике, в каждой ухоженной подстриженной травинке.

Катя вспомнила девятиэтажку в Дзержинске, квартиру с наглухо задраенной лоджией.

Это значит в такой вот дом по программе защиты свидетелей переехала семья Родиона Шадрина?!

Коттедж в тихом парке на берегу Черного озера в поселке бизнес-класса?

Откуда-то из-за дома вынырнул велосипедист. Точнее, велосипедистка — девочка лет двенадцати в джинсах и бейсболке на дорогом японском велосипеде. Она что есть силы жала на педали. За ней гнался мальчик — белобрысый в расстегнутой спортивной куртке.

— Отдай! Мне ехать надо, пацаны ждут!

— Подождут, — девчонка сделала крутой вираж перед крыльцом, остановилась.

Мальчик тут же схватился за руль.

— Убери грабли, — девчушка резко ударила его по руке.

— Отдай, это мое! — мальчишка попытался спихнуть ее с седла.

Девчонка съездила его по затылку уже без всякой пощады, и он ойкнул.

— Не канючь, было ваше — стало наше!

— Отдай велик!

— Ой-ой, а что, мамочке сейчас ябедничать побежишь? Фома — хомяк с полки бряк.

— А ты... ты злая! — выкрикнул плаксиво мальчик. Тоненький и хрупкий, он заикался от обиды и желания вернуть себе конфискованный велик. — И я... я правда маме все скажу про тебя!

— Наябедничаешь, живым не останешься, — пообещала девчонка в джинсах и бейсболке, — лучше бы тебе, Фома, на свет тогда не родиться.

— А я уже родился и сестру имею! Уродина! Любка уродина, у тебя прыщи!

Мальчишка нашел, чем оскорбить, и отскочил от велика на приличное расстояние.

— Что ты сказал? Повтори, что ты сказал?

— У тебя прыщи и угри, ты перед зеркалом на носу выдавливаешь в ванной, думаешь, я не видел? Я ничего не видел? У-р-р-родина!

— Ну, все, я тебя сейчас прикончу, готовься к смерти, придурок!

Девчушка, пылая негодованием, соскочила с велика и...

Катя уже поняла, кто перед ней... Люба и Фома... его сестра и брат. И сцена, которой она стала свидетелем, когда дети ссорились и оскорбляли друг друга, лишь прибавила ей уверенности — та еще семейка! Вы только гляньте на молодую поросль!

— Люба, оставь брата в покое, — громко скомандовала Катя, выходя из машины. — И скажи мне, твои родители дома?

Честное слово, после того, что она увидела, как эти плохиши ссорятся, она не собиралась церемониться и с ними.

— Дома. А что? А вы кто? — спросила Люба Веселовская.

— Я из полиции. Позови родителей.

— Мама! — жалобно и протяжно, испуганно крикнул Фома Веселовский.

Он никуда не побежал. А сестра Люба не стала его догонять и лупить. Она бросила свой дорогой велик на землю, подошла к брату и обняла его за тощенькие плечи.

— Мама, иди сюда, — позвала она тоже.

Дверь коттеджа открылась, и на пороге возникла женщина — высокая, стройная, в джинсах и простой черной майке.

У Кати, готовой узреть в роли матери потрошителя кого угодно — хоть ведьму с изъеденным проказой лицом, захватило дух.

Надежда Шадрина-Веселовская была редкая красавица!

— Капитан полиции Петровская Екатерина, я вам вчера звонила, разговаривала с вашим мужем. Я к вам по делу.

— Но мы... да, конечно, я поняла, заходите в дом, — Надежда посторонилась в дверях, пропуская Катю. — Сегодня выходной, мы встали поздно. Дети только позавтракали. Извините, что у нас неубрано. Мы после переезда все еще никак не устроимся, муж сам много чего делает в доме... своими руками... Извините, что такой хаос.

Она говорила, бормотала, а Катя разглядывала ее с немым изумлением. Высокая, модельного роста блондинка с синими глазами и великолепной кожей, крупным ртом, без какого-либо намека на косметику на лице. Да и не нужна этой женщине никакая косметика, от нее и так глаз не оторвать, если она куда-то придет, даже одетая вот так затрапезно по-домашнему. Эта роскошная коса, эти соболиные брови, этот точеный нос совершенной формы, лебединая шея.

И она очень молодая... Катя вспомнила видео с Родином Шадриным. Как же так... он ей по виду никак в сыновья не годится, скорее уж выглядит как младший брат.

Катя оглядела холл — просторный со светлой мебелью из сосны европейского качества, с широкими диванами, дорогим телевизором, а дальше кухня — двери широко распахнуты, и можно видеть модную кухонную стойку и стеклянные шкафы. В коридоре пахнет краской и стоит стремянка, тут же сложены рулоны обоев и какой-то материал для ремонта, для отделки. И это все теперь новый дом маньяка-убийцы? А эта красавица с косой, которой не дашь больше тридцати восьми, — мать потрошителя?!

На лестнице на второй этаж послышались грузные шаги, ступеньки заскрипели. Катя ощутила внезапно противный тяжкий холод внутри. Она явилась в этот дом одна, без всякой защиты. Правда, в Главке знают, и полковник Гущин в курсе... в случае чего ее станут искать, найдут... Она тут в этом гнезде маньяка, одна без помощи и поддержки, вооруженная лишь собственной репортерской наглостью и азартом, а ведь они... эта женщина, его мать... они *знали... они все знали... Они видели его, когда он возвращался домой — весь в крови, распаленный убийством, воняющий потом, грязный, со смертью за плечами...* Они, родители, видели его, знали, кто он и на что способен, они все о нем знали, они покрывали его во всем, и в убийстве лейтенанта Марины Терентьевой тоже... И ты собираешься это доказать — это их всезнайство и эту их чудовищную ложь, и поэтому ты явилась в их дом одна, а тем временем...

Ступеньки скрипят... кто-то спускается...

Нет, не может такого быть...

Он не сбежал из психушки и не прячется сейчас дома, в семье...

Не по этому поводу приехали из Орла психиатры...

Если бы стало известно, что он, Роман Шадрин, сбежал, то поднялся бы такой шум... все в ружье... все снова в ружье, вся полиция, и полковник Гущин, конечно, первым бы проверил этот их новый чертов дом в Новокосино...

По лестнице спускался грузный мужчина — рыжеволосый и лысый, в очках без оправы, небритый, в спортивных штанах и футболке, заляпанной краской. В руке он сжимал электрическую дрель.

— Что нужно? — спросил он тихо.

— Я из полиции насчет вашего сына, — сказала Катя, собрала всю себя в кулак перед ними. — Роман Ильич, положите дрель на пол. И без резких движений. Спускайтесь.

И она сунула руку в карман своей замшевой куртки. Там — ничего. Но пусть они думают, пусть знают, что она готова. Что у нее там табельный пистолет.

— Да, конечно, извините... я там стеллаж наверху собирал. — Роман Шадрин-Веселовский нагнулся и положил дрель на пол.

— Проходите, садитесь, — сказала Надежда Шадрина, указав на диваны в холле.

Катя прикинула: Роман Шадрин старше своей жены лет этак на пятнадцать, а может, и больше. Она уловила исходящий от него запах алкоголя. Вчера он говорил с ней по телефону пьяный, сегодня наверняка опохмелился. Хотя на классического алкаша не похож.

— Как давно вы переехали? — спросила она, включая в сумке диктофон.

— Восемь месяцев назад, — ответила Надежда Шадрина.

Отвечала на вопросы в основном она. Ее муж сел на диван напротив и лишь поддакивал, кивал, не спуская с Кати пристального изучающего взгляда.

— Дети ходят в школу?

— Да, здесь, в поселке, хорошая школа, грех жаловаться.

— Лучше, чем в Дзержинске?

— Тут языкам много времени уделяют, литературе и математике тоже. Фома очень хорошо успевает по математике, а Любочка спортом увлекается.

— Вы ездили в Орел? Вам разрешили свидание с вашим сыном?

— Да было одно, зимой. Мы ездили, — Надежда Шадрина смотрела в пол — модный темный широкий паркет, стилизованный под деревенские доски.

— Вы работаете?

— Нет, я не работаю. Дома детьми занимаюсь.

— А вы? — Катя обернулась к Роману Шадрину.

— Работаю, как же без работы.

— Где?

— На конфетной фабрике, это не очень далеко на машине.

— Кем?

— Ведущий менеджер отдела кадров.

Катя внезапно ощутила приступ тошноты... Отдел кадров, и ты там тоже... Лейтенант Терентьева проработала в своем отделе пять лет, и твой ненормальный сын, этот зверюга...

— Когда ездили в Орел в больницу, как вы нашли сына — лучше, хуже?

— Лучше, гораздо лучше, — сказала Надежда. — Его там лечат усиленно, уколы колят разные, процедуры.

— Значит, когда он жил с вами в одной квартире, он был гораздо хуже?

— Да, намного.

— В чем это выражалось?

— Он же больной у нас, врожденный аутизм.

— Это я знаю, я читала ваш допрос, Роман Ильич, — Катя снова обратилась к главе семейства. Она не собиралась с ними церемониться, о нет! — Я спрашиваю, в чем конкретно это выражалось?

— Ну, он чувствовал себя... нет, он вел себя плохо... ужасно вел себя, — сказала Надежда, ее муж молчал.

— Ужасно вел себя? Дома? С вами?

— Нет, с нами он был тихий. Он вел себя ужасно... ну, вы понимаете, о чем я.

— На нем четыре убийства, четыре жертвы — это вы называете «вел себя плохо»?

— Ужасно, ужасно, — Надежда закивала своей прекрасной головой фотомодели, тонкие пальцы ее теребили косу. — Я его не оправдываю, поймите, я его не оправдываю.

— Не оправдываете сейчас, когда его задержали и отправили в психбольницу? А раньше, когда он все это совершал? Тогда, в мае? Вы оправдывали его действия?

— Мы ни о чем не знали... мы даже подумать не могли, что Родиошечка... он, наш Родиошечка, способен на такое.

Родиошечка... вот значит, как маньяка-потрошителя звали дома его мама и папа. Катя смотрела на Надежду Шадрину.

— Не стоит вам повторять мне всю эту вашу ложь, которой вы кормили следователя на допросах.

— Но я говорю правду.

— Нет, вы лжете. И всегда лгали, — сказала Катя. — Может, тогда, в мае, после первого убийства, совершенного вашим сыном, вы и не заметили ничего такого за ним... Но он совершил второе, убил в третий раз и в четвертый. Я ездила в Дзержинск... От места, где он зверски убил лейтенанта полиции Терентьеву, до вашего дома дворами двадцать минут. Он пришел домой — на нем ее кровь еще дымилась, руки по локоть в крови. Вы открывали ему дверь...

— Да нет же, нет, у него имелся свой ключ. Он приходил поздно, а мы всегда уже спали.

— А его одежда? Вы же стирали его одежду, не могли не заметить, в каком она виде.

— У нас стиральная машина стояла в туалете, он бросал белье прямо туда и включал машину ночью... режим экономии... Он умел это делать — стирать, обслуживать себя, он же не полный был дебил у нас!

— А его обувь — ботинки, кроссовки, там ведь тоже следы крови.

— Он ухаживал сам за своей одеждой, он всегда отличался чистоплотностью, прежде у него имелся даже такой особый ритуал, аутисты... они подвержены ритуалам... он всегда отличался аккуратностью и любовью к чистоте.

— Вы на допросе у следователя, — Катя обернулась к Роману Шадрину, — показывали, что он дома порой все ломал и рвал.

— Это я преувеличил, — Роман Шадрин взглянул на жену, — Надя, скажи, что мы... мы никогда ничего такого не замечали ни на его одежде, ни на обуви. Никаких пятен крови.

— Да, да, но это не значит, что мы его оправдываем, он совершил все эти ужасные вещи, — Надежда Шадрина слегка повысила голос, — Родиошечка приходил домой поздно. Он мало общался с нами, это все его болезнь. Мы делали все что могли, с самого его детства, но ведь в душу-то не заглянешь. Да мы и не пытались заглядывать ему в душу... у нас еще двое детей, маленьких, им забота нужна, ласка, внимание. А Родиошечка... он же вырос, он здоровый мужик... я не могла не видеть, как он возмужал. Ему женщина нужна была, баба нужна постоянно такому здоровому парню. А кто с ним пойдет, кто даст больному? Вы хотите знать, почему он все это совершал? Да потому что это инстинкт у него такой, мужской половой инстинкт. Он вошел в возраст, а возможностей никаких. У него не было девушки, он девственник. А ему очень хотелось. Он не мог себя сдержать, он же больной, у него с головой плохо. Как мы могли его контролировать? Связывать, что ли, по рукам и ногам? Или кастрировать его??

— Надя, что ты такое городишь! — тихо воскликнул ее муж. — Наденька, я прошу тебя, замолчи!

— Но она же из полиции, она хочет знать причины, почему он все это делал, почему вел себя так ужасно!

— Как раз причин, по которым совершал серийные убийства ваш сын, я знать не хочу. Собственно, я их знаю. И самую главную причину — его психическое расстройство, — сказала Катя. — Меня интересует другое.

— Что вас интересует?

— Ваша жизнь с ним. Вы все знали о нем, что он делал. И покрывали его во всем.

— Но мы не знали, мы ни о чем даже не подозревали!

— Если потребуется, я поговорю с вашими детьми, — жестко пообещала Катя.

— Только не трогайте детей, пожалуйста!

— Ради бога, я вас тоже прошу, — Роман Шадрин заколыхался на диване всем своим тучным телом. — Наши младшие тут совсем ни при чем.

Говорил он тихо, но взгляд его из-под блестящих очков словно прожигал Катю насквозь. Ненависть в этом взгляде... Катя встретила его взгляд спокойно: ты, папаша маньяка, ненавидишь меня сейчас вот только за то, что я спрашиваю, задаю вопросы, ворошу снова всю эту кровавую вонючую кучу недомолвок, догадок, укрывательств и тайн.

— Вашего сына задержали дома, в вашей квартире?

— Да, — Надежда Шадрина-Веселовская кивнула.

— При каких обстоятельствах?

— Позвонили в дверь, полиция, мол... я сначала не поверила, а они там на площадке с понятыми, и эти амбалы в черном, в шлемах с ними, сказали, что дают минуту на размышление, а затем выламывают дверь.

Катя поняла, что Надежда *вот так* описывает операцию по захвату, в которой кроме уголовного розыска участвовал спецназ.

— Ваш сын находился дома?

— Да.

— Вы открыли дверь полицейским или пришлось ломать?

— Я открыла. Я сама открыла! — Надежда повысила голос. — У нас дети. Ваши могли перепугать их до смерти.

— Как ваш сын отреагировал на приход полиции?

— Никак. Он сидел у себя в комнате. Он и в тот, прошлый раз, никак не реагировал.

Катя замерла: это еще что такое? О чем говорит его мать?

— Какой еще прошлый раз? — спросила она.

— Ну, его же на допрос вызывали. В полицию.

— Вашего сына? Когда?

— Тогда же, в мае, где-то после майских праздников.

— О чем шла речь на допросе?

— Я откуда знаю? Нам позвонили, потом прислали нарочного вечером с повесткой. Муж пошел вместе с Родиошечкой. Я дала все его медицинские документы, все карты.

— О чем шла речь на допросе? — Катя повернулась к Роману Шадрину-Веселовскому.

— Я не присутствовал. Я сидел в коридоре, — ответил тот. — Отдал все медицинские документы сначала. Сказал, что Родиоша у нас болен... врожденный аутизм.

— И что?

— Ничего. Следователь, или кто он там у вас, прочел медкарту и справки. Потом позвал Родиошечку в кабинет. Только разговора не получилось, буквально минут через десять он открыл дверь и сказал, что мы можем идти, все свободны.

— Почему вы думаете, что разговора... то есть допроса, не получилось?

— Родиошечка замкнулся в себе, как обычно. Это когда он с незнакомыми людьми или обстановка ему не нравится. Он не отвечает, он только...

— Что он только? — спросила Катя.

— Барабанит, — вместо мужа ответила Надежда Шадрина. — Отбивает ритм. Его это успокаивает, когда он волнуется или переживает.

— Когда сотрудники полиции пришли к вам домой его задерживать, он что, тоже барабанил?

— Нет, они сразу надели на него наручники... эти ваши полицейские. И начали шарить по всем углам, обыск стали у нас дома делать.

— Это стандартная процессуальная процедура, — беспощадно отрезала Катя. — А вы что думали? Он убил четырех женщин.

— Да я же не оправдываю его! — жалобно воскликнула Надежда. — Я не оправдываю, то, что он сделал — это ужасно. Это бесчеловечно, жестоко! Мы с мужем и подумать не могли, что он способен на такое. Мы не знали ни о чем. И даже когда ваши пришли его забирать, мы не верили. А потом во время обыска они нашли лифчик окровавленный.

— Какой еще лифчик? — спросила Катя.

— Не знаю, женский. Не мужской же... В крови весь. Они достали его из сумки Родиона, он с собой всегда сумку носил. Я ему туда бутерброды клала, когда он из дома уходил, когда ездил в Москву играть в своей группе.

— Во время обыска нашли вещдок, — сказала Катя веско, а сама подумала: надо разбираться со всем этим — с этим непонятным кратким допросом, с этим вещдоком, Гущин ей все, все расскажет!

— Тогда мы с мужем поняли, что Родиошечка... что он действительно делал ужасные вещи... что это никакая не ошибка... Поймите же нас, мы его вырастили, мы заботились о нем, лечили его, берегли, как нам с мужем было все это принять, думаете легко? Сколько слез я пролила! Кто-нибудь сосчитал мои слезы?

— Слез много в этом деле. Не только ваших, — Катя не собиралась тут, в их таком богатом новом доме, ее — эту красавицу с косой, и ее муженька — жалеть.

— Мы не знали ничего, ни о чем не догадывались. Только когда у него из сумки достали эту вещь... мы поняли, что...

— Вы говорите мне сейчас неправду.

Прекрасное лицо Надежды пошло красными пятнами, на висках появились бисеринки пота. Она положила руку себе на сердце, словно готовая поклясться.

— Вы говорите мне неправду. Вы знали, вы догадывались, что это ваш сын убивает. Об убийствах в том мае говорили вся Москва и все Подмосковье. Вы догадывались, вы знали, потому что... он жил с вами в одной квартире, — упрямо повторила Катя. — Я советую вам подумать обо всем этом, хорошенько подумать. Я приду к вам снова и стану задавать вопросы о вашей жизни с вашим сыном. И я хочу честных ответов. Так что подумайте. Программа защиты, которая дала вам все — новое имя, будущее для ваших младших детей, обязывает вас говорить правду. А то ведь можно и лишиться всех этих благ. Детям снова вернут их прежнюю фамилию — Шадрины. Это почти как Чикатило. Пусть ваш сын совершил гораздо меньше убийств, но по жестокости они чудовищны. Так что подумайте обо всем этом и примите правильное решение — сотрудничать и говорить правду.

— Вы нам угрожаете? — спросила Надежда Шадрина-Веселовская.

— Нет, я вам не угрожаю. Я описываю вам реальную ситуацию, — Катя встала с их нового мягкого дорогого дивана. — Я приду к вам в следующий раз. Напоследок хочу спросить — этот ваш красивый дом... откуда он у вас? Вы его купили?

— Мы переехали сюда из Дзержинска. Мы сначала не знали, что делать, там ведь жить невозможно стало нам. Мы боялись. А тут эта ваша программа... новая фамилия, все как с чистого листа... Мы хотели ту квартиру продать и купить что-то не в Москве, где-нибудь далеко, но... Мне помогла моя сестра.

— Ваша сестра?

— Да, моя старшая сестра. Это ее коттедж, то есть ее мужа... Когда тут все еще только строили, он купил здесь дома, как вложение денег, как недвижимость. Они жили богато, но от болезни его это не спасло. Рак... он умер, моя сестра — вдова, она теперь очень состоятельная. И она помогает нам. Вот, подарила мне и моей семье этот прекрасный дом. Она не верит, понимаете, она до сих пор не верит.

— Во что?

— Что Родиошечка совершил все это, что он убивал. Моя сестра в это отказывается верить. И она помогает мне и моей семье. Старается облегчить нашу боль.

Глава 11
МУСОР

Катя вернулась из Новокосина в отвратительном настроении. Приехала домой и немедленно легла в горячую ванну — смыть, смыть все с себя долой: и этот их дом с иголочки, и взгляд, полный ненависти, который сначала словно ощупывал ее, а затем жег насквозь, и этот плаксивый голос красавицы-мамаши.

Все ложь, они врали ей, хотя и не оправдывали сына-маньяка. Не заступались за него. А что за него заступаться — больной человек, мозги свихнуты.

В понедельник она решила сходить к полковнику Гущину за информацией — в конце концов, это ей нужно для серьезной статьи, а не из любопытства. Но сначала она включила автоответчик в кабинете Пресс-центра.

Среди обычных заполошных звонков из редакций и с телеканалов один — очень краткий: капитан Петровская, зайдите в архив, для вас оставлены документы на ознакомление.

И кривая Катиного упадочного настроения резко пошла вверх. О, бумаги! Документы! Психиатры из Орла, видно, закончили смотреть уголовное дело, и теперь ее очередь, полковник Гущин о ней не забыл. Добрый старикан, хоть и ворчит порой, как медведь в берлоге, а все же польза от него существенная!

Катя как на крыльях полетела в архив. Встретил ее там тот же сотрудник.

— А, вы. Это я вам звонил. Тут для вас пакет с документами. Можно выносить. Но возврат, как обычно, строго до 18.00.

Катя получила пакет — толстый, плотный, но она сразу поняла, нет, это не уголовное дело. То гораздо толще, солиднее.

— Полковник Гущин это для меня оставил?

— Да, он, распишитесь в журнале о получении.

Катя расписалась, и цепко держа таинственный пакет в руках, вознеслась на лифте к себе на четвертый этаж в кабинет.

Она обо всем почти сразу забыла на тот момент. Любопытство бушевало в ней с новой силой. Чего это старик Гущин кормит ее информацией, как воробья крохами?

Открыв пакет, она по грифу определила — это снова материалы из оперативно-розыскного дела. Фотоальбом и документы: копии экспертиз.

На картонной обложке фотоальбома имелась приколотая бумажка с надписью: «Осталось не разъясненным. Требует уточнений и дополнительных розыскных мероприятий. Кодовое название «Мусор».

Катя открыла альбом. Фотографии крупным планом. На первом фото глиняные черепки. На втором то же самое. И на третьем снимке, и на четвертом.

Следующая фотография — на ней какая-то железка. Вроде как штырь небольшого размера. На обороте пояснительная надпись: найдено на месте убийства первой жертвы Софии Калараш. Непосредственный контакт с телом.

Катя перевернула страницу: на фото некий предмет, похожий на обломок небольшой крашеной доски, краска красная, выцветшая.

Следующий снимок: на нем обычные часы — будильник. К фотографиям есть сопроводительная: найдено на месте убийства второй жертвы Елены Павловой. Непосредственный контакт с телом.

Катя снова перевернула страницу: на фотографии опять фрагмент деревяшки. И это бамбук, похоже на обломок трости.

На следующем фото — клочки ткани с фрагментами вышивки. Ткань вся в бурых пятнах, грязная. Что там вышито — не разобрать.

Катя снова ощутила ком тошноты в горле. Эти бурые пятна... Она прочла сопроводительную: обнаружено возле тела третьей жертвы Аси Раух.

Новая фотография и на ней — хлыст. Изящная черная рукоятка из пластика.

На последнем снимке вообще не пойми что — вроде клочок картона или пластика — маленький, правильной формы.

На обороте пояснительная надпись: оба предмета найдены на месте убийства четвертой жертвы Марины Терентьевой. Непосредственный контакт с телом.

Катя еще раз проглядела все снимки, очень внимательно. А затем обратилась к копиям заключений экспертиз. Обнаруженные на месте убийств странные предметы отдали на исследование в ЭКУ и какие же выводы?

Экспертиза глиняных черепков — очень обстоятельная, подробная, на многих страницах. Вывод — части глиняной посуды округлой формы, возможно кувшина, или чаши, или сулеи для вина. Части разрозненные, совпадений «на излом» нет.

По поводу железного штыря эксперты сделали вывод: «Спица от колеса детской коляски», шли подробные характеристики металла, из которого произведена спица, и длинный перечень фабрик-изготовителей, почти все иностранные.

Экспертиза деревянной отломанной плашки пришла к выводу, что это не что иное, как «часть нижней доски детской игрушки Лошадь-качалка».

Снова шли характеристики, химический анализ и состав краски, анализ структуры дерева. И затем следовал вывод — аналогичные краски использовались отечественными и зарубежными производителями игрушек лет сорок назад.

Экспертиза комнатных часов-будильника оказалась краткая: китайского производства, на батарейках, батарейки внутри присутствуют. Такой можно купить на любом рынке.

Эксперт, исследовавший обломок бамбуковой трости, оказался весьма осторожным в своих выводах: «Предположительно, с определенной долей вероятности можно сказать, что перед нами фрагмент «ложки-рожка» для обуви». И снова анализ и химический состав лака, покрывавшего бамбук. Лак китайский.

Экспертиза лоскутков с вышивкой описывала предмет тоже осторожно: «по составу лен-хлопок, предположительно, это кусок, вырванный, не вырезанный (обратите на это особое внимание!), из чехла диванной подушки».

В следующем экспертном заключении исследовался хлыст. Вывод короткий: современное изделие. Изготовлено из полимера и полимерных нитей высокого качества. Хлыст не предназначен для использования в конном спорте или дрессировке. Это «эротический будуарный аксессуар», предмет из ассортимента секс-шопов.

Экспертное заключение по маленькому обрывку картона оказалось самым подробным. Сначала шло детальное описание, химический анализ, технический анализ, исследование под электронным микроскопом, исследование среза волокон, исследование состава обнаруженных на фрагменте веществ. Катя читала непонятные термины, разглядывала какую-то сравнительную таблицу, приводимую экспертом.

Вывод же оказался убийственно кратким: Пистон.

Катя открыла фотографию. Пистон... А что это такое? Хоть бы написали для чего это? Пистон... Столько исследовали, чтобы понять, что же это за «мусор» такой, а вывод столь непонятный. Что с ними делают, с этими пистонами в обычной жизни?

Она тщательно перефотографировала все снимки своим планшетом и на ксероксе сняла для себя копии с экспертных заключений. Затем она отнесла документы и альбом в архив, снова расписалась в журнале. Выпила кофе с пирожным эклер в главковском буфете.

И весьма решительно направилась к полковнику Гущину за ответами.

Глава 12

РАННИЕ РОДЫ

В приемной у полковника Гущина трезвонили телефоны, старая верная секретарша едва успевала отвечать. Кате она сначала кивнула, приветствуя, затем подняла руку в предупреждающем жесте, замотала головой и подняла мохнатые почти мужские не выщипанные брови.

Катя поняла язык жестов так: Гущин один перед совещанием в кабинете, но момент самый неподходящий. Однако любопытство гнало ее вперед, и она открыла дверь кабинета.

Там тоже трезвонили телефоны — и «Коралл», и городской, и мобильный. А Гущин, все еще простуженный, охрипший, сидел и правил в последние минуты перед совещанием свой доклад о работе управления криминальной полиции.

— Федор Матвеевич, здравствуйте!

— Потом!

— Федор Матвеевич...

— Екатерина, зайди позже.

— Федор Матвеевич, у меня срочные вопросы, статья горит!

— Я занят, у меня доклад на совещании через сорок две минуты!

Катя глянула на часы на стене.

— Вы все успеете, а я быстро вас поспрашиваю, у меня статья горит. Вы пишите и отвечайте машинально.

Гущин воззрился на нее сквозь очки. На лице — целая гамма невысказанных чувств. Кто бы другой перетрусил, что его сейчас пошлют куда подальше, — только не храбрая Катя!

— Федор Матвеевич, я сейчас фотографии смотрела с вещдоками и заключения экспертов. Это которое под кодовым названием «Мусор». Спасибо вам, конечно, что меня ознакомили. Только я ничего не поняла.

— И мы не поняли в процессе расследования. Это находили на всех местах убийств. Осталось неразъясненным. Там же сказано. А по-моему, и время тратить на разъяснения нечего, Шадрин сумасшедший.

— Да, я тоже так подумала. Но там такие обстоятельные экспертизы. Вы так все это изучали, так долго, так детально... этот мусор. Искали какие-то связи, ассоциации?

Гущин остервенело правил доклад. На Катю недобро глядела его глянцевая лысина.

— А зачем приезжали из орловской психиатрической врачи? — задала Катя следующий вопрос.

— Уголовное дело смотреть.

— А зачем?

— Они же его там лечат и изучают заодно. Докторскую, видно, главврач намылился писать или что-то для симпозиума.

— Но у них ведь там есть копии многих документов из дела.

Нет ответа, лишь шариковая ручка черкает по бумаге, правит текст доклада.

— А вот я в Новокосине побывала. Шикарный домина у них, его мать сказала, это им сестра подарила. Маньяку, и такой подарок!

— Да, сестра. Она вдова богатого бизнесмена. Сестру младшую она любит, они всю жизнь вместе, это мы тогда на следствии выяснили. Предоставила новое место жительства. Без этого вся программа защиты к черту летит. А они сами ничего не могли толком сообразить тогда. А так у нас теперь гора с плеч.

— Его мать сказала, что он... Родион Шадрин, оказывается, вызывался на допрос в мае. Его водил отец к следователю.

— Да.

— Федор Матвеевич, объясните, пожалуйста, я не понимаю.

— А что тут понимать? Он ведь почти сразу попал тогда в поле нашего зрения. После второго убийства этой Елены Павловой. Она продавщица из супермаркета в торговом центре, ну тот, который возле Кольцевой в Люберцах. Работает круглые сутки. Убийство произошло в семь вечера, труп обнаружили через час. Сразу ввели план-перехват, бросили туда все патрульные машины, две опергруппы. Блокировали весь район — там эти огромные магазины. Строительный, электроники, мебельный. Народу и вечером полно всегда. Начали проверять документы у мужчин — это стандартная процедура по серийным убийствам, еще со времен Чикатило, очень действенная. Кто оказался в непосредственной близости от места убийства. Оттуда слинять можно либо на машине своей, либо на городском транспорте. Не у всех, конечно, проверяли, там уйма народа. Но у Шадрина проверили. Патрульный молодец! Почему-то он сразу Шадриным заинтересовался тогда.

— Но ведь следов крови на нем он не увидел?

— В тот вечер шел дождь, все в куртках, в плащах, под зонтами. Короче, патрульный проверил у него документы. Потом там его отец подошел.

— Отец Шадрина?

— Да, сказал, что вроде как они приехали что-то покупать и сын потерялся в магазине. А через два дня, когда данные обработали на компьютере и отправили по всем управлениям, следователи начали приглашать на допрос всех, у кого проверяли в тот вечер документы. Тогда следователь, как увидел, что парень аутист, даже на допрос за ручку с отцом явился, решил, что... в общем, он тогда его отпустил. На допросе не сумел никакого контакта установить — мол, аутист, что с него возьмешь. А мы лопухнулись. Дали ему возможность еще убить дважды после этого.

— А камеры наблюдения что показали?

— Ничего для нас полезного. Ты дашь мне наконец возможность работать спокойно над докладом?

— Да вы исправляете, вон все исчеркали. И зачем столько правок? Надо говорить всегда по первому варианту, он самый прикольный, — Катя указала на скомканные листы бумаги в мусорной корзине. — Федор Матвеевич, а лифчик?

— Какой еще лифчик?!

— Лифчик, мать Шадрина сказала. У него в сумке нашли.

— А, это... Это предмет нижнего белья. Он его срезал с тела лейтенанта Марины Терентьевой. Пока срезал, сволочь, поранил ей всю грудь... Ты что, хочешь, чтобы мы гласности предали тот факт, что он срезал с тела лейтенанта полиции предмет нижнего белья и носил его с собой как фетиш?

— Нет, что вы. Это точно вещь Терентьевой?

— Без всякого сомнения.

— Его мать сказала, что эту вещь нашли в сумке Родиона. Я разговаривала с ними сегодня... Они, конечно, все лгут. Но за него они не заступаются. Это лишний раз доказывает, что они обо всем догадывались, знали. Отец молчал во время разговора, точно воды в рот набрал. Говорила в основном мамаша. Она красивая женщина. И очень молодая, слишком молодо выглядит для такого взрослого сына.

— Неудивительно, — хмыкнул Гущин, что-то жирно подчеркнув в тексте доклада. — Она же его родила в пятнадцать лет. Ранние роды. Была еще несовершеннолетней.

— Она родила его в пятнадцать лет?

— Да. Залетела от кого-то. Шадрин ведь ему не родной отец. Они поженились, судя по свидетельству о браке, лишь спустя пять лет. Ей двадцать исполнилось, а он ее намного старше. Парня-аутиста он усыновил. У них несколько лет не было своих детей, видно, опасались. Потом пошли эти младшие.

Катя молча смотрела на глянцевую гущинскую лысину, склонившуюся над столом.

— Федор Матвеевич, а как вы все-таки вышли на него окончательно? Как поняли, что это он?

— Екатерина, ты все свои статейки пишешь, а у меня доклад в министерстве через полчаса! На расширенной коллегии! Мне еще доехать туда надо на Житную и сосредоточиться, чтобы что-то там из всей этой бумажной хрени не забыть!

Когда уголовный розыск... даже старой школы уголовный розыск рявкает вот так — это означает одно: дело связано с секретами агентуры. И раскрывать эти секреты агентуры, с помощью которой и был задержан серийный маньяк, уголовный розыск старой школы не станет даже под пыткой.

И Катя не стала больше допытываться. Она кротко пожелала полковнику Гущину удачи на «расширенной коллегии» в министерстве.

Глава 13
ШОКОЛАДНАЯ ФАБРИКА

Вера Сергеевна Масляненко — в девичестве Вера Веселовская, старшая сестра Надежды Веселовской — в замужестве Шадриной, ночью мучилась жестокой бессонницей.

Она ворочалась на огромной кровати номера люкс питерского бутик-отеля на Морской, несколько раз вставала в туалет, пыталась читать, пыталась считать.

За торжественным ужином в ресторане отеля, увенчавшим форум воротил кондитерского бизнеса, Вера Масляненко выпила несколько бокалов красного вина. А вино всегда действовало на нее возбуждающе. Сон бежал без оглядки, мысли в голове роились, сами собой строились планы, воображение рисовало картины прошлого. И все это пекло как жар изнутри. Все это возбуждало, переполняло до краев.

Вера Масляненко старше своей сестры на десять лет, и она отличалась пылким воображением, энергичным характером и железной волей. И красотой. Нет, красивы они с сестрой были обе — каждая по-своему. Очень красивы.

Вера Масляненко в своей пышной кровати вспомнила себя совсем молодой, закрыла глаза, вздохнула и...

Нет, как тут уснешь.

Этот чертов бизнес-форум. Она откровенно скучала на нем, хотя сумела завести несколько полезных знакомств. И все благодаря своей красоте, которая даже сейчас, в ее-то годы, привлекала мужчин — и старших, и младших. И наших, и забугорных — многих.

Когда такая жизнь за плечами, муж, двое детей — теперь уже взрослых, вдовство, состояние, нажитое с таким трудом. Многим приходилось жертвовать, очень многим, и жертвы были большие, порой непосильные —

как смерть мужа, например. Но только не красотой, не своим женским обаянием.

Да, в свои пятьдесят Вера Масляненко продолжала нравиться мужчинам. Но мужчины ее уже мало интересовали. Все ее интересы, страсти и надежды, все мечты поглощала фабрика, доставшаяся ей в наследство от покойного мужа.

Шоколадная кондитерская фабрика «Царство Шоколада». Она сама придумала это название, и муж тогда одобрил — пойдет. Они в то время имели еще жировой комбинат и завод по производству колбасных изделий и полуфабрикатов. Покойный муж — умный человек, дальновидный, говаривал, что есть лишь две сферы приложения капитала и получения гарантированных прибылей в мире — нефть и еда.

Есть люди никогда не перестанут, а значит, пищевая отрасль — супердоходное дело. Все остальное приходит и уходит, меняется, взлетает акциями до небес, а потом рушится. И лишь еда вечна.

Жировой комбинат и колбасный завод муж продал, как только его болезнь не оставила ему никакой надежды на счастливое будущее, на жизнь. Шоколадную фабрику Вера Масляненко взяла в свои руки. И добилась многого сама. Пока муж ее медленно и мучительно умирал от рака, лечился, делал бесчисленные операции, она работала как лошадь.

И добилась — «Царство Шоколада» задавило конкурентов, приобрело престижнейшие бутики в самом центре Москвы и Петербурга, магазины в крупнейших столичных торговых центрах. Фабрика получила широкую потребительскую сеть на стандартную продукцию и клиентов высокого ранга на эксклюзивную продукцию. Фабрика представляла кондитерские изделия и свой фирменный шоколад на всех выставках пищевой промышленности в регионах и в Европе, получила ряд престижных наград качества.

Шоколадная фабрика...

Это — место, ради которого стоит жить.

Ворочаясь без сна в своей роскошной постели номера люкс отеля на Морской, Вера Масляненко думала о своей возлюбленной фабрике.

Да, именно так она воспринимала «Царство Шоколада» — как живое существо, как своего ребенка, который лишь радовал ее и радовал, и радовал, и радовал, даже тогда, когда другие ее дети огорчали.

По жизни Вера Масляненко обожала шоколад. Те восхитительные плитки «Красный Октябрь»... помните их? Горький, сладкий, терпкий, темный шоколад, что тает во рту... А шоколадные наборы «Золотой олень» — помните такие? А шоколадные бутылочки с ликером? Возьмешь такую в рот целиком, раскусишь и шоколад пропитается ромом или коньяком... и что там все эти финские конфеты с водкой, куда им до неземного блаженства...

На своей фабрике Вера Масляненко всегда мечтала приблизиться к тому идеалу. Новейшие поточные автоматизированные линии бельгийских производителей шоколада — она купила все это дорогое оборудование для своей фабрики в Брюсселе — этом шоколадном королевстве. Она ездила по Бельгии и Швейцарии, посещала кондитерские фабрики, отбирала лучшее в технологиях.

«Царство Шоколада» — она создавала свою фабрику по кирпичику с нуля. Это другие в свое время подсуетились, схимичили, хапнули себе заводы и производства и лишь разрушили их. Не сумели ничего создать. Ничего, ничего! А она... она создала свое царство с нуля.

В голом поле в Подмосковье у леса — приехали рабочие и построили фабрику с нулевого цикла. И наполнили ее чудо-механикой — автоматикой, поточными линиями, роботами, электроникой, датчиками, сенсорами.

Привезли и смонтировали чудо кондитерских технологий — новейшей модели агломератор-гранулятор. Агрегат совершенно фантастического инопланетного вида — весь состоящий из стекла и хромированных труб, жидкокристаллических дисплеев сенсорного управления и говорящим (!) с обслуживающим персоналом голосом робота, рассказывающего о каждой новой фазе производственного цикла. Агломератор-гранулятор производил дозируемые гранулы продукта — растворимое какао-молоко и растворимый кофе. Он один приносил фабрике бешеный доход.

Но главное и самое прекрасное, самое чудесное — это шоколадные цеха.

Порой Вера Масляненко приезжала на свою шоколадную фабрику ранним утром и проводила на ней весь день — нет, не в офисе, а в шоколадных цехах. И ей не надоедало. Она не уставала любоваться и восхищаться, активно вникать в процесс производства, расспрашивать специалистов.

Она не имела никакого технического образования, никогда не кончала пищевой институт или техникум. Но к шоколадному делу у нее, видно, был врожденный талант и страсть.

Царство Шоколада...

Царство Небесное...

Это там, в Царстве Небесном, молочные реки и кисельные берега. А тут на фабрике реки шоколада, и они текут, текут... Здесь идут сахарные дожди и ромовые дожди, тут нет цветов, но пахнет ванилью и спелыми вишнями. Здесь пахнет корицей и лимоном, кардамоном и апельсиновой цедрой. Тут порой случается град из драже, изюма и миндальных орехов. Выпадают обильные осадки из фисташек и карамельного крема.

Здесь так сладко... Что хочется остаться тут навсегда и забыть, что...

Что жизнь наполовину уже прожита...

Да и если что-то было не так в той жизни, это можно забыть лишь здесь, на фабрике, когда шоколад разливается по формам.

Главное, от чего зависит качество шоколада, — это какао-бобы...

На фабрике есть цех, где какао-бобы чистят, сортируют, термически обрабатывают, удаляя всю лишнюю влагу. Затем бобы дробят в какао-крупку, потом размалывают в порошок. Нагревают, перерабатывают при высокой температуре, извлекают какао-масло...

Это из-за него шоколад тает во рту, заставляя забыть обо всем — о хорошем и плохом. О минувших годах, о прошлом, даже о будущем.

Вера Масляненко обожала приходить в третий цех — цех темперирования шоколада. Здесь в огромных чанах густую шоколадную массу перемешивали роботы-автоматы и охлаждали постепенно, постепенно, понижая градус за градусом. Шоколад густел, матерел, бурлил, вибрировал наслаждением и негой. В шоколадный чан хотелось нырнуть, чтобы искупаться, омолодиться, стать шоколадной царицей в царстве сладком, царстве фабричном.

Затем шоколад роботы-агрегаты медленно разливали в формы и снова охлаждали. И Вера Масляненко следила за этим процессом часами вместе с оператором цеха. Порой она сама просила позволения поуправлять процессом и под руководством оператора нажимала на сенсоры дисплея, заставляя роботы-агрегаты подчиняться своей воле.

Это возбуждало и радовало ее безмерно — когда шоколад растекался по формам, когда роботы шоколадной фабрики ей подчинялись.

Она любила, когда ей подчинялись. Муж приучал ее в свое время подчиняться ему, и она долго, очень долго это делала. А потом поняла, что лучше, если все станут подчиняться ей — так больше удовольствия и меньше бед.

Лёжа без сна в своем номере люкс в эту майскую тёплую белую питерскую ночь, Вера Масляненко не думала ни о чем — ни о своем сыне Феликсе, ни о своей дочери Мальвине, ни о своей сестре Надежде, ни о своем покойном муже, ни о своем племяннике Родионе, ни о бизнес-форуме, ни даже о грабительском росте цен на какао-бобы и сахар.

Мыслями и душой Вера Масляненко вся была там — на своей шоколадной фабрике, созданной с нулевого цикла и превратившейся в существо почти что из плоти и крови, если считать шоколад плотью...

Плоть, что сладко тает во рту при каждом укусе жадных зубов.

Кровь, что пахнет ванилью и медом, сливками и коньяком.

Даже здесь в номере отеля, окнами на Морскую, Вера Масляненко ощущала вкус и аромат шоколада.

Нескончаемые автоматические поточные линии, штампующие весь их фабричный ассортимент товаров: шоколад плиточный, шоколад ручной лепки, конфеты ассорти, конфеты с ликером, конфеты с вишней, конфеты пралине, конфеты с миндалем и фисташками, шоколадные фигурки — сова из шоколада, шоколадный слон, шоколадный носорог, пасхальные зайцы, пасхальные яйца, шоколадные букеты, шоколадные открытки, шоколадные шахматы, когда ладья ест слона, а конь ест ладью, шоколадные бутылки с бренди, шоколадные картины, шоколадные гадательные наборы, шоколадные палочки, шоколадные книги, шоколадные ножи...

Чтобы все это царствовало и приводило в экстаз во веки веков, как Царство Небесное, Вера Сергеевна Масляненко готова была умереть и погубить всех... весь мир, если это понадобится.

Когда вы создаете что-то своими руками с нуля и это становится вашей страстью, а затем входит в вашу плоть и кровь, как Царство Небесное, в которое вы в сущности не очень-то и верили всю свою жизнь, все остальное отходит на второй план.

Все остальное перестает существовать, становится лишь досадной помехой на пути к истине из шоколада... нет, из вашей сбывшейся мечты.

Глава 14
ОСОБНЯК НА ПЫЖЕВСКОМ

Вечером, как обычно по пятницам перед закрытием магазина армейских товаров, в особняке в Пыжевском проходило собрание-сбор всех частей.

Рейнские романтики устремлялись со всех концов города и Подмосковья в тихое Замоскворечье, в этот старый, великолепно отреставрированный купеческий дом, полный секретов и тайн. Приезжали в основном на дорогих машинах — тяжелых джипах, «лендроверах», кое-кто даже на роскошном «Мерседесе» — подарке родителей ко дню свадьбы. Но были и такие романтики, которые приезжали на метро, просачивались тихо во внутренний двор и словно терялись в анфиладе комнат — невидимые и неслышимые до поры до времени.

Этих последних «людей метро» Дмитрий Момзен ценил и уважал особо — у многих за плечами военное прошлое, кто-то даже успел послужить наемником в далеких странах, но не заработал особо ни денег ни славы. Правда, таких, с военным опытом, среди Рейнских романтиков было немного, чаще встречались другие.

Какие?

За четверть часа перед закрытием магазина армейских товаров Дмитрий Момзен проходил через торговый зал в заднюю комнатушку со старинной купеческой конторкой и моднейшей кофемашиной на ней, усаживался в кожаное кресло и начинал прием новобранцев, желавших поступить — нет, не в музыкальную рок-группу

«Туле», а в военно-исторический клуб, занимавшийся реконструкцией сражений, быта и походной жизни эпохи Второй мировой войны.

Именно такое официальное занятие придумали себе Рейнские романтики — военно-исторический клуб: изучаем и реконструируем, и бережно храним традиции, стараясь во всем точно соответствовать исторической правде во всех деталях.

Новобранец в этот раз только один — румяный, кудрявый, как херувим, жизнерадостный и возбужденный. Одет в дорогие кроссовки, кожаный бомбер и джинсы Dizel.

— Хайль Гитлер, партайгеноссе!

Он выкрикнул это громко, радостно, вскинув тощую руку в приветствии, вытянув тощую цыплячью шею и вертя с любопытством кудрявой башкой своей.

— Ты что, совсем дурак? — спросил Дмитрий Момзен. Он разглядывал новобранца.

— Но я... я думал, у вас так принято... Вы же это... Туле... вы же группа «Туле»!

— Рок-группа уже не играет, не выступает.

— Но вы же «Туле»! Это самое... круто! Ну «Туле»! Я же читал... это, как его, «Аненербе»... Рейнские романтики... а вы новые, вы дело продолжили.

— Какое дело мы продолжили?

— Ну это... секретное... тайное общество... Я читал про тайное общество «Аненербе», и это все у вас тут опять. Ох круто! Супер! — Парень в бомбере кивал на торговый зал. — Сколько у вас там формы понавешено на вешалках!

— Это форма Квантунской армии, — сказал Дмитрий Момзен. — Это все приготовлено для киносъемок, у нас киностудии покупают реквизит для сериалов о войне. А мы заняты серьезным делом. Мы сохраняем историческое наследие. Реконструируем военные события, участвуем в мероприятиях.

— Но у вас там форма СС...

— Для фильмов, киносъемок и военно-исторических шоу, куда нас приглашают. Потому что знают, что мы заняты серьезным делом. Без дураков. Без фанатизма. Беспристрастно. Как того требует история.

— Но мне сказали, у вас тут общество... Братство «Туле»... Рейнские романтики новые, — новобранец заморгал растерянно. — А я это... я вступить желаю, у меня к вам рекомендация.

— Да ты бредишь, пацан, — усмехнулся Дмитрий Момзен. — Ты бредишь наяву. Ты слышал, что я тебе сказал?

— Но я же хочу к вам...

— Ты слышал, что я тебе сказал?

— Да, но...

— Повтори.

— Вы это... заняты реконструкцией...

— Дальше, повтори.

— Вы заняты серьезным делом.

— Правильно. Дальше.

— Без фанатизма. Беспристрастно.

— И?

— Без дураков, — новобранец смотрел на Дмитрия Момзена. Улыбка сползла с его лица клочками. Он, кажется, начал понимать. Он понял.

— А теперь до свидания, — Дмитрий Момзен кивнул на дверь.

Когда жизнерадостный придурок ушел, Дмитрий Момзен подождал минут пять, давая возможность этому идиоту послоняться по залу армейского магазина, поглазеть на товары, затем поднялся с кресла, прошел через торговый зал во внутренний двор, пересек его и через заднюю дверь вошел в особняк.

Гулкая анфилада комнат, пахнет воском — паркет недавно натирали до блеска. Столько машин в Пыжевском переулке припарковано, столько народа собралось в Логове, а кажется, что и нет никого.

Дмитрий Момзен вспомнил, как два года назад, когда завертелась вся *та история*, когда ими внезапно заинтересовались следственный комитет и прокуратура, когда его вызывали на допрос по поводу названия рок-группы, о, тогда пришлось повозиться и попотеть. И тут дома, в Логове, тоже. Он приглашал сюда специалистов из охранной фирмы — полная дезактивация пространства. Спецы искали по всему особняку прослушку, «возможно» установленную органами, искали замаскированные «жучки». А спецкибер — ищейка ставил защитную блокировку на телефонные номера, которыми пользовались «Рейнские романтики» в особых случаях.

И все эти меры предосторожности, очень дорогостоящие, могли полететь к черту, если бы в группу... нет, в их «военно-исторический клуб» затесался бы вот такой придурок с куриными мозгами!

Рейнские романтики собрались внизу в зале собраний за круглым дубовым столом. Было шумно, оживленно, как в любой мужской компании единомышленников. Пили пиво — кто темное, кто светлое, закусывали едой, заказанной в ближайшем ресторане на улице Полянка.

Олег Шашкин по прозвищу Жирдяй тоже здесь. Он спросил негромко:

— Ну как? Годится?

— Кто?

— Ну этот пацан, с которым ты говорил сейчас.

— Кто его рекомендовал? — спросил Дмитрий Момзен.

— Суслов.

— Суслов рехнулся?

— Он сказал, у этого типа отец зампред комитета... Там, на Краснопресненской, сидит в большом доме. Ты же сам говорил, нам нужны связи во власти. — Олег Шашкин по прозвищу Жирдяй недоумевал: — Что, не пойдет, мы его не примем? Но Суслов же...

— Суслов здесь сегодня? — громко спросил Дмитрий Момзен Рейнских романтиков.

— Да, я тут, Дима. — За круглым столом сидел крупный солидный вальяжный парень. Он скинул куртку и сидел в камуфляжной майке — накачанные бицепсы все в татуировках.

Татуироваться Рейнские романтики обожали. Это своеобразный код. По татуировкам они определяли много чего и узнавали друг о друге много чего тоже.

— Твой протеже, брат. Я его не пропущу к баллотировке.

Тут надо заметить, что в «Туле» в Рейнские романтики вступали не абы как. Нет, имелся специальный ритуал посвящения. А затем шла баллотировка и голосование. В стеклянный куб опускались камни — белые и темные. Ну как в античности в древних Афинах. Если белых больше, новичка принимали в «Туле».

— Почему? У него отец в правительстве работает. Ты же сам говорил, брат Димон, ты сколько раз нас учил, что нам такие люди как воздух необходимы, — татуированный Суслов, сам недавно принятый в «Туле», развел руками.

— Отец, может, и в правительстве. А парень совсем глупый. Дураки, они хуже ФСБ, — сказал Дмитрий Момзен.

— Я старался, пацан хочет к нам. Он слышал про «Туле».

— В ночном клубе, — сказал Дмитрий Момзен. — Но мы, кажется, давно переросли ночные клубы и всю эту хрень. Еще тогда, два года назад... Мы переросли всю это долбаную хрень, или я не прав, братья мои?

— Да, да! — послышались голоса за круглым столом.

— Я много раз говорил вам, что, когда придет час бросить вызов властям, — Дмитрий Момзен обвел взглядом круглый стол, уставленный бокалами с пивом и тарелками с закуской, — когда мы устроим в этой бедной затюканной стране военный путч, переворот, у нас сразу же возникнет острая нужда в преданных делу соратниках.

— Но парень же хотел к нам... молодой, мы могли научить его что к чему, если надо, вправить мозги...

— Да, в преданных делу, нашему великому делу на благо нации, — отчеканил Дмитрий Момзен. — Но идиот, преданный делу, — это... Может, в правительстве, где работает его падре, это приветствуется... Но тут у нас в союзе «Туле» это хуже чумы. Повторите, что я сказал!

Он прорычал это как лев — громко и яростно и ударил с размаху кулаком по столу.

— Ну! Я кому сказал! Повторить!

— Это хуже чумы! — подхватили хором Рейнские романтики.

— Громче! Еще!

— Это хуже чумы! Хуже ФСБ! — грянуло за круглым дубовым столом.

— Господа, я благодарю вас и приношу свои извинения за излишнюю резкость, — Дмитрий Момзен тут же смиренно склонил свою голову перед Рейнскими романтиками — красивый, высокий, статный, голубоглазый, светловолосый — настоящий идеал для тех, кто жить не может без идеалов. — Вы все здесь умные взрослые люди. Молодые, за вами будущее. Запомните раз и навсегда — *военный путч и государственный переворот дело серьезное*. Это впишется в историю красными чернилами. Но за это можно схлопотать пожизненный срок, если все провалится. Мы не можем рисковать. Если мы станем раздавать рекомендации в «Туле» направо и налево разным долбаным идиотам, мы не продержимся и года. Нас заметут. Когда посадили Шадрина... в общем, чего с него возьмешь, больной. Барабанил только классно... После его ареста нами заинтересовались. А когда *они* там начинают интересоваться, то... Вы понимаете, чем это грозит «Туле». В общем, то была моя крупнейшая ошибка, и больше я такой ошибки не допущу. У нас долговременные планы, у нас в запасе несколько лет. И когда наступит час, мы должны быть готовы. За то время, что у нас впереди, надо многое успеть. И сопляки подрастут... вы понимаете, я не имею в виду здесь присутствующих, я говорю о нашем первичном звене в ячейках на местах, которые тоже предстоит еще нам организовать. Но для всей этой трудной и опасной работы на благо нации мы с вами должны быть сильными. Но я, кажется, слишком многословен, еще раз прошу меня извинить. Итак, тема сегодняшней встречи?

— Гитлер и немецкая культура, — подсказал Олег Шашкин по прозвищу Жирдяй.

Он только что вытащил скатанную в трубочку бумажку из немецкой солдатской каски, стоявшей на столе среди пивных бокалов. Развернул и огласил. В каске множество бумажек с темами поучительных бесед. Так это именовалось в «Туле» — поучительные беседы на собраниях. Темы никогда не объявлялись, Момзен никогда не готовился заранее, все шло честно, на волне чистейшей импровизации. Рейнских романтиков именно это и завораживало — информация, поразительная эрудиция Момзена в целом ряде вопросов — очень специфических, будь то средневековые методы пыток или же тактика выжженной земли Квантунской армии в Маньчжурии. А еще Рейнских романтиков буквально околдовывал голос Дмитрия Момзена.

— Ах, я тут как раз вспомнил, — Дмитрий Момзен очаровательно улыбнулся. — В начале войны в ставке Вольфшанце Гитлер говорил своим соратникам, что стал политиком против своей воли. Его заставил весь тот идиотизм, кретинизм, который царил вокруг него и который он уже просто не мог выносить физически. Хотелось все изменить. Но он говорил и о том, что самым счастливым днем его жизни станет тот, когда он сможет оставить политику... «Когда я уйду, — говорил он, — и оставлю за спиной все заботы, все мучения...» Да, он говорил о мучениях... Больше всего он предостерегал от ослабления инстинкта жизни. От внутренней слабости. Ее он страшился даже в себе. И я страшусь, — Момзен обвел взглядом своих голубых ледяных глаз притихших Рейнских романтиков, сытых, осоловевших от пива. — Рецепт против слабости прост. Надо быть сильным. Чтобы иметь силу внутри, надо совершать неординарные поступки.

— Какие например? — спросил Рейнский романтик Суслов. Он развалился на кожаном диване за круглым столом. Он чувствовал себя уязвленным от того, что его молодой протеже, которому он обещал вступление в «Туле» и который за это посулил «отблагодарить», пролетел по полной.

— Те, что другие, обычные совершать бояться, — ответил Момзен, не глядя в сторону Суслова. — Которые запрещает нам мораль или закон, или тупая жалость... или человечность. Гитлер говаривал, что человечность — это что-то среднее между самомнением, глупостью и трусостью. Обидно слыть трусом.

— Обидно. Но не мешало бы как-то это доказать на практике, — бросил Суслов, играя татуированными бицепсами.

Момзен секунду помолчал.

— Что ж, — сказал он, — и то правда. Может, снова пришло время наших испытаний?

— Только на этот раз начинай с себя, — снова вякнул Суслов. — Или нет, вот с нашего толстого, с твоего толстожопого любимчика, — он кивнул на Олега Шашкина по прозвищу Жирдяй.

Тот мгновенно вскочил. Но Момзен удержал его жестом.

— Ладно, — сказал он опять же очень смиренно, но так, что у многих Рейнских романтиков, которые знали своего предводителя гораздо лучше, чем дерзкий неофит Суслов, по спине поползли мурашки. — Принято. Доказательства в скором времени будут предъявлены. Но я что-то уклонился от темы сегодняшней встречи. Братья, задавайте вопросы.

— А это правда или интернет-утка, что якобы весной тридцать пятого Гитлер приезжал с визитом в СССР, посещал Москву и Ленинград, ездил на корабельные верфи в Мурманск, где строили наш ледокол, и даже присутствовал на параде первого мая? Я читал, что все кинодокументы, и наши и немецкие, после войны уничтожили, — это спросил кто-то из Рейнских романтиков, решивший разрядить ситуацию.

— Датой начала визита тридцать пятого года значится первое апреля, — ответил Дмитрий Момзен.

Он взял бокал с пивом со стола и вытянул руку. Рейнские романтики наперебой полезли чокаться со своим вождем. По его лицу и его голосу, когда он говорил *вот так,* они никогда не знали — лжет он или говорит чистую правду.

Глава 15
РОМАН ИЛЬИЧ — НЕ ОТЕЦ РОДИОНА РОМАНОВИЧА

Роман Ильич Шадрин, ныне Веселовский, как выяснила Катя, не родной отец Родиона Шадрина, проводил взглядом молодую стройную женщину, шествовавшую по проходу между стеллажами с товарами в магазине «Твой Дом», располагавшемся в гигантском торговом центре «МКАД Плаза».

Покупательница толкала перед собой нагруженную посудой и разными кухонными мелочами тележку. Темноволосая и высокая, в чрезвычайно коротких джинсовых шортиках, закрывавших лишь упругую попку и врезавшихся немилосердно туда, в саааамую серединку, куда так приятно врезаться мужскому взору.

В торговый центр «МКАД Плаза» Роман Ильич приехал после работы вместе с детьми Любочкой и Фомой на новеньком (как и дом) авто «Шевроле». Жена Надежда осталась дома. Она вручила Роману Ильичу длинный список покупок, но все это касалось лишь продуктового супермаркета, куда он с детьми намеревался заглянуть позже. Список покупок в магазине «Твой Дом» Роман Ильич составил для себя сам. Материалы для ремонта, краски, кое-какой подручный инструмент.

Он оглянулся, чтобы не потерять из виду детей. Любочка и Фома держались вместе и стояли напротив стеллажей с кухонной керамикой и формами для выпечки.

Роман Ильич кивнул детям — мол, айда за мной.

Темноволосую незнакомку в коротких умопомрачительных шортиках, открывавших длиннющие стройные загорелые ноги, он во второй раз узрел в секции комнатных растений, когда уже толкал собственную нагруженную покупками тележку на выход к кассам.

«Шортики на попке»... так он окрестил ее для себя. «Шортики на попке» выбирали какие-то терракотовые то ли горшки, то ли кашпо — он плохо во всем этом разбирался. У них дома никогда не водилось комнатных цветов. Надежда — жена их не покупала в цветочных магазинах, потому что Родиошечка цветы не любил, часто обрывал листья со стеблей.

«Шортики на попке» деловито сновали между стеллажами, нагружая тележку все больше, больше, больше. Роман Ильич невольно засмотрелся.

Из задумчивости его вывел сын Фома. Он спросил, скоро ли они поедут домой? Ему надоело в огромном магазине. Да и сестра Любочка начала снова допекать.

Роман Ильич ответил, что скоро — вот только за товары у касс они расплатятся да заглянут по дороге на автостоянку в продуктовый супермаркет, купят, что мама велела.

Любочка заявила, что в супермаркете она хочет мороженого.

Фома сказал, что лично он хочет чипсов. И уточнил — не кукурузных, а картофельных. И чтобы непременно вкус «бекон».

Роман Ильич решил доставить детям это маленькое невинное удовольствие. С тех пор как у них появились возможности, они с женой неудержимо баловали младших детей.

В третий раз «шортики на попке» во всей их красе и вызывающей эротичности Роман Ильич узрел уже на автостоянке, когда с помощью детей выгружал купленные вещи из тележки в багажник своего «Шевроле».

«Шортики на попке» занимались тем же самым возле серебристой дорогой иномарки-внедорожника.

Багажник открыт, зияет...

Вон она наклоняется, просовывая коробки в глубь багажника.

На стоянке больше никого нет, только машины.

Шортики врезаются в попу немилосердно, четко обрисовывая две упругие половинки, словно это летнюю спелую дыню рассекли надвое острым ножом.

— Пап, это наше? Вот тут пакеты упали, я поднял, — к вновь глубоко задумавшемуся Роману Ильичу обратился сын Фома.

Он поднял с тротуара пластиковые пакеты с чем-то желтым внутри.

— А что это такое, папа?

— Это резиновые перчатки. Ванну мыть, да и посуду тоже.

— У нас же машина-посудомойка, — фыркнула Любочка. — А чего ты дождевиков так много купил? Плащей-дождевиков?

— А это... нам всем, если поедем за грибами в лес, и вдруг дождь. Дождевик наденем, и ни грязи на тебе,

113

ни влаги, — Роман Ильич объяснял детям охотно, а сам смотрел.

— А когда мы поедем в лес за грибами? Почему мы раньше никогда в лес не ездили? — спросила Любочка.

— Это потому что Родиоша больной был, — сказал Фома. — А теперь его нет с нами. А ты и рада.

— Кто тебе сказал, что я рада, недоумок?

Дети начали, как обычно, ссориться из-за пустяков. Роман Ильич не вникал. Он сгружал покупки в багажник.

К «шортикам на попке» подгреб какой-то парень — толстый и мордатый, как откормленный боров. В его руках — полно пакетов из «Бургер-Кинга» и бутылки с кока-колой. Он по-хозяйски чмокнул «шортики на попке» в смуглую щечку и полез за руль внедорожника.

Роман Ильич глянул на номер машины, в которую села эта сладкая парочка.

Глава 16
ТЕЛА

Катя легла поздно — почти полтора часа болтала по телефону с подружкой Анфисой Берг. Рассказала ей про телефонный звонок мужа Драгоценного и про его прыжок с парашютом со стариком Чугуновым на закорках и даже вспомнила этого Энея из Трои. Рассказала и про травму, и про больницу где-то у черта на куличках на Гавайях.

Анфиса Гавайям лишь позавидовала и, на удивление Кати, не стала осуждать Драгоценного за безрассудство. Вообще ни за что не стала осуждать и ругать — наоборот, восхитилась: какой смелый! Ах, отчаянный парень тебе достался, Катька, и чего ты... и чего вы с ним все никак... эх вы! Не стала она осуждать и работодателя Чугунова: он старый и больной, одинокий, твой Вадик Драгоценный ему давно уже как родной. И ты, пожалуйста, не злись и не ревнуй. Катя опешила: я ревную?! Я? Драгоценного? К старику Чугунову?!

Анфиса запела в трубку басом: о йес-с-с-с, бэби! Слышала бы ты сейчас свой голос. Это жизнь, милочка моя... А в жизни все, все, все приключается.

На том они и расстались. Катя напилась горячего чая с шоколадными конфетами. Поставила в сотый раз посмотреть «Хоббит» на DVD.

Никаких особых приключений в этот вечер она не ждала. Даже не могла представить, какие жуткие события впереди.

Звонок.

Она с трудом открыла глаза. Только ведь, кажется, уснула. В комнате темно.

И телефон звонит, звонит...

— Алло! — ответила Катя сонно.

— Екатерина, собирайся, приезжай, ты мне нужна. Полковник Гущин — голос какой-то странный у него. Вообще, с тех самых пор, как в сердце полковника, прикрытое бронежилетом, попала пуля, он стал изъясняться порой как-то совсем не так, как прежде.

— Федор Матвеевич...

— Оперативная машина идет из Главка, сейчас они за тобой заедут. Собирайся. Ты мне нужна здесь.

— Где?

— Это район Котельников.

— Убийство?

— Да.

— Но я... конечно, я сейчас, одну минуту, уже собираюсь. А кого убили?

— Ты понадобишься здесь. Ты видела. Ты ездила к ним.

Отбой — ту-ту-ту... Гудки. Катя похолодела. *Ездила к ним...* Неужели убили их, родителей Родиона Шадрина? Кто-то отомстил родителям маньяка?

Но их новый дом теперь в Косине. А это Котельники, это район Люберец.

Снова звонок по мобильному — оперативная машина уже у подъезда. Катя заметалась по квартире, собираясь. Сколько раз она давала себе слово, отдельно в шкафу повесить комплект одежды специально для выезда на место происшествия, чтобы удобно, тепло и грязи не бояться. Так нет же, лень перекатная...

Кое-как оделась в спешке, напялила джинсы и старые кроссовки, схватила сумку — там все, к счастью, в сборе, все необходимые репортерские гаджеты, надо не забыть лишь аккумуляторы для подзарядки. Неизвестно, сколько потом проторчишь в УВД или в Главке после осмотра места.

В оперативной машине лишь водитель в бронежилете.

— А где же опергруппа? — спросила Катя.

— Все уже на месте. Меня за вами Гущин послал.

Катя села на заднее сиденье. Старик Гущин посылает за ней одной служебную машину — на чем это записать?

— А что случилось в Котельниках? — спросила она осторожно.

— Двойное убийство.

— Двойное убийство? А кого убили?

— Темная какая-то история. В дежурной части ничего толком не говорят. Сплошные секреты какие-то, — нехотя ответил водитель.

Ехали по ночной залитой огнями рекламы Москве. Катя всегда поражалась, как красив ночью родной город. Но в этот раз она не увидела ничего — ни огней, ни красоты ночи.

Сердце сдавило предчувствие чего-то нехорошего... Возможно, впервые за все время с тех пор, как Катя решила писать статью, это чувство *нехорошего* — опасного, устрашающего в своей мощи и ярости — заявило о себе. Не то чтобы Катя в тот момент испугалась — нет, она даже не представляла, с *чем* столкнет ее судьба. Но это тяжелое чувство... точно клещи сдавили изнутри и сжали так, что трудно стало дышать.

Водитель курил сигарету.

Катя попросила опустить стекло, открыть окно машины.

Свежий ночной ветер ударил ей в лицо. Она посмотрела на часы — забыла об этом дома — а сейчас вот глянула: половина второго ночи.

Они выехали за МКАД и помчались по шоссе в Котельники. Совершенно незнакомый для Кати район Подмосковья.

А потом лишь огни фар встречных машин, огни фонарей, автозаправки, ангары, придорожные магазины и тьма пустырей, леса и новостроек.

Машина свернула с шоссе на боковой съезд. Лес редкий, огоньки в лесу — Катя поняла, что они въехали в коттеджный поселок — почти такой же, как и тот, где жили Шадрины. Огоньки — это фонари.

Дорога — новый асфальт, лес, лес, заборы и — впереди в свете фар из темноты возник патрульный. Дальше полицейские машины, кирпичный забор, открытые ворота и...

Катя увидела в свете фар крышу двухэтажного коттеджа, крытого металлочерепицей.

Нет, это совсем другой дом, другая крыша, другая черепица... это другое место. Это Котельники...

— Вы что, из ЭКУ, эксперт? — спросил Катю патрульный.

— Я к полковнику Гущину, он здесь? — Катя показала удостоверение.

— Пресса? — ужаснулся патрульный. — Никакой прессы, вам сюда нельзя!

— Мне звонил полковник Гущин, просил приехать! — Катя не ожидала, что, подняв вот так заполошно ее среди ночи, прокатив по Москве на служебной машине, ей тут, у самых ворот, дадут полный поворот назад! — Дайте мне пройти!

— Никакой прессы, ведомственной тоже нельзя сюда, у меня строгий приказ, — патрульный стоял на своем.

— Пропустите ее, сержант!

Катя услышала голос полковника Гущина из ворот. В темноте она его не видела. Она отпихнула сержанта патрульного и решительно зашагала в ворота.

Ей хотелось спать, она злилась, что ее не пропускали. И ее душило любопытство.

Потом любопытство как-то умерло сразу.

И остался лишь страх.

Это произошло, когда Катя увидела тела.

Тело мужчины — возле капота серебристого внедорожника прямо у настежь открытых ворот. Мужчина плотный, молодой, вся одежда залита кровью, не поймешь, какого цвета футболка.

В свете фар полицейских машин и переносного прожектора возле тела мужчины — судмедэксперт Сиваков, хорошо знакомый Кате. Одетый в специальный защитный комбинезон, он на коленях и собирает в медицинский контейнер что-то пинцетом.

— Приехала? — спросил он, не оборачиваясь, словно у него глаза на затылке. — Гущин за тобой специально послал. Ты вроде как тоже в теме. Только в обморок тут не падай, пожалуйста.

— В какой теме? О боже... что у него с головой?!

— В обморок не падай. Если здесь упадешь, что с тобой в доме будет. То, что ты видишь, это называется открытая черепно-мозговая травма. Парню нанесли большой силы удар по голове, спереди, череп просто лопнул как гнилой орех. Но больше ран никаких нет, и труп не перемещали, не манипулировали с телом. — Сиваков упаковал то, что он собирал с тела в контейнер, и закрыл его на магнитный замок. — Он убийцу не интересовал, он его просто убил сразу, ликвидировал первым вот здесь, у машины. Его интересовала только женщина. А она в это время уже находилась в доме.

Катя ощущала, как дрожат и подгибаются ее колени. Она отвернулась, вздохнула глубоко.

Воздух ночи...

Воздух тихой подмосковной ночи на месте происшествия...

Сыростью пахнет, и ветер свежий, и еще пахнет краской и известкой, травой и свежераспиленным деревом. И еще чем-то тяжелым, приторным...

Воздух ночи пахнет кровью.

Она оглянулась по сторонам — в свете фар и прожектора большой двухэтажный кирпичный коттедж, но еще не жилой, следы стройки повсюду — груды кирпича, корыто с цементом, доски, железные бочки. У открытой входной двери сотрудники полиции в форме. Вот из дома показался эксперт и пошел к машинам, неся в обеих руках по точно такому же медицинскому контейнеру с образцами для экспертиз.

Катя взглянула на полицейских. Они, не произнося ни слова, посторонились и пропустили ее в дом.

Большая часть опергруппы работала здесь вместе с Гущиным и следователем Следственного комитета. В доме, лишенном электричества, поставили переносные софиты.

Позже, когда способность соображать и оценивать факты снова вернулась к Кате после шока от увиденного в доме, она поняла: эксперты и сотрудники розыска буквально «просеивали» каждый сантиметр пространства под крышей. То, чего они не могли обнаружить снаружи на улице возле первого трупа, они пытались найти здесь — микрочастицы, пыль, волосы.

Только в обморок не падай!! Катя приказала это сама себе, уразумев, что теряет контроль над собой, что вот-вот хлопнется тут на глазах у всех без чувств, как слабонервный новобранец. Увиденное потрясло ее.

— Приехала? — как и Сиваков, спросил ее полковник Гущин. — Вот и хорошо. Если совсем тяжко, отвернись. Правда, мне надо, чтобы ты все это видела.

— Я вижу, — прошептала Катя помертвелыми губами.

Тело женщины лежало на спине. Можно было понять лишь то, что она тоже молода, темноволоса, со смуглой загорелой кожей.

— Двадцать восемь ножевых ран на теле разной глубины, почти все в области брюшины и половых органов, — хрипло сказал Гущин. — Ее сначала оглушили — на голове под волосами кровоподтеки, но она еще была жива, когда он начал ее кромсать. Нижнее белье, как видишь, отсутствует. Мы даже не знаем, что на ней было — юбка или брюки... Эту одежду убийца забрал с собой. Голова частично отделена от тела — позвоночник перерублен или перерезан, голова держится только на коже.

Катя смотрела на труп и чувствовала, как холодный пот течет по ней ручьем.

— На ней что-то лежит, — сказала она, стараясь изо всех сил не закричать. — Я отсюда не разгляжу никак, Федор Матвеевич. Тут света недостаточно...

— Подойди ближе, я хочу, чтобы это ты разглядела во всех деталях.

— Какой-то мусор у нее на животе... и в ранах...

Катя подошла, хотя ноги отказывались нести ее.

Мусор...

Вроде как она видела что-то подобное прежде.

Глиняные осколки, внедренные в раны.

И какая-то белая окровавленная миска странной овальной формы с выемкой — на животе.

А между ног в крови... Катя на секунду отвернулась. Нет, смотри, Гущин велел, просил тебя смотреть!!

Между ног убитой — кукла-голыш со свернутой назад головой.

— Ты это видишь? — спросил полковник Гущин хрипло.

— Да, Федор Матвеевич.

— Запомни, как ты все это видишь. Мы снимем, задокументируем, но мне надо, чтобы ты запомнила все точно, как и я.

— Я.. я, кажется, запомнила. Да, я все запомнила.

— Хорошо, а теперь смотри сюда.

Подошедший эксперт-криминалист склонился над трупом женщины и по знаку Гущина убрал с ее лица спутанные, пропитанные кровью и пылью волосы, открывая лоб.

Катя увидела на лбу на коже длинный продольный порез. Странный порез в форме какого-то крюка — так показалось тогда ей — да, в форме крюка с загнутыми, словно надломленными концами. Левый конец надломлен и загнут косо вниз, а правый косо вверх.

— Федор Матвеевич, кто они? Кто эти люди?

— Молодожены. Приехали смотреть свой новый дом, недавно купленный. Их фамилия Гриневы — Кирилл и Виктория. Их убили здесь — мужа во дворе у машины, а жену в доме. Смерть наступила, по предварительным данным, более трех часов назад.

— А кто их нашел?

— Охрана поселка. Они ночью объезжали свой маршрут. Здесь сейчас начнет Сиваков работать. У него тут много работы, — сказал Гущин. — А ты иди со мной. Я побеседую с охранниками.

Глава 17

КАК ОБНАРУЖИЛИ

В тот момент Катя рада была любому предлогу, лишь бы выйти вон из этого страшного недостроенного дома.

Свидетели... Гущин намеревается допросить охрану поселка. Она повернулась и на ватных ногах побрела за ним. Оперативники в это время вносили в дом дополнительные софиты. Эксперты начали покрывать пол и стены специальным составом для выявления всего того, что не увидишь простым глазом. Эксперт Сиваков, закончив осмотр трупа мужчины, шел в дом работать дальше. Они с Гущиным мрачно переглянулись. И Сиваков едва заметно кивнул. И от этого полковник Гущин, как показалось в тот момент Кате, как-то сразу здорово сдал — обычно громогласный и решительный на местах преступлений, он вдруг странно затих, словно погас, растеряв весь свой обычный кураж.

С охранниками, впрочем, он разговаривал, как обычно беседуют с «первичной свидетельской базой», стараясь не упустить ни одной детали.

Двух охранников — совсем простых, судя по виду, бывших военных, трясло как в лихорадке.

— Успокойтесь, — сказал им полковник Гущин. — Вот давайте закурим и расскажите мне, как вы их нашли.

— Вы только не подумайте, что это мы их там, — сказал охранник постарше. — Мы ведь сначала просто увидели, что ворота настежь. И машина вроде как въехала только что во двор. А время-то было уже к ночи! Стемнело уж. У нас тут вся стройка в девять заканчивает работу, работяг-гастарбайтеров увозят, чтобы они не околачивались здесь, по домам не шарили. А потом мы увидели Гринева у машины...

— По порядку, пожалуйста, все по порядку. Значит, вы знали потерпевших?

— Да, мы их знали, — ответил молодой напарник. — Его, самого хозяина и его жену.

— Она хозяйка дома, а не он, — перебил его старший. — Помолчи, не болтай, чего не знаешь. Дом этот ей отец купил. Подарил к их с Кириллом Гриневым свадьбе. Тут еще только стены возводили, даже крышу не крыли. Потом они — еще не молодожены даже, а перед самой свадьбой — заставили все сломать до фундамента, пригласили архитектора и построили дом фактически заново. Она, Вика, тут всем командовала, а Гринев только под козырек брал. Он у ее отца работал. Отец-то у Вики большая шишка — бизнесмен и в каких-то комитетах заседал. Правда, сейчас за границей постоянно, вроде как от следствия скрывается, вроде как у государства своровал что-то на подрядах. А дом и участок здесь, в Котельниках, он Вике подарил. Она всему здесь хозяйка.

— Ой, я ее как увидел в доме-то... меня там стошнило, — младший замотал головой. — Кто же с ней и с ним это сотворил? У нас тут работяги, конечно, могли и ограбить, но чтобы вот такое с человеком сделать...

— Вы сегодня Гриневых в поселке видели? — спросил Гущин.

— Нет. Но он нам звонил вчера. Сказал, что они с женой приедут что-то там смотреть в доме и он на обратном пути оставит нам ключи в охране. Завтра, мол, приедет какой-то дизайнер по отделке дома с командой, им ключи передать...

— Вы поселок днем объезжали?

— Нет, тут ведь стройка целый день. Машин полно, техника строительная. Мы вечером в машину садимся и раза три за ночь во время дежурства все осматриваем, — сказал старший охранник. — Мы подъехали и увидели, что ворота открыты.

— Камеры на въезде у вас есть? — спросил Гущин.

— Никак нет, владельцы-застройщики пока не удосужились снабдить. Тут все позже у них будет ухожено-обихожено.

— А вас не удивило, что Гринев, позвонивший вам накануне, не оставил ключей, как обещал?

— Так, может, они с женой передумали, — пожал плечами охранник. — Она, Вика, передумала. Откуда ж мы знали? Если бы знали, сразу бы сюда к ним на участок примчались. Намного раньше.

— Сколько было времени, когда вы их нашли?

— Двадцать две минуты одиннадцатого, я специально время заметил, когда стал вам звонить в полицию, знал, что спросите про это.

— Вы что-то трогали здесь, на месте?

— Ни-ни, как только увидел, стал вам звонить, а напарник мой в дом побежал и там так закричал — иди, мол, сюда, она тут убитая!

— Вы в доме до чего-нибудь дотрагивались? — обратился Гущин к младшему охраннику. — Каких предметов вы там касались?

— Я не помню... дверь... ручка дверная... потом меня там вырвало сразу, наизнанку вывернуло, когда я ее увидел...

— Выходит, прежде Гриневы часто тут бывали на месте строительства дома?

— Раз в десять дней точно приезжали, иногда и чаще. Свой дом строится, как не смотреть.

— А рабочие? Сегодня ведь не работали они здесь.

— Водопроводчики приезжали два дня назад, систему водоснабжения там налаживали. Эти Гриневы, видно, приехали проверять.

— Что за фирма?

— Наша фирма подрядная, они тут всем водопровод ведут, налаживают.

— Позже у вас возьмут адрес фирмы. Мы проверим. А что за дизайнер, про которого Гринев говорил?

— Не могу сказать, они своего где-то нашли. Гринев сказал, что оставит ключи и мы этому дизайнеру, мол, завтра отдадим. И это все, что он мне сказал по телефону.

— Раньше они сюда приезжали всегда одни? Или кто-то приезжал с ними?

— Нет, всегда одни, они ж молодожены, кто им нужен сейчас? Никто. Они лишь друг другом интересуются... то есть интересовались, — старший охранник поперхнулся. — Что, ограбили их?

— Мы разбираемся.

— Я подумал сначала это ограбление. Они ж состоятельные. У него деньги с собой всегда имелись. Но чтоб так убить страшно...

— Нам нужен список всех подрядных и строительных организаций, которые у вас тут работают, привозят рабочих, — сказал Гущин. — На каких участках сейчас ведется строительство?

— Сектор четвертый, пятый и шестой. Это совсем в другой стороне, ближе к озеру нашему.

— А есть дома, где уже живут?

— Нет, тут пока еще отделочные работы, заселят к осени.

— Что вы сами сегодня видели здесь днем, вечером — какие-то подозрительные люди, незнакомые вам? Что-то, может, привлекло ваше внимание?

— Нет, все, как обычно. Людей полно — работяги, и эти, с фирм разных. Транспорт, техника. Тут же стройка в лесу! Машин всегда много.

— Мы вынуждены проверить вас на наличие следов крови и забрать у вас образцы для сравнения на экспертизу, — сказал Гущин. — Отнеситесь к этому спокойно, вас никто не обвиняет. Просто так нужно для дела.

— Да пожалуйста, берите, — развел руками старший охранник. — Кто же это сделал? Кто же убил их так страшно?

Глава 18
ВОПРОСЫ

После того как Гущин закончил разговаривать с охранниками, он погрузился в угрюмое молчание. И Катя его молчания не нарушала.

Она видела, как оперативники и эксперты выносили из дома контейнеры с образцами всего того, что показалось им подозрительным и стоящим исследования на экспертизах. Видела она, как пронесли упакованные вещдоки — те самые странные предметы, обнаруженные на теле Виктории Гриневой: глиняные черепки, белая металлическая плошка и кукла-голыш.

Плошка показалась Кате предметом, который она прежде видела при каких-то тоже пугающих обстоятельствах. Только вот сейчас она никак не могла этого вспомнить, и все ассоциации рассыпались в пыль.

Да и не строила она никаких ассоциаций этой ночью в глухой час у темного жуткого дома, в котором, казалось, побывал сам дьявол.

Эту фразу *точно сам дьявол тут побывал* Катя услышала от оперативников. Они все тоже выглядели мрачными и сосредоточенными, как и их патрон Гущин.

В доме приступила к работе группа патологоанатомов, работал вместе с группой и эксперт Сиваков.

После того как из дома вынесли те странные предметы, *так похожие на мусор... новый мусор...* Катя долго крепилась и не задавала полковнику Гущину никаких вопросов. Вообще никаких. Все ждала, чем же кончится это странное гробовое молчание, воцарившееся на месте происшествия.

В половине пятого утра эксперты закончили работу с телом и первичный осмотр. В дом покатили железную каталку. Вторая каталка, точно катафалк, стояла у машины «Скорой». На нее погрузили тело Кирилла Гринева. Из дома уже в черном пластиковом мешке вывезли труп его жены Виктории.

Следом вышел эксперт Сиваков. Он подошел к Гущину и закурил сигарету.

— Что? — коротко спросил его Гущин.

— Ничего хорошего.

— Это то, что я думаю?

— Очень похоже, — тихо ответил Сиваков. — Чрезвычайно похоже. Почти идентично.

Он так понизил голос, что лишь Гущин и чуткая Катя, вся ставшая одним большим ухом, расслышали его.

— Мне надо точно это знать, — хриплый голос Гущина сразу еще больше охрип. — Так очень похоже или идентично?

— Вскрытие покажет. Хотя... может, оно как раз в этом плане ничего и не покажет, не решит. Я ее осмотрел. Мне не надо даже архив поднимать, у меня все то перед глазами, словно кошмар, — Сиваков курил, затягиваясь. — Если бы вероятность измерялась не в ста процентах, а в двухстах, я бы сказал так — 99 процентов за то, что очень похоже. И другие 99 процентов за то, что идентично.

— Так ты предлагаешь ждать судмедэкспертизы? — спросил Гущин, словно он и вправду растерялся и не знал, что делать, и ждал совета.

— Экспертиза в этом случае может ничего не решить. Тот же паритет останется 99 на 99, а это ведь не пятьдесят на пятьдесят, — ответил Сиваков. — Характер нанесения ранений... я ее там сейчас осмотрел. Длина лезвия, глубина порезов, частота... И сама тактика нанесения ранений в область таза и половых органов. Это фрикционные движения. Мы с этим уже сталкивались.

— От чего она умерла?

— По крайней мере три проникающих ранения смертельны — в область сонной артерии и шеи. Перед нанесением ран ее оглушили — удар по голове с большой силой. Правда, не такой чудовищный, каким убили ее мужа. Ее он не хотел убивать сразу. Сначала просто оглушил. Убивал он ее ножом.

— А голова?

— Это посмертное. Возможно, он хотел отчленить голову и забрать ее как трофей с собой. Но не забрал. Или просто еще не насытился убийством.

— А что *мусор?* — тихо спросил Гущин.

— Глиняные фрагменты внедрены в раны. Мы с этим тоже уже сталкивались, — Сиваков посмотрел на Гущина. — Глину и другие предметы исследуем на предмет ДНК и всего остального. Вот в этом я бы идентичность поставил на первое место.

Как только тела погрузили в «Скорую», Сиваков немедленно уехал — на рассвете, не теряя времени, он намеревался приступить вместе с патологоанатомами к вскрытию.

Гущин снова направился в дом. Катя пошла за ним. Она находилась на месте происшествия уже больше четырех часов. И она уже не могла больше выдержать без вопросов. Он ведь сам вызвал ее сюда и сказал: смотри.

В доме, залитом мертвенным светом софитов, где каждый сантиметр уже был обработан специальным составом и где по-прежнему работали криминалисты-эксперты, уже чуть ли не просеивающие пыль и опилки, Катя тоже смотрела в оба.

Тела увезли.

— Тут стены толстые из кирпича, — сказала она. — Если Гринева даже кричала громко, ее никто не услышал. Но она ведь не кричала, раз ее сначала оглушили.

Гущин, нагнувшись, осматривал место, где лежал труп.

— Федор Матвеевич, все-таки зачем к вам приезжали психиатры из Орловской больницы? — спросила Катя.

Он резко выпрямился.

Катя ждала ответа.

— Я же сказал тебе — ради материалов уголовного дела.

— Но главврач ведь беседовал с вами, что его интересовало?

— Они больных изучают. Кое-что там у них не совпало.

— Что не совпало?

— Какие-то тесты, главврач мне говорил — они проводили тесты, исследования, наблюдали *его* в течение двух лет. Так вот, по его мнению, картина клинических наблюдений отличается от выводов психиатрической экспертизы, проведенной здесь, в институте Сербского. Отличается и от содеянного им.

— А я вот что подумала, — сказала Катя, — Федор Матвеевич, а не может такого быть, что Родион Шадрин у них сбежал из психбольницы? Только они пока что держат это в тайне. Приехали, чтобы самим все посмотреть в деле — адреса и все такое. Хотят сами его изловить, не заявляя в полицию, боятся скандала? Что если он от них сбежал, а они это скрывают?

Гущин молчал. Закончив осмотр — свой собственный гущинский осмотр места, как последний аккорд, он объявил:

— Я сейчас еду в морг на вскрытие. А ты езжай домой.

— Что, если Родион Шадрин сбежал из психиатрической больницы? — упрямо повторила Катя.

— Это не трудно проверить. Я после вскрытия вместе со следователем подготовлю документы на этапирование. Опергруппа поедет в Орел на машине и доставит его сюда.

— Если Шадрин все еще там, — сказала Катя. — В Орловской психиатрической, а не здесь, снова в Подмосковье.

Глава 19

МАЛЬВИНА

Мальвина Масляненко — дочь Веры Сергеевны Масляненко и старшая сестра Феликса — оглядела ряды университетской аудитории. В этот раз студентов собралось на лекцию совсем мало.

Аудитория в старом здании университета на Моховой улице вмещала гораздо больше, но сегодня, видно, день такой — за окном ненастье, гроза. Майский гром гремит, и ливень стучит по крыше. Да и час еще ранний. Первая лекция, многие студенты ее просто пропускают, просыпают.

Может, все из-за того, что она еще молодой преподаватель, молодой лектор и студенты предпочитают приходить слушать старых опытных профессоров. Однако в прошлый раз собрался полный зал, яблоку негде упасть, и это вселило в сердце такую радость. Дало такой кураж!

— Творчество французского поэта шестнадцатого века Жоашена дю Белле, которого я хочу представить вам на этой лекции, тесно связано с творчеством французских поэтов, объединившихся в так называемую Плеяду — знаменитый союз поэтов. — Мальвина щелкнула пультом и вывела на демонстрационный экран фотографию титульного листа сборника поэтов Плеяды.

Никто из студентов даже не взглянул на экран. Все занимались своими делами. В основном уставились в свои мобильные телефоны, планшеты и ноутбуки.

Лекция не задалась с самого начала, и Мальвина Масляненко это чувствовала. Дождь, непогода всему виной. Как мощно струи дождя лупят по стеклам окон университетской аудитории! И сумрачно от непогоды в большом зале. Надо зажечь верхний свет, но демонстрационный экран тогда совсем побледнеет. А опускать глухие жалюзи на эти великолепные окна, выдерживающие напор майской грозы, что-то не хочется.

Как-то совсем не хочется даже на мгновение, когда жалюзи опустятся, а свет еще не вспыхнет, окунуться во тьму. Сегодня ночью она проснулась в темноте. Долго прислушивалась к звукам в их огромном пустом доме.

И встала с постели утром с тяжелым сердцем.

Какая-то тревога внутри... нет, жажда, словно очень хочется пить... нет, предчувствие...

— Собственно великая Плеяда и ее мэтры не сумели повлиять на дю Белле, так как он уже родился поэтом. Стихи были у него внутри. Говорили с ним изнутри. Порой приносили доход, но иногда доводили его до беды, как те сатирические сонеты, направленные против католической церкви.

Брат Феликс... это все из-за него. Мальвина снова щелкнула пультом, уже раздраженно — студенты не слушали ее, не отрывались от своих интернет-игрушек. Да, да, брат Феликс всему виной, эта дрянь... Это из-за него у нее такое чувство, такое сердце сегодня. Брат устроил очередной дебош дома, оргию с проститутками, пользуясь отсутствием матери. Брат Феликс никогда не одобрял этих ее лекций. Он всегда был против того, чтобы она читала свои лекции студентам здесь, в университете на Моховой.

Это из-за Феликса у нее нет сегодня куража. Нет ничего, пустота внутри. Нет даже любви. Она не чувствует той любви, что согревает ее сердце каждый раз, когда она читает стихи или начинает свою очередную лекцию. Любовь, что согревает ее плоть и питает дух, сегодня где-то далеко-далеко. А поэтому нет куража.

— Я счастлив, я попался в плен... Завидую своей я доле. Мне ничего не надо боле, чем грезить у твоих колен.

Девицы-студентки фыркнули, так громко и неприлично, давясь смехом, что Мальвина тут же умолкла. Но почти сразу взяла себя в руки. Это ведь лекция. А студенты — глупцы. Они могут смеяться над чем угодно, даже над словами великой любви в великих стихах.

— В общем, жизнь дю Белле была короткой и несчастливой, — сказала она громко. — Он умер молодым, в нищете, оставив после себя всего два сборника стихов.

В некоторых своих стихах он дает советы своим сверстникам, таким же, как вы, как жить.

— Ну и как же нам жить? — подала голос какая-то девица с задних рядов.

— Я грезил, отстраняясь от книг и собираясь в путь далекий, я постигал в мечтах до срока чужие тайны и язык. Неутомимый ученик за ноты брался, кисти, строки и фехтования уроки и для потомства вел дневник...

— Загружен под завязку пацан, как мы! — прокомментировали стихи дю Белле с галерки.

— Мечты... Их сняло, как рукою, я обзавелся лишь тоскою, — Мальвина посмотрела туда, на галерку. — Так часто мы себе вредим. То просьбу вымолвить не смеем, то в самомнении хмелеем и вставить слово не дадим! Себя старанием своим подать как должно не умеем. А после завистью болеем. Без денег и друзей сидим.

Студенты ничего не сказали, не проявили ни любопытства, ни интереса ни к дю Белле, ни к лекции и снова уткнулись в свои гаджеты.

Мальвина поняла, что сегодня все так и пойдет — без отклика, без отдачи, она просто станет повторять текст, как заученный урок, и механически вставлять в лекцию стихи. Они не слушают ее, они не записывают. Им неинтересно, что она говорит о французском поэте.

А все потому, что у нее нет сегодня обычного куража. Она устала. Она плохо спала этой ночью из-за брата Феликса, который все больше и больше тревожит ее, раздражает. Даже пугает, когда матери нет дома.

Мать занята лишь своей шоколадной фабрикой. Она, Мальвина, с самого начала выбрала для себя вот это — лекции, студенты, университет.

Но эта тяжесть в душе, это странное неприятное чувство внутри. Словно что-то должно случиться... и очень скоро... что-то должно случиться с ней, Мальвиной, если не поберечься как следует...

— Я вижу, вам совсем неинтересно, — кротко сказала Мальвина. — Я бы с удовольствием отпустила вас и закончила лекцию прямо сейчас. Только куда вы пойдете? На улице такое ненастье. Знаете, есть часы и дни, когда лучше сидеть тихо и не выходить под дождь...

— Это как по гороскопу, что ли, несчастливые дни? — спросила темноволосая студентка в первом ряду справа.

— Точно, как по гороскопу, — Мальвина кивнула. — Дю Белле не верил гороскопам. Но нас с вами он предупреждает, как самого себя когда-то: *неладен будь тот день и час, что мне в подушку нашептали оставить за чужою далью моих холмов родную сень. И странно — все кому не лень, меня о том предупреждали. И звезды свыше подтверждали — там Марс входил в Сатурна тень. Но все иначе обернулось. Нога, я помню, подвернулась, едва ступил я за порог.. В другой бы раз, из суеверья, я бы вернулся... хлопнул дверью, но...*

— Как же это вы говорите, он не верил гороскопам, раз пишет, что Марс его предупреждает, планета и про суеверие тоже? — спросила студентка во втором ряду.

— Поэты порой сами себе противоречат, — ответила Мальвина машинально, ей хотелось дочитать сонет до конца.

— Как это?

— А вот так, как и мы с вами. Внутри нас сплошные противоречия.

— А кто еще входил в эту Плеяду, кроме дю Белле? — спросила студентка в третьем ряду, она плохо видела и носила очки.

Мальвина оглядела аудиторию. Студенты наконец-то оторвались от мобильных и ноутбуков. Им надоело скучать. Они наконец-то вспомнили, для чего именно явились утром в ненастье в университет на ее лекцию.

— Ронсар, Баиф, Жан Дора, — сказала она, выводя на демонстрационный экран портреты поэтов Плеяды. — Я расскажу вам о них о всех.

Глава 20
ЭКСПЕРТИЗА

В этот раз Катя послушалась совета и уехала домой. Да, в пятом часу утра на оперативной машине вместе с экспертами, которые увозили взятые для исследования вещдоки — они довезли ее до дома.

Полковник Гущин остался на месте происшествия, а Катя уехала и была этому безмерно рада. Черт возьми, ей хотелось оттуда убраться — из этой темноты, из этой летней майской ночи, из этого дома, пропитанного насквозь кровью.

Есть моменты — и Катя поняла это там, в Котельниках — когда *даже любопытство — самая сильная, самая страстная и властная черта вашего характера* — сходит на нет.

Потому что видеть *все это* вашим глазам нестерпимо. Все то, что может сотворить с человеком другой человек.

Катя поняла и другое — выдавая ей информацию по делу Родиона Шадрина так скупо, полковник Гущин просто щадил ее. Она не видела полной картины с мест тех других убийств. А вот сейчас увидела полную картину. И Гущин сам просил ее: смотри.

Дома, в своей квартире, Катя разделась как автомат, включила в ванной душ и села под горячие струи. И сидела так долго. Она не слышала, как началась гроза и как гремел гром — первый за весь май. Сверкали молнии за окном над Москвой-рекой, и лил дождь.

После душа, *так и не смыв с себя все то, что она тщетно пыталась уничтожить с помощью воды,* Катя прилегла. Но не спала, не могла. Слышала, как снова пошел сильный ливень и опять загремели раскаты, засверкало в утреннем небе, затянутом свинцовыми тучами.

В девять, не опоздав ни на минуту, она под проливным дождем приехала на работу в Главк. Сначала поднялась к себе в кабинет Пресс-центра. Поставила зонт в угол сушиться. Сняла мокрый плащ. Включила ноутбук, просмотрела свои записи с заметками для будущей статьи.

Теперь писать придется все по-другому...
Но как?

Она спустилась в управление розыска. Узнала от секретарши в приемной, что полковник Гущин с раннего утра был на вскрытии в морге, а сейчас уехал на доклад в министерство и прокуратуру.

Катя спросила — отбыла ли уже в Орел опергруппа для этапирования Родиона Шадрина. Секретарша кивнула — подняли судью и прокурора чуть ли не на рассвете для подписи и оформления всех документов.

В Орел уехали...

А что в Орле? Что там в этой психиатрической больнице специального типа?

В обеденный перерыв она опять спустилась в розыск. Гущин из больших начальственных кабинетов еще не возвращался. Зато в приемной сидел эксперт Сиваков с папкой под мышкой.

— Закончили? — спросила Катя.

— Пока только предварительные выводы. Назначаем серию экспертиз. Как и два года назад, тогда тоже все экспертизы, экспертизы. — Сиваков глянул на датчик пожарной сигнализации на потолке приемной и все равно сунул в рот сигарету — незажженную. — А предвариловка есть предвариловка.

— И что говорит предвариловка?

Они обернулись на голос Гущина. Он вошел в приемную.

Эксперт Сиваков оглядел его с профессиональным цинизмом.

— Ну и видок у тебя, Федя, краше в гроб кладут.

— Пошли в кабинет. — Гущин глянул на Катю и спросил мягко: — Отошла немножко?

— Да, Федор Матвеевич, и я готова вам помогать всем, чем могу. — Катя действительно хотела ему помочь, когда он выглядит и чувствует себя — вот так скверно.

— Итак, предварительные выводы экспертизы. Сначала по *мусору,* — эксперт Сиваков в кабинете Гущина закурил уже открыто, не таясь от датчиков пожарной сигнализации. — Что мы имеем...

— Что это за миска у Гриневой была на теле? Для чего она вообще используется? По форме этот лоток на почку похож или на фасолину, — сказал Гущин. — Что-то знакомое, но никак не могу понять.

— И я тоже этот предмет видела, — сказала Катя. — Только вспомнить не могу, где и когда.

— Я начну с глиняных фрагментов, уж позвольте, — сказал Сиваков. — Так вот, перед нами опять разрозненные осколки предмета из формовой глины. Неокрашенной, натуральной. Сколы большой давности. Так что можно сказать, что данный предмет был разбит в черепки не вчера и не позавчера. По составу глины будет проведена дополнительная химическая экспертиза. Насчет остальных следов должен огорчить — только следы крови и ДНК потерпевшей Виктории Гриневой. Однако общий вид и структура глиняных фрагментов позволяет нам говорить о практическом тождестве с ранее обнаруженными уже на трупах других жертв. Я забрал все те прошлые черепки из хранилища вещдоков, попробую сам поколдовать, как над мозаикой. Может, какие-то фрагменты подойдут друг к другу.

— Что это за предмет может быть из глины? — спросил Гущин.

— Те же выводы, как и два года назад. Предположительно какой-то объемный — чаша, кувшин.

— Может, глиняная амфора? — предположила Катя. — Или кашпо для цветов?

— Или глиняный горшок, — эксперт Сиваков не шутил. — Фрагменты мелкие, разрозненные, их невозможно сложить. Кто-то очень постарался, чтобы мы не смогли сложить из них ничего целого, как и в прошлый раз. Я бы сказал, что все на 99 процентов абсолютно идентично.

— Идентично лишь по этим черепкам с тем, что мы имели два года назад? — спросил Гущин.

— Подожди, я еще с *мусором* не закончил, — Сиваков поднял руку. — Кукла, найденная на месте убийства. Так называемый голыш: материал — полимеры, современное изделие, сделана, судя по всему, в Китае. Целая, без повреждений. На шее наличие следов засохшего клея. Клей обычный, универсальный. Клей нанесен на всю область шеи с помощью выдавливания из тюбика. Знаете, иногда пальцем клей размазывают, — Сиваков глянул на Гущина. — Мы проверили на наличие отпечатков. Нет ничего. Выдавили из тюбика, клеили не касаясь.

— Зачем же склеивать, если нет повреждений? — спросил Гущин.

— Я не знаю, — ответил Сиваков. — Теперь о медицинском лотке, который похож... как ты сказал? На почку?

— Ну да, медицинский, точно, — Гущин кивнул. — Но почему он такой странной формы?

— К дантисту давно ходили? — спросил Сиваков его и Катю. — Вспомните, дают рот прополоскать, а потом говорят: сплюньте сюда.

— Черт, да ведь это же плевательница! — воскликнул Гущин. — Совали раньше такие у дантиста в кресле под подбородок, потому и выемка.

— Да, это плевательница. Изделие отечественное, фабрику мы проверим, куда у них в последние два года были поставки, — Сиваков протянул Гущину толстую пачку документов. — С *мусором* пока все. Зачем все это и для чего оставлено на трупе и возле, разбирайтесь сами. А это вот результаты вскрытия. И я назначаю еще целую серию дополнительных экспертиз. Особенно по телу Виктории Гриневой. С ее мужем как раз все более-менее ясно.

— Чем его ударили по голове?

— Тяжелый металлический предмет — лом или кусок трубы. Удар огромной силы. Он стоял в этот момент у машины. Ворота были открыты, они только что въехали. Видимо, жена сразу прошла в дом, а Гринев остался у ворот. И он не ждал нападения. Все произошло мгновенно для него. Где стоял, там и упал. Этим же предметом оглушили и Викторию Гриневу.

— Два года назад мы тоже с этим сталкивались. Шадрин сначала оглушал свои жертвы, а уж потом... — Гущин запнулся. — Я прочту заключение, ты только мне скажи сейчас после вскрытия — твой какой вывод? Похоже или идентично?

— Для меня лично в этот раз экспертиза этого не прояснила, я же объяснял тебе, есть такие случаи, и вот он этот случай. То же самое, как я и сказал: 99 процентов вероятности того, что очень похоже, и 99 — что идентично. В этом случае я не могу сделать категоричного вывода. Поэтому говорю — все, что касается тел, ран, характера нанесения — все очень похоже на то, что мы имели раньше. И заметь, сейчас у нас две разнополые жертвы. Супруги. А прежде были одни лишь женщины, и только женщины, — Сиваков сильно затянулся сигаретой.

— А что с раной, этим знаком на лбу Гриневой?

— Это посмертное. Вырезан с помощью того же ножа, которым были нанесены все остальные раны.

Гущин забрал документы, сел в кресло и надолго погрузился в чтение.

Сиваков не уходил. Катя тоже молча терпеливо ждала.

Наконец Гущин закончил читать. По его лицу Катя поняла, что и для себя он не решил того главного вопроса, который мучил его.

И Катя подумала, что пора вмешаться.

— Федор Матвеевич, каким все же образом вы тогда, два года назад, вышли на Родиона Шадрина? — спросила она. — Про проверку документов у него я знаю и про вызов к следователю. Но его же тогда отпустили. Как вы все-таки поняли, что это он — серийный убийца?

Катя хотела помочь своим вопросом. Вот сейчас Гущин скажет, как они вышли на Шадрина, и все встанет на свои места. А затем опергруппа доберется до Орла и сыщики поймут, что Шадрина там нет, что он сбежал, и побег его скрывали все это время. И тогда в Котельниках все тоже станет ясно. Страшно, жутко, но по крайней мере ясно, прозрачно.

— Думаешь, мы его без веских улик арестовали тогда? — спросил Гущин.

— Нет, нет, я наоборот, я знаю, что вы без веских улик никого не задерживаете, сами сто раз проверяете все, лично.

— И тут проверяли — сто, двести раз. Факты тебя интересуют? — Гущин снял очки, в которых читал заключения экспертизы. — Факт первый, как я и говорил — он сразу попал в поле нашего зрения после убийства второй жертвы Елены Павловой. Его видели в непосредственной близости от места убийства, документы у него даже смотрели тогда.

— Да, да, это я знаю, и это сразу очень подозрительно, — Катя закивала.

— Второй факт: лейтенанта Марину Терентьеву он убил в Дзержинске, там же, где он и жил, он ее мог видеть в УВД, в тот раз, когда на допрос приходил, мог ее там заметить, а потом выследил.

— Конечно, мог, вполне, — поддакнула Катя.

— Факт третий. Из его сумки при обыске вещь капитана Терентьевой достали.

— И это я знаю, Федор Матвеевич, но как вы на него снова вышли, уже после того, как следователь его отпустил?

— Скажи ей, чего уж теперь, — хмыкнул Сиваков. — Какие уж теперь секреты Полишинеля.

— У нас был анонимный звонок по телефону, — сказал Гущин.

— Анонимный звонок? — Катя сразу насторожилась. — От кого?

— Анонимный звонок, — повторил и Сиваков. — Знаешь, что слово «анонимный» означает?

Катя смотрела на Гущина, просто ела его глазами, поглощала — ну же, старик, давай, вот мы открываем новые страницы в этом деле. *То есть я открываю для себя, для своей будущей статьи...*

— В дежурную часть Дзержинского УВД позвонил мужчина. Это случилось на следующий день после убийства лейтенанта Марины Терентьевой. Весь город знал уже, что лейтенант погибла при исполнении служебных обязанностей, — сказал Гущин. — Позже мы объявили, что это произошло при задержании серийного убийцы. В тот день в Дзержинске действовал план «Сирена», все были начеку, и дежурный, услышав, о чем говорит этот аноним по телефону, сразу переключил его на управление розыска. На меня. Я с ним говорил лично, я. Голос мужской, выговор правильный, четкий. Я ему представился, спросил, кто он, кто звонит. А он спросил в ответ меня, как и дежурного УВД, — полагается ли денежное вознаграждение за сведения о маньяке, который убивает женщин. Он назвал его Майский убийца. Так пресса писала об этом тогда: «Майский убийца снова вышел на охоту...» У нас вопрос о денежном вознаграждении не стоял, но я сказал звонившему: в зависимости от ценности сведений мы заплатим. Он произнес, что хочет триста тысяч рублей за информацию. Я ответил: надо сначала проверить правдивость информации, чтобы платить такие деньги.

— Ты с ним, Федя, еще торговался, с этим анонимом, — хмыкнул Сиваков.

— Пока я торговался, наши из управления срочно пытались пробить все сведения по номеру телефона, с которого он звонил. Сотовый номер, телефон нигде не зарегистрирован, паленый телефон. — Гущин вытащил носовой платок и трубно высморкался. — Этот тип по телефону подумал секунду, потом заявил: хорошо, он расскажет все, что ему известно сейчас. Мы проверим, убедимся в его правдивости, и завтра он перезвонит, чтобы узнать, как получить свои триста тысяч. Затем сказал: обратите внимание на некоего Шадрина Родиона, он живет в Дзержинске, у него была связь с Софией Калараш, они спали.

Катя слушала напряженно, не перебивая.

— Когда он сказал, что этот человек живет в Дзержинске... Я... я сразу за это ухватился, а дальше все пошло разматываться как нить из клубка — обнаружилось, что Шадрина видели возле места убийства второй жертвы Елены Павловой, что его на допрос в УВД вызывали, нашли видеозапись допроса — там камера в кабинете работала, как и положено в таких случаях, подняли его документы медицинские, выяснили, что он аутист. София Калараш — первая жертва — тогда при осмотре тела были выявлены следы спермы. Не изнасилование, признаков его мы не нашли, хотя трудно было установить точно — такая мясорубка... Поехали в тот московский ДЭЗ, где София дворником работала, нашли ее подругу, они вместе из Молдавии в Москву приехали, предъявили ей фото Родиона Шадрина с видеозаписи. Она его узнала — мол, да приходил этот парень к Софии... Я когда это услышал, меня как током шарахнуло. Вот же... все складывается...

— Половой контакт с жертвой мы выявили лишь в самом первом случае, — сказал Сиваков, — София Калараш, однако, не была изнасилована. Во всех остальных случаях никакого полового контакта уже не происходило. Но характер ран в области половых органов свидетельствует о том, что удары ножом наносились ритмично, имитировались половые фрикционные движения. Убийца орудовал ножом, словно половым органом. И сейчас в случае с Викторией Гриневой налицо то же самое. Не идентично, но очень похоже.

— У меня в голове тогда все сложилось, все стало ясно... Это же классический случай, классический маньяк, — Гущин спрятал платок и нервно заходил по кабинету. — Первая жертва... половой контакт... С Софией Калараш, видимо, у него не особо получилось, женщина над ним посмеялась, возможно, стала издеваться. Он же больной, чтобы контроль над собой потерять, Шадрину много не надо. Он убил ее. А на всех последующих жертвах он таким образом вымещал свою несостоятельность, свою импотентность. Это классика еще со времен Чикатило.

— И вы отправились с опергруппой и спецназом домой к Шадрину? — спросила Катя.

— Да, как только сложили два и два. А дома у него в сумке обнаружили окровавленный лифчик Марины Терентьевой.

— И результаты анализа ДНК Родиона Шадрина полностью совпали с ДНК по сперме при исследовании тела Софии Калараш, — сказал эксперт Сиваков.

— У него на теле имелась татуировка под мышкой, — Гущин показал где, и Катя вспомнила видеозапись, которую она смотрела на диске. — На лице у лейтенанта Марины Терентьевой был вырезан ножом такой же знак.

— На лбу, — уточнил эксперт Сиваков, он затушил сигарету в пепельнице, помолчал, потом заявил: — На таких уликах любой суд дал бы Родиону Шадрину пожизненное, не будь тот психически больной.

— У него и так пожизненное, только в психушке спецтипа, — сказала Катя. — Да, улики впечатляющие. Конечно, не могло возникнуть никаких сомнений, что это именно Шадрин убийца-маньяк.

— И это еще не все, — полковник Гущин словно оправдывался, словно пытался доказать самому себе — мы сделали все правильно тогда, мы сделали все, что в наших силах.

— Не все? Есть еще доказательство его вины? — Катя находилась под впечатлением от услышанного.

— У нас есть свидетель, который Родиона Шадрина опознал, — ответил Гущин.

— Свидетель? И что же вы раньше молчали, почему не сказали мне сразу? Кто он?

Но в тот момент фамилии свидетеля Катя не услышала. У Гущина зазвонил мобильный.

Он молча слушал, что ему говорят, затем дал отбой.

— Из Орла? — спросил эксперт Сиваков. — Ну и как там дела обстоят?

— Родион Шадрин находится в орловской психиатрической больнице, — ответил полковник Гущин. — Они забирают его оттуда, сегодня оформят все бумаги в больнице и завтра этапируют его к нам сюда. До Москвы Шадрина вместе с нашими оперативниками будет сопровождать орловский ОМОН, для исключения всех возможностей побега.

Катя, услышав это, совсем притихла. А потом она вспомнила о самом главном, как ей показалось на тот момент:

— Федор Матвеевич, а что тот аноним, он потом вам перезвонил насчет вознаграждения? Вы заплатили ему деньги?

— Нет, больше никаких звонков не поступало.

— Никаких звонков? Но ведь звонили-то ради денег. И не стали их брать? А вам не показалось это странным?

— Мы в то время Шадрина по всем убийствам проверяли, я занят был по горло. Про звонок я, честно говоря, забыл. Мы тогда сразу поняли — взяли именно того, кого нужно.

— И вот прошло два года. И у нас новое схожее убийство, — подытожил эксперт Сиваков.

В кабинете повисла пауза.

Затем Гущин сказал:

— Министерство присылает нам для разовой консультации своего эксперта по серийным преступлениям. Они категорически настаивают — при вновь открывшихся обстоятельствах чуть ли не в приказном порядке. Эти новомодные веяния сейчас, с этими, как их, черт... название не запомнишь... профайлеры... Нотации приедет нам читать о том, как, мол, думает убийца и чего он там себе воображает.

— Когда приедет профайлер? — спросила Катя.

— В среду. Соберем полный актовый зал для него, как на лекцию.

— Это хорошо, надо послушать обязательно. Это полезно. А у меня к вам предложение, Федор Матвеевич. Вы договоритесь, и поедем навестим знаете кого? — сказала Катя.

— Шадринских папашу с мамашей?

— Нет, у родителей его я была, и он ведь не сбежал из психбольницы, как я подумала... Он там... Я предлагаю вам навестить его тетку, сестру его матери, ту, которая им так активно помогает по жизни, — сказала Катя.

— Это еще зачем? — спросил Гущин.

— Ну, его мать в разговоре со мной обмолвилась, что ее сестра никогда не верила в виновность Родиона. Потому и помогает им во всем. Так вот я подумала — может, у нее есть какие-то основания для такой уверенности?

— Вера Масляненко, мы ее допрашивали два года назад, — сказал Гущин. — Заносчивая дама, богата как ростовщик и сейчас вдова фабриканта. Фабрика у них кондитерская в Подмосковье, конфеты их ты небось ела, в магазине их сейчас полно.

— Все равно вам Родиона Шадрина ждать завтра до вечера, пока его доставят, — сказала Катя. — Если не поедете, то я отправлюсь к ней одна, вы только позвоните ей сами официально.

— Мы поедем вместе, — сказал полковник Гущин.

— Хочешь дам тебе один совет? — спросил его эксперт Сиваков. — Врачебный.

— Какой совет?

— Успокойся. Возьми себя в руки. Все в жизни случается. Ошибки тоже. Не стоит хвататься за любую утлую соломинку.

— А кто тебе сказал, что я не спокоен? — с вызовом спросил полковник Гущин.

Глава 21

РОДСТВЕННИКИ

На следующее утро после оперативного совещания полковник Гущин сам позвонил Кате и сказал, чтобы та спускалась во внутренний двор Главка — они отправятся навестить «родственников маньяка».

Он так и произнес это *родственники маньяка,* и Катя поняла, что он с нетерпением ожидает доставки Родиона Шадрина в Москву из Орла.

Но пока их ждали в другом месте.

Дом, а точнее, огромный особняк Веры Сергеевны Масляненко — родной тетки Родиона Шадрина, тоже располагался в Косине. Это сообщил Кате Гущин: мол, живут они недалеко от Шадриных-Веселовских там же в Косине, только это уже не Черное озеро, а Святое, и поселочек там ого-го-го для сплошной элиты. А что дом, который Вера Масляненко подарила своей сестре, не так уж далеко, то это неудивительно. Муж Веры, кондитерский фабрикант Масляненко, в прошлом активно скупал недвижимость в строящихся в окрестностях коттеджных поселках и сам в то строительство делал инвестиции.

— Я ей звонил вчера, договорился о встрече. Два года назад мы ее допрашивали и ее сына Феликса тоже. Но чисто формально, тогда с Шадриным уже все нам ясно было, — рассказывал Гущин по дороге в Косино. — Вера Масляненко в то время только-только мужа схоронила, от рака фабрикант умер. Она горевала о нем сильно. А тут мы Родиона Шадрина задержали, дело закрутилось. Тетка, вдова, тогда просто в прострации была, никакая, я помню, я с ней лично беседовал — на том допросе еле-еле слова цедила сквозь зубы.

— Вообще удивительно все это, Федор Матвеевич, — объявила Катя.

— Что удивительно?

— Такие родственники у серийного убийцы.

— Круче некуда. Но это уж как жизнь повернется, как карты лягут. Каждому свое. Покойный муж Веры в Подмосковье большим бизнесом ворочал — пищевая промышленность. С бывшим губернатором знакомство вел. Он намного старше Веры, так же как и муж ее младшей сестры Надежды. Обе в свое время вышли за «папиков». — Гущин хмыкнул. — Только вот старшая-то Вера очень удачно, подцепила себе богача. Тогда, два года назад, когда мы с ней у меня в кабинете беседовали, когда она вся в своем горе после похорон, я все равно заметил — она панически боялась...

— Чего она боялась? — тут же насторожилась Катя.

— Ну, что вся эта история с родственником-маньяком и ее семьи коснется. Что журналисты пронюхают, что Родион Шадрин ее родной племянник, родная кровь. У них же тут, в Подмосковье, фабрика кондитерская, а пройди такой слух, что они родичи нового Потрошителя, кто бы эти конфеты у них, шоколад стал покупать? Никто. Ее тогда от большой огласки спасло лишь то, что сразу стало ясно и нам и прессе, что Шадрин психически больной, что ему спецбольница и лечение светит, а не тюрьма. Психбольной есть психбольной, пресса эту тему особо будировать не стала. Ну а потом мы программу по защите к Шадриным применили — только из-за их несовершеннолетних детей. А Вера стала сестре помогать активно.

— Федор Матвеевич, а что же теперь будет? — спросила Катя.

Гущин повернулся — он сидел на переднем сиденье рядом с шофером, Катя, как всегда, сзади. Грузный, в мятом костюме, осунувшийся и даже лысина как обычно не блестит, не сияет глянцем — он глянул на Катю. Понял, что она имеет в виду не только новое убийство, но и все, что за ним последует.

— Предстоит большая работа, — ответил он.

— Да, я понимаю, — Катя кивнула. — Я вам помогу. Не ради моей статьи. Просто я хочу понять, что же происходит сейчас, раз вы тогда, два года назад, поймали Майского убийцу.

Они ехали мимо кварталов новостроек. А затем мимо кварталов коттеджей, кондоминиумов. Затем показалось Белое озеро и яхт-клуб. Черное озеро осталось где-то там, в другой стороне. А тут возникли прелестная церковь и парк — ухоженный, однако все равно похожий на лес. А затем они свернули с улицы Оранжерейной в сторону Косино-Ухтомского, и узкая проезжая дорога повела в глубь парка к Святому озеру. Здесь в сосновом бору вдали от многоэтажек по берегам озера располагались виллы и особняки — некоторые совсем новые, без заборов и ограждений, с модной стриженой лужайкой. Другие старой постройки начала девяностых — за высокими заборами. Кирпичные замки с медными крышами из тех, что когда-то строили «новые русские» в красных пиджаках, исчезнувшие ныне как редкий экзотический вид.

К такому вот замку из красного кирпича с нелепыми башенками и безвкусными эркерами, под медной крышей, построенному в глубине Святоозерного парка, они и подъехали.

Гущин вышел из машины и позвонил в домофон калитки. Назвал себя, и калитка открылась. Они вошли на участок.

Катя смотрела на дом — да, это вам не коттедж Шадриных-Веселовских, это прямо фамильное «новорусское» гнездо. Только вот окна не мешало бы помыть в этом доме — тусклые пыльные окна. И дорожки на участке, сырые после вчерашнего ливня, посыпанные гравием, все замусорены прошлогодней листвой и сором — не мешало бы их подмести. Такой роскошный огромный дом надо содержать в порядке, а то все быстро приходит в запустение и теряет вид.

Она ожидала, что дверь особняка откроет... да кто угодно — в таких декорациях можно ожидать и охранника-гориллу, и чопорного дворецкого, как то показывают в английских детективных сериалах.

Но дверь дома распахнулась и...

У Кати захватило дух.

Она увидела вампира!

О да, именно так ей показалось в тот момент — дверь особняка под медной крышей — нелепого, кондового, вросшего в землю фундаментом, кряжистого, открыл вампир — красавец принц-кровосос.

Это существо... Катя даже сначала не восприняла его как парня, мужчину, а именно как нежить... так вот это странное существо имело очень белое лицо, подведенные черным глаза и брови, волосы цвета воронова крыла. Лишь потом, ближе рассмотрев его, Катя поняла, что парень... этот вот молодой парень загримирован, точно актер или танцовщик балета. Он был облачен в черный бархатный сюртук, черные бриджи, высокие сапоги из черной кожи. Белое кружевное жабо оттеняло матовость его напудренных щек.

Тонкий, как хлыст, высокий, изящный в костюме щеголей викторианской эпохи — таким Катя впервые увидела Феликса Масляненко — антикварного гота.

Полковник Гущин — человек простой и без затей, сразу не узнал его, хотя два года назад лично допрашивал, как и Веру Масляненко. Он принял Феликса за шута горохового.

— Полиция области. Начальник управления полковник Гущин. Вера Сергеевна дома?

— Мама вас ждет.

— Феликс, это кто там еще? Кого к нам несет? — послышался из дома женский голос.

Катя подумала, что это сама хозяйка, вдова фабриканта окликает своего сына... надо же это существо... ну точно по виду вампир, принц-кровосос... и этот вампир — двоюродный брат серийного убийцы...

Все это пронеслось у нее вихрем в голове, а потом она увидела женщину на фоне окна и поняла, что это не мать Феликса, не Вера Масляненко. По виду гораздо старше Феликса, эта женщина в матери ему все же явно не годилась. Тоже высокая, широкобедрая, немного нескладная, темноволосая и не очень красивая — с обычным не слишком запоминающимся лицом, без всякой косметики, одетая в дорогой бежевый спортивный велюровый костюм от именитого дизайнера. Она стояла у окна, держа в руках раскрытую книгу.

— Это полиция к маме, — сказал Феликс. — Сестренка, шла бы ты к себе.

— Мама в туалете, у нее жестокий запор, — объявила, нимало не смутившись подробностями, женщина в бежевом. Она жевала. На подоконнике перед ней — коробка шоколадных конфет. — Это всегда у нее, когда она меняет воду. А в Питере другая вода. Вот в результате проблемы с кишечником. Вы садитесь. Подождите маму, — она указала на кожаный диван и кресла.

— Нет, лучше пойдемте в гостиную, я вас провожу, — сказал Феликс.

— В сиреневой гостиной свинарник, там еще не убрано после твоей вечеринки, — сказала женщина в бежевом, беря из коробки конфету.

— Простите, а вы дочь Веры Сергеевны? — спросил Гущин.

— Да, я Мальвина. Это не шутка, это мое настоящее имя, папочка меня так назвал, — Мальвина Масляненко тускло улыбнулась. — Угораздило же, да?

— Пройдемте в кабинет, — сказал Феликс.

— Они тут уже в креслах сидят, чего ты их как овец гонишь? — капризно спросила Мальвина.

— Мы будем тебе тут мешать.

— Ничего подобного, — Мальвина взмахнула раскрытой книгой.

— Может, мы действительно вам мешаем? — спросила Катя. Она с великим интересом разглядывала их обоих, но больше, конечно, его — брата... существо, так похожее на принца-кровососа.

— Вы мне не мешаете, я к лекции готовлюсь. Полезно прерваться.

— А вы что, преподаете? — спросила Катя.

— Да, читаю лекции студентам.

— А какой предмет?

— Литература, поэзия.

— А где? — машинально спросил полковник Гущин; он оглядывал этот дом и... черт, может быть, Кате это в тот момент показалось, но он к чему-то украдкой принюхивался!

— В университете и на подготовительных курсах, но в частном порядке.

— А, это хорошее дело — литература, — Гущин кивнул и снова, как показалось Кате, потянул носом.

Попыталась принюхаться и она. Воздух спертый. Эти богатые комнаты с темными обоями, роскошными хрустальными люстрами и нелепой лепниной на потолке не мешало бы основательно проветрить. И вообще не мешало бы тут убраться, пройтись с пылесосом, мокрой тряпкой. Такой огромный дом. Казалось, он должен быть полон прислуги, а тут вроде никого.

Они сидели, ждали. Феликс остался в дверях, прислонился спиной к дверному косяку.

— А чего это вы к нам? — спросил он после паузы. — Я вас помню, два года назад вы меня допрашивали. Про Родиошу разговор шел у нас с вами.

— И я вас вспомнил, только не сразу узнал. Вы что, молодой человек, к театральной постановке готовитесь? — спросил Гущин.

— Нет. Это мой повседневный костюм, — Феликс усмехнулся. — Я бы тогда и к вам в полицию так явился. Но мама на коленях умоляла меня одеться как все.

— Феликс у нас не может как все, он особенный, — сказала Мальвина. — Особенным нелегко. Вот послушайте, что пишет Михаил Кузмин о людях особенных.

— Кто? — недоуменно спросил Гущин.

— Михаил Кузмин — поэт Серебряного века. Моя следующая лекция о нем. На составные части разлагает кристалл лучи — и радуга видна... Я вышел на крыльцо — темнели розы и пахли розовою плащаницей. Закатное малиновое небо чертили ласточки... и пруд блестел...

Катя взглянула в окно — ласточки чертят небо... А дальше — озеро.

— Это прямо ваш пейзаж, — сказала она. — При чем же тут люди особенные?

— Порой, когда готовишься к очередной лекции, такие ассоциации возникают поразительные, — Мальвина Масляненко взмахнула томиком поэзии Серебряного века. — Непрошеные гости сошлись ко мне на чай. Тут, хочешь иль не хочешь, с улыбкою встречай. Забытые названья, небывшие слова... От темных разговоров тупеет голова...

— Мы к вам по официальному делу, уважаемая, — объявил Гущин. — И не надо тут ерничать.

— А кто ерничает? — улыбнулась Мальвина. — Это Кузмин.

Улыбка осветила и украсила ее лицо. И тем не менее Катя отметила — Мальвина не очень похожа на своего брата Феликса — совсем другой тип внешности. Он парень, однако — хрупкая, тонкая кость, а она — женщина — кость широкая, а это значит, что к сорока годам начнет полнеть, раздаваться вширь в бедрах.

— «Форель разбивает лед», — сказала Катя. — Ваша лекция об этой поэме Кузмина?

— Да, меня тут посетила идея, что он — единственный настоящий трубадур в русской поэзии в смысле ассоциации со средневековыми трубадурами. Только вот он воспевал очень странную любовь, — Мальвина взвесила томик стихов на ладони. — В широкое окно лился свободно голубоватый леденящий свет...

Катя снова взглянула в окно — то ли облачность затянула майское небо в мгновение ока, то ли холодом дохнуло — в комнате внезапно стало сумрачно и одновременно светло.

А потом она поняла, в чем дело — Феликс выключил зажженную настольную лампу, стоящую на антикварном комоде у двери. И остался лишь дневной свет.

— Зеленый край за паром голубым... Исландия, Гренландия и Туле... зеленый край за паром голубым... И вот я помню — тело мне сковала какая-то дремота перед взрывом. И ожидание, и отвращение. Последний стыд и полное блаженство, а легкий стук внутри не прерывался, как будто рыба бьет хвостом о лед, — Мальвина закрыла книгу. — Это ведь сердце так стучит, сердце в груди. На мой взгляд, самое точное описание физической любви.

— Сестра, у них от тебя пухнет голова, — сказал Феликс. — Они не твои студенты, ты что, разницы не видишь?

— Я различаю разницу, а ты... *не богемских лесов вампиром — смертным братом пред целым миром ты назвался, так будь же брат!*

Катя слушала с великим интересом. Мальвина — старшая словно дразнила брата, виртуозно вставляя стихи Михаила Кузмина, точно это была ее собственная речь. И это сравнение с вампиром — она словно угадала Катины мысли!

— Я думаю, студентам нравятся ваши лекции.

— Трудно угодить, приходится выдумывать порой бог весть что, такие ассоциации, такие парадоксы. — Мальвина взяла из коробки еще одну конфету. — Студенты сейчас такие умные стали, ничем их не проймешь. Вот и подбираешь разные фишки. А вы... вы ведь не следователь, правда? И не сыщик?

— Нет, я...

— Как видно, вы вовсе не игрок, скорей любитель или, верней, искатель ощущений. Но в сущности здесь — страшная тоска... однообразно и неинтересно... У нас здесь... дома...

— Я работаю в Пресс-центре ГУВД области, я криминальный журналист, — сказала Катя. Она уже потерялась — где стихи Кузмина из поэмы, а где слова ее собеседницы, которая говорила стихами наизусть.

— Как интересно, вы, наверное, про Родиошу статью собираетесь писать? Странно, что до сих пор про него фильма не сняли, не показали по телевизору всю эту историю, как он убивал людей.

— Мальвина, Феликс, идите к себе!

Это произнес звучный властный женский голос в тот самый момент, когда дверь в дальнем конце комнаты распахнулась и высокая дама в черном домашнем кимоно вошла в комнату.

Кимоно — настоящее, японское, тяжелого шелка.

Дама — светловолосая, с модной стрижкой. Катя сначала даже не поняла, сколько ей лет, отметила лишь, что она чрезвычайно эффектна.

А потом из открытой двери потянуло сквозняком, и возник этот запах — прокисших сладостей, шоколада и еще чего-то тяжелого, приторного. Странное смешение приятного и неприятного аромата.

Феликс посторонился, пропуская сестру, направившуюся вон из комнаты по приказу матери Веры Сергеевны Масляненко. Проходя мимо Кати, Мальвина дотронулась до ее плеча — легонько, точно подбадривая, как новообретенную подругу:

— Теперь она внимательно и скромно следила за смертельною любовью, не поправляя алого платочка, что сполз у ней с жемчужного плеча...

На плече Кати — пашмина, она взяла ее в это утро вместо кофты и куртки, набросить на плечи, если вдруг день захолодает.

— Мальвина, Феликс, я жду, и люди ждут, они пришли ко мне по делу. Вы тратите их время. Оставьте нас. Прошу меня простить за то, что и я заставила вас ждать, я не очень здорова сегодня. Устала как черт. Только вчера вернулась из Петербурга, — обратилась к Гущину и Кате Вера Сергеевна Масляненко.

Ее дочь и сын ушли.

Катя разглядывала Веру Сергеевну. В глаза бросались две вещи — она гораздо старше своей сестры Надежды, она очень следит за собой, и лицо ее до сих пор хранит следы невероятной, редкой красоты. Уж на что мать Родиона Шадрина Надежда поразила Катю своей внешностью, но эта его тетка...

Катя вспомнила актрису Тамару Макарову в роли Хозяйки Медной горы. И награждает же природа женщин такой красотой!

— Что случилось? — тревожно спросила Вера Сергеевна. — Почему к нам снова полиция? Столько времени прошло. Что-то не так с моим племянником? Он сбежал оттуда, где вы его держите, да?

— Родион, ваш племянник, из Орловской психиатрической больницы специального типа не сбежал. Но сегодня вечером его оттуда привезут в Москву, мы этапируем его. Он признан невменяемым и недееспособным, поэтому по закону я обязан известить об его этапировании его близких. Вы можете сообщить вашей сестре, Вера Сергеевна, — сказал Гущин.

— Да, я скажу ей, позвоню, но что случилось? Почему ко мне опять приходит полиция? Почему не к Наде?

— Я уже беседовала с вашей сестрой и ее мужем, — сказала Катя. — Теперь нам надо побеседовать с вами.

— О чем? — Вера Сергеевна села в кресло, запахнула кимоно.

Катя поймала взгляд Гущина — ну что же ты, давай. Ты же инициатор этой поездки, так задавай свои репортерские вопросы, а я задам потом свои.

— Мне показалось, что ваша сестра Надежда смирилась с тем, что Родион изолирован в лечебнице за совершенные им убийства. Ее муж тоже. Я не стану обсуждать с вами вопрос их честности, знали ли они раньше о том, что он делает, — сказала Катя. — Я спрошу вас о другом, из-за чего мы, собственно, и приехали к вам, Вера Сергеевна. Ваша сестра Надежда сейчас уверена в том, что ее сын убийца. Но она сказала, будто вы... вы никогда в это не верили. Вы были убеждены, что Родион никого не убивал. Не могли бы вы объяснить, почему?

— Это Надя вам так сказала? — Вера Сергеевна плотнее запахнула кимоно. — Не могла я в это поверить, понимаете меня? Этот мальчик... наш Родиошечка, он же рос на моих глазах. В нашей семье. Он всегда был человечек луны, не от мира сего. Да, родился такой вот, аутист... Но мы любили его. Мы все очень любили его. И Надя, и я... и мой муж Валерий. И муж Нади Рома — мы все любили его. И он рос, и мы не видели от него никогда ничего плохого. Только помощь и доброту.

— До-бро-ту? — непередаваемым тоном переспросил Гущин.

— Доброту, на какую только был способен его больной разум, — Вера Сергеевна выпрямилась в кресле. Голос ее обрел всегдашнюю уверенность и властность. Так обычно она разговаривала с персоналом на своей шоколадной фабрике. — Когда мой муж тяжело болел, когда наши дела пошли наперекосяк, так что пришлось продать колбасный завод, и когда я, чтобы выправить ситуацию, моталась по банкам, искала кредиты, организовывала производство на нашей кондитерской фабрике, когда я сутками дома не бывала, так была занята, чтобы все не пошло тут прахом без моего мужа, который уже не мог ничем руководить, когда у нас тут врачи чуть ли не ночевали, сиделки торчали, потому что мой муж наотрез отказался проводить свои последние месяцы в больнице — он боялся умереть там, хотел умереть дома, тогда Родион был с нами здесь, рядом. И он был лучше любой сиделки, любого медбрата для моего мужа. Он помогал нам в болезни — мне, моим детям, нашей семье. Надя тоже помогала. Но поймите разницу — Надя здоровый нормальный человек. А Родиошечка неполного разума, и он находил в себе силы нам помогать! Не верьте всем этим бредням об аутистах, что они социально обособлены и замкнуты, порой агрессивны и склонны к насилию. Если бы вы видели, как Родион обращался с моим мужем в болезни, как помогал, сразу бы поняли, что этот мальчик не способен убивать.

— Два года назад, когда мы с вами встречались на допросе в управлении уголовного розыска, вы мне ничего такого о вашем племяннике не говорили, — заметил Гущин.

— Что вы вспоминаете, что было тогда? Я мужа схоронила только-только. Не знала, как жить дальше одна. А тут этот кошмар с арестом Родиоши, обвинения какие-то дикие, что он маньяк, этот самый Майский убийца, о котором газеты писали. Надя была тогда на грани. Я тоже на грани. Похороны, а потом весь этот кошмар, такой позор... такой ужас... У Нади дети маленькие, им чуть ли не бежать пришлось из этого чертова городишки, они боялись — ведь все что угодно с ними родственники убитых могли сделать. Могли квартиру поджечь или с детьми что сотворить в отместку. И я... я тоже дико за них боялась. Но я не верила, понимаете, я не верила, что Родиоша виновен. Он не способен убить. Он не такой.

— Так Родион с вами общался? И со своими двоюродными братом и сестрой? Разговаривал? Поддерживал нормальный контакт? — спросила Катя. — Насколько я знаю, на следствии он не общался ни с кем, не давал показаний, полностью ушел в себя. Я видела на записи — он все время барабанил.

— А что вы хотите, если его схватили и посадили в тюрьму? С его-то мозгами, — Вера Сергеевна пожала плечами. — А то, что он барабанит... у него потрясающее чувство ритма, способность к музыке невероятная. Это у него дар такой. Его барабанщиком взяли в эту их группу... Надя мне тогда говорила, фашистское название... удивительно, как молодежь сейчас падка на все подобное.

— Чертовски падка, — согласился Гущин. — Скажите мне, пожалуйста, отчего ваш сын с утра пораньше одет точно на карнавал и даже накрашен, словно женщина?

— Так и знала, что вы спросите про Феликса, — Вера Сергеевна укоризненно покачала прекрасной своей головой, точно они спросили нечто неуместное. — Да, он такой у меня мальчик. Он не гей, он нормальный, просто у него такой способ самовыражения. Это называется сейчас у молодых — готы, а мой Феликс гот антикварный, есть у них такое направление. Вы не представляете, сколько мне стоит его одежда, это ведь вещи от-кутюр. Я сначала пыталась это прекратить, противилась, просила его быть как все. Но он не может быть как все. И я смирилась. Я его мать, мне нужен здоровый, нормальный сын, а не закомплексованный неврастеник с подавленным либидо.

— Прекрасный дом вы подарили своей сестре и ее семье для переезда по программе защиты свидетелей, хотя она под программу и не подпадает как мать убийцы, — заметила Катя.

Вера Сергеевна глянула на нее и тут же отвела свой взор.

— Я обязана ей помочь. Она в беде. Надя моя сестра, она росла на моих глазах, я заменила ей во многом мать, потому что наша мать пила как сапожник и рано умерла. Мы остались одни совсем девчонками, отца мы своего никогда в глаза не видели. Я работала как вол, Надя еще в школе училась. Я работала, чтобы она росла и училась. Потом я вышла замуж. Надя жила со мной в нашей семье. Я ей больше, чем сестра, — голос Веры Сергеевны дрогнул. — Сейчас она в огромной беде. А у меня после смерти мужа есть возможность ей помочь. Этот дом... он ничего не значит, я бы больше отдала, я бы все отдала, что имею, лишь бы моя сестра Надя и ее дети были снова счастливы.

— Вы во многом нам облегчили задачу по защите этой семьи своей помощью, — сказал Гущин.

— Уж поверьте, я сделала это не ради какой-то там вашей программы, — резко сказала Вера Сергеевна. — Я не верю, что мой племянник Родиоша виновен, вот и все. Не ве-рю.

— Мы это поняли, — осторожно сказала Катя. — И основания вашего недоверия вполне для вас убедительны, как я вижу. Вы считаете, что знаете Родиона лучше нас?

— Уж поверьте, гораздо лучше. Для вас он только псих, кровавый маньяк.

— Но ведь было много улик, фактов, доказывавших его вину, — сказала Катя. — Очень много фактов.

— Мне ни о каких фактах ничего не известно. А... да, сестра говорила мне перед самым моим отъездом за границу, уже потом... мол, у Родиоши, когда за ним приехали полицейские, из сумки достали какую-то вещь и что эта вещь вся в крови и принадлежит одной из убитых женщин.

— Да, такая вот улика, — подтвердила Катя. — Весомая. И вашу сестру эта улика, кажется, убедила в виновности Родиона.

— А меня нет. Подите вы к черту со своими уликами, — Вера Сергеевна вспылила. — Поймите вы, он больной, не от мира сего. Он сумку свою таскает с собой, бросает где ни попадя. Могли ему туда сунуть. Вполне могли подложить. В этой его группе рок-музыкальной — вполне, вы проверьте, что там за народ, что за парни. Почему название фашистское... я забыла... Ваффен... нет, не Ваффен и не Вермахт... какое-то другое.

— А вы куда-то уезжали?

— В Швейцарию, Бельгию, по делам фабрики. А дети мои учились в Швейцарии. Феликс полтора года в школе бизнеса в Женеве. А Мальвина... она стажировалась там, в университете, язык, французская литература.

— Значит, ваш сын только недавно вернулся из-за границы? — спросил Гущин.

— Да. Мы тут еще не успели обжиться в этом нашем старом доме, — Вера Сергеевна оглядела стены, огромное панорамное окно с видом на лес.

— То-то я заметил, дом нуждается в ремонте, — сказал Гущин.

— Мне некогда домом заниматься. Я все дни на фабрике. Я осталась одна без мужа, я фиговый бизнесмен, а надо быть крутой, иначе сожрут и фабрику обанкротят в момент. А нам нужны деньги — на бизнес, для моих детей, для Нади и ее детей. Я должна работать не покладая рук. Теперь я могу вас спросить?

— Да, конечно, Вера Сергеевна.

— Почему вы опять пришли... полиция? — Вера Сергеевна посмотрела на Гущина, на Катю. — Вы сказали, Родиошу привезут из Орла из больницы сюда... Зачем? Что случилось?

— У нас возникли вопросы по этому делу.

— Какие могут быть вопросы через два года? Он же заперт в психушке, какие могут быть еще вопросы?!

— Вера Сергеевна, да вы успокойтесь, — сказала Катя.

— Что, может, опять кого-то убили? — громко, властно, с вызовом спросила Вера Сергеевна.

— Произошло убийство. И мы его расследуем, — сухо ответил Гущин.

— Я никогда не верила в виновность моего племянника, — все так же громко повторила Вера Сергеевна. — И я... я никогда в это не поверю. Может, хоть сейчас вы во всем разберетесь, раз привезли его снова сюда, в Москву. А кого убили?

— Семейную пару в Котельниках, — ответил Гущин. — Не смею больше отнимать у вас время. Извините за беспокойство.

— Никакого беспокойства. Так я могу сказать Наде, что Родиона привезли?

— Сегодня вечером доставят. Да, можете, это закон требует, чтобы родственники были в курсе. Все, до свидания, нам пора.

— Феликс! — громогласно, на весь дом, позвала Вера Сергеевна. — Проводи!

Нет ответа.

— Пойдемте, я вас сама провожу, — Вера Сергеевна поднялась с кресла. — Сын мой, наверное, уже куда-то уехал, гоняет на машине как ненормальный. Уйму штрафов я его оплачиваю.

Они двинулись в холл. В сумраке ненастного полдня дом выглядел огромным и пустым.

Неожиданно сверху донесся детский голос. Кате показалось — звонкий голосок то ли что-то напевал, то ли нараспев произносил считалку — не разобрать.

— У вас тут маленькие дети? — спросила она Веру Сергеевну.

— А, это... это пришли убираться... горничная пришла, у нее ребенок, не с кем оставить, вот и водит с собой. Я не возражаю. Эй там, не шалить!

Песенка-считалка оборвалась. На лестнице появился Феликс.

— Я думала, ты куда-то отчалил уже, — недовольно сказала ему Вера Сергеевна.

— Нет, я сегодня дома.

— Они уже уходят, — сообщила Вера Сергеевна и направилась тоже к лестнице.

Феликс спустился бегом и распахнул входную дверь. Кате показалось странным, что принц-вампир сам выполняет роль привратника, когда в доме работают горничные.

Глава 22

«КАК В НАТУРЕ РАБОТАЕТ ПРОФАЙЛЕР»

«Какие могут быть вопросы через два года? Он же заперт в психушке, какие могут быть еще вопросы?!»

Катя щелкнула кнопкой диктофона в сумке. Запись разговора с Верой Масляненко они с Гущиным прослушали дважды в машине по пути со Святого озера в Котельники в местный ОВД. Катя предусмотрительно включила диктофон в сумке, как только Вера Сергеевна вошла в комнату в своем черном японском кимоно.

— Ну и что скажешь? — спросил полковник Гущин.

— Федор Матвеевич, она защищает племянника, Родиона. И весьма пылко. А вот родители, родная мать и приемный отец, его в беседе со мной не защищали, больше упирали на психическое состояние сына, болезнь, — ответила Катя.

— Еще что ты отметила?

— Она спросила нас про новое убийство. Она интересуется, не убили ли кого-то снова, и я... мне это не понравилось. Странный вопрос для почтенной бизнес-леди.

— Как раз для меня ничего странного тут нет, — возразил Гущин. — Раз полиция через столько времени опять явилась в дом и к ней и к сестре, да еще толкует про какие-то возникшие вопросы... Во всех сериалах сейчас, во всех фильмах сплошняком такое — раз новые вопросы, значит, снова кого-то убили. Она просто умная, эта Вера Сергеевна, смекает быстро что к чему. Меня другое встревожило.

— Что? — Катя сразу сама встревожилась тоже.

— Запашок в доме. — Гущин достал платок и снова трубно высморкался. — Уж на что я простужен, обоняния никакого, а и то меня до печенок проняло.

— А какой запах? Я ничего такого... там просто душно, в этом их замке под медной крышей, и пыльно, неуютно как-то, словно надо делать генеральную уборку, а еще пахло шоколадом и чем-то прокисшим...

— Вот о чем я толкую, я наркоту за версту чую, — Гущин скомкал платок в кулаке. — Трава и еще что-то, какая-то убойная смесь. Весь дом у них провонял, хоть сейчас звони в наркоконтроль.

— Вы правда туда позвоните? — спросила Катя.

— Нет, если понадобится, это мы прибережем до нужного момента, как повод разворошить это богатое воронье гнездо. — Гущин достал сигареты, но, глянув на нахохлившуюся Катю, курить не стал, просто стал вертеть, разминать сигарету в пальцах. — Парень меня поразил. Два года назад на допросе был парень как парень, я и не помню толком того нашего допроса, просто формальность. А сейчас такая тебе цаца... как она его назвала?

— Гот, антикварный гот.

— А что это такое?

— Молодежное течение в смысле моды, образа жизни. В общем, они как-то пытаются скрасить, подсолить действительность, иногда разыгрывают жизнь как в театре. Игра в вампиров, Федор Матвеевич, готические приколы.

— Ты видела у него на запястье татуировку? — спросил Гущин.

— Нет. А что за татуировка?

— Не знаю, какой-то вензель, вот тут, — Гущин показал на свое массивное левое запястье.

Катя притихла. Как всегда, Гущин выхватил из общей картины те важные детали, которые она никогда бы для себя не заметила — ну хоть убей!

В Котельниках в местном ОВД Гущин пробыл недолго, роздал ЦУ по отработке территории коттеджного поселка и стройки, ознакомился с результатами дополнительного утреннего осмотра места происшествия, которое произвели оперативники вместе с экспертами еще раз, видимо, не нашел для себя в протоколе ничего нового.

Катя терпеливо ждала. Они вернулись в Главк, и после этого она ушла к себе в Пресс-центр. Она понимала — вот сейчас там, в управлении розыска, начинается настоящая оперативная работа по проверке всех данных как на место преступления, так и на обоих потерпевших — супругов Гриневых. Эта работа с привлечением агентуры и вся эта оперативная кухня весьма ревностно охраняется сотрудниками розыска от глаз посторонних. Так что пока бессмысленно вмешиваться, надо ждать результатов.

Катя занялась своей обычной репортерской текучкой в Пресс-центре, засиделась за компьютером до половины седьмого — специально. Около семи она снова спустилась в управление розыска — там никто и не думал о конце рабочего дня. Отдел убийств, да что там — все управление криминальной полиции пахало как при большом аврале — однако без суеты, без истерик и нервотрепки, даже мобильные истошно не трезвонили, как обычно. И по всеобщей сосредоточенности, по всеобщему коллективному рвению Катя поняла — дело чрезвычайно серьезное.

Она спросила — привезли ли Родиона Шадрина?

Да, ответ положительный. Привезли и поместили во внутреннюю тюрьму Петровки, 38, учитывая тот факт, что три из совершенных им зверских убийств два года назад случились в Москве.

И лишь четвертое произошло в Дзержинске.

А вот сейчас случилось пятое — двойное убийство. И опять в Подмосковье.

По закону в вечернее и ночное время Родион Шадрин как психически больной, невменяемый не мог быть допрошен. Следовало ждать утра.

Катя не стала даже спрашивать, где Гущин, — она знала, что он сейчас там, на Петровке, и часть его опергруппы тоже в МУРе.

А на десять утра следующего дня назначена встреча со специалистом, присланным министерством.

Катя оценила расклад и поняла — от встречи со спецом она ждет многого. В розыске уже вовсю судачили о том, «как в натуре работает профайлер».

И встреча с этим самым министерским «профайлером» на следующий день хоть и не сразила всех наповал, однако принесла неожиданные, весьма любопытные сюрпризы.

К десяти утра следующего дня зал для совещаний ГУВД наполнился сотрудниками уголовного розыска, приехали также оперативники МУРа и эксперты из экспертно-криминалистического управления. И Катя впервые поняла, какие силы брошены были тогда, два года назад, на поимку Родиона Шадрина — Майского убийцы. И сейчас все эти «приданные силы» вновь собрались, словно по звуку тревожной боевой трубы.

Она увидела полковника Гущина. Он сидел во втором ряду у прохода. На коленях у него — потрепанный блокнот. Гущин собирался записывать за министерским спецом! Это уж совсем необычная вещь, чаще он министерских терпеливо, вежливо выслушивал, но ЦУ посылал к черту, действуя своим умом. А тут надо же... Катя оглядела ряды — сыщики, эксперты, следователь, даже сотрудники прокуратуры сидели кто с чем — кто с планшетами, кто с ноутбуками, кто с записными книжками по старинке.

О самом «профайлере» высказывались с осторожным недоумением — мол, все это модные новые полицейские веяния, и *мы так раньше не работали*, и что это, наверное, типа той экстрасенсорной чуши, что показывают по телевизору. И вообще, *думать как серийный маньяк еще никому не удавалось*, все это лишь слова, слова, слова — в чужие мозги не влезешь.

Однако все поглядывали на демонстрационный экран и на большую черную школьную доску — ее доставили в актовый зал невесть откуда — с нетерпеливым интересом.

Все ждали, что министерский спец окажется этаким чудом в перьях — чуть ли не цыганским экзотом-экстрасенсом в горностаевой мантии. Однако к демонстрационному экрану и школьной доске вышел человечек совсем маленького роста, очень молодой, но уже лысый как коленка, в новеньком, с иголочки, полицейском мундире, сидящем на его тощей фигурке ладно и аккуратно.

Катя запомнила, что фамилия спеца Семенов. Несмотря на моложавость, он по должности — майор.

— Итак, начнем, коллеги, — объявил он, воздев на нос модные очки без оправы. — Сразу оговорюсь — я приехал не поучать вас, как надо работать по таким делам, я приехал помочь. Как я понял из материалов дела, некоторые аспекты расследования и обнаруженные факты остались неисследованными и необъясненными. И все потому, что предполагаемый убийца был тогда, два года назад, задержан довольно быстро. Для серийных убийств — один месяц это не срок, вы сами знаете, многих убийц этого типа годами ищут. И еще потому, что убийцей оказался человек психически больной. Поэтому никто особо не вникал в такие вопросы: что же он хотел показать и доказать своими действиями? Каково его послание?

Катя снова, как и в беседе с Верой Масляненко, включила свой верный диктофон. *Каково послание убийцы...* Вот что пытается разгадать так называемый спецпрофайлер. Черты характера, личность убийцы, его внутренний мир, его облик, его действия, его дальнейшие намерения — все, что хоть чем-то может помочь выйти на след и поймать его.

Кому когда такое удавалось с помощью профайлера?

Поймать снова того, кто уже пойман и два года как заперт, изолирован от общества?

Это лишь в фильмах и книжках-детективах все очень просто и логично и так ясно...

— Сначала обратимся к списку жертв, — майор Семенов повернулся к интерактивному экрану. — Но я попрошу вас огласить те данные по последним жертвам — супругам Гриневым, которые удалось наработать за истекшие сутки.

Полковник Гущин как послушный ученик грузно поднялся со своего места.

— Что мы установили по Гриневым. Кирилл и Виктория, женаты два месяца, кроме строящегося дома в Котельниках Виктория имеет квартиру-студию на Поварской улице в Москве. Она дочь владельца холдинга «Старинвестстрой». Фирма занималась подрядами на строительство олимпийских объектов в Сочи. В настоящее время по деятельности холдинга открыто уголовное дело, обнаружен целый ряд нарушений и незаконное изъятие средств из оборота строительства. Отец и мать Виктории сейчас проживают... точнее, скрываются от повесток Следственного комитета в Австрии, где имеют недвижимость. Муж Виктории, Кирилл Гринев, работал ведущим менеджером в «Старинвестстрой», родственников в Москве нет, мать проживает в Ярославле. На момент убийства он в связи с женитьбой, а больше, конечно, по причине приостановления деятельности холдинга находился в длительном отпуске. При осмотре места происшествия, машины Гриневых и тел, — Гущин на секунду запнулся, откашлялся, — обнаружено, что деньги и ювелирные изделия — бумажник Гринева и его золотые часы «Ролекс» — не тронуты. В багажнике машины — покупки из хозяйственного супермаркета торгового центра «МКАД Плаза» — это ближайший и крупнейший торговый центр в округе. Из вещей Виктории Гриневой отсутствует часть нижнего белья — трусы и какой-то предмет одежды — брюки или юбка, этого мы точно не установили, возможно, шорты...

— А их обручальные кольца? — спросил Семенов.

— На месте, и у нее, и у него, — Гущин глянул на черную школьную доску — еще девственно не расчерченную мелом. — Пошагово мы попытались восстановить их маршрут, местонахождение и распорядок дня — накануне и в день убийства.

— Так, так, продолжайте, — поощрил Гущина (начальника!) майор Семенов.

— День накануне убийства — консьерж видел, как они уходили из дома в двенадцать часов дня, в бумажнике Гринева — карта фитнес-клуба «Акватика», это там же на Поварской в переулках, мы проверили — время с двенадцати до половины третьего Гриневы провели в фитнес-клубе и бассейне. Мы проверили контакты Виктории Гриневой по ее мобильному — утром ей звонили из салона красоты «Дессанж». Так вот время с трех до шести она провела там, в салоне на Земляном валу. Как показали сотрудники салона, ее привез туда муж, затем он уехал и забрал Викторию в шесть часов вечера после комплекса бьюти-спа, — Гущин старательно выговорил непривычное «женское» словцо. — Где они провели вечер, установить не удалось, вернулись домой поздно, ночной консьерж показал — часов примерно около трех, оба нетрезвые. Видимо, сидели в ресторане, баре или клубе. Это мы продолжим выяснять. На следующее утро в день убийства они покинули дом только в три часа.

— Спали долго — молодожены, — прокомментировал кто-то из сыщиков.

— Дневной их маршрут неизвестен, однако ближе к вечеру, судя по всему, они заехали в торговый центр «МКАД Плаза», — подытожил Гущин. — Покупки у них в багажнике — это французская краска для стен и несколько светильников в коробках. Видимо, по дороге из торгового центра они и заехали в Котельники в свою новостройку, где собирались все это оставить.

Гущин уселся на место. А Катя подумала — какая огромная работа проделана за то время, когда она вчера долбила свои статейки на ноутбуке для интернет-изданий! Старина Гущин и уголовный розыск выложились вчера по максимуму.

— Все сказанное лишь подтверждает выводы, с которыми я хочу вас ознакомить, — объявил Семенов.

Он включил интерактивный экран.

— Обратимся сначала к жертвам. Нас интересует вопрос: случаен или не случаен подобный выбор жертв убийцей. Итак, прошу внимания: первая жертва — София Калараш, 33 года, уроженка Молдовы — работала дворником ДЭЗ, здесь, в столице, она представитель класса так называемых гастарбайтеров.

На экране возникла фотография — прижизненная — первой жертвы.

Катя вспомнила, как она впервые смотрела снимки погибших из материалов ОРД, нечеткие, расплывчатые снимки-ксерокопии. А тут хорошие качественные фотографии. София Калараш — пышнотелая брюнетка из категории «знойных женщин», дворничиха...

София беззаботно улыбалась всему залу. Мертвая, истерзанная, уже истлевшая за два года в своем дешевом гробу на окраине Люберецкого кладбища... И такая живая на фото...

— Вторая жертва Елена Павлова, тридцать лет, уроженка Павловского-Посада, работала в Москве продавщицей супермаркета.

Возник снимок светловолосой полной молодой женщины в соломенной шляпке и открытом сарафане — видимо, фото делалось где-то на юге, во время отдыха, явно «отпускной» снимок и выражение смеющегося лица женщины такое счастливое.

— Третья жертва — сотрудница Единого расчетного центра Ася Раух, москвичка, возраст 28 лет.

На экране появился снимок худенькой большеглазой брюнетки... *Снова брюнетка,* — отметила Катя. Девушка была в деловом сером костюме и белой блузке.

— Четвертая жертва — сотрудник правоохранительных органов лейтенант Марина Терентьева.

Снимок лейтенанта Терентьевой, как отметила Катя, не тот, что в ксерокопиях из ОРД, и не тот, что несли на ее похоронах — другой, взятый, видимо, из личного дела. Терентьева в полицейской форме, очень серьезная. Волосы гладко причесаны и собраны, как того требует устав. Никакой косметики на лице.

— Итак, есть основания полагать, что супруги Гриневы могут быть рассмотрены в качестве пятой жертвы. Я не разделяю их, а, наоборот, объединяю — они оба пятая жертва. И я не касаюсь сейчас пока фактов, по которым мы вносим это новое убийство в список двухгодичной давности. — Семенов очень осторожно подбирал слова. — Итак, супруги Гриневы: Виктория — 31 год и ее муж Кирилл — 29 лет, она дочь богатого бизнесмена, обеспечена по жизни и не нуждается ни в профессии, ни в работе, он в прошлом хорошо зарабатывал, а сейчас чрезвычайно выгодно женился.

На экране возникла прижизненная фотография Виктории Гриневой. Она стояла рядом с мужем. Свадебная фотография, другой, видно, в спешке не нашли. Жених и невеста улыбались миру.

Снова брюнетка — отметила Катя. И вспомнила, какой она увидела Викторию там, в этом жутком доме ночью. И тут же отогнала эти мысли. Да, да, я это видела, я уже никогда это не забуду.

— По какому принципу выбирались все эти женщины? По типу внешности, по красоте, по национальному признаку? Как видим, все убитые примерно одного возраста, около тридцати лет, нельзя сказать, что это красавицы, внешность у всех самая обычная.

— Цвет волос, трое из пяти — брюнетки, — заявил с места полковник Гущин.

Катя подумала — вот что всем, как и мне, сразу бросилось в глаза, цвет волос. Раз они не красавицы, то...

— Я бы хотел обратить ваше внимание на другое. На место их работы и социальный статус каждой из погибших, — Семенов подошел к доске и начал писать мелом. — Что мы видим — дворник, работник торговли, сотрудник ЕРЦ — расчетной-контрольной организации, сотрудник полиции и пятая двойная жертва — фактически не работающие, однако принадлежащие к богатому классу, люди весьма и весьма обеспеченные.

— Что вы хотите нам всем этим сказать? — спросил Гущин.

— Налицо подъем по социальной лестнице с каждым новым убийством, — сказал профайлер Семенов.

В зале слушали внимательно, но потом по стройным рядам оперов, экспертов, сотрудников прокуратуры и следователей точно по воде рябь пошла, начали переговариваться шепотом.

— Я не стану читать вам нудных и контрпродуктивных нотаций о профилировании и портретировании личности убийцы, — повысил голос Семенов. — Все это в кино набило оскомину и, мягко говоря, все это неправда. Профилирование не помогает выйти на след. Вычислить вот так по психологическому портрету и поймать убийцу еще нигде никому не удавалось в реальности, все это детективные бредни. Для поимки есть иные способы, и вы, профессионалы, их отлично знаете. Однако, когда у вас уже будет круг подозреваемых, вы вспомните мои слова и, возможно, это поможет вам выбрать из этого круга того, кто вам нужен, и понять тайный смысл его деяний.

— Какой там смысл — он женщин на куски режет! — послышалось из зала.

— Убийцу нашли два года назад. Родион Шадрин в психбольнице!

— Я сказал, когда у вас появится новый круг подозреваемых, — повторил профайлер Семенов невозмутимо. — Итак, список жертв свидетельствует о желании подъема по социальной лестнице. От маргинала, от дворника-гастарбайтера к работнику торговли, затем к сотруднику административных городских органов, далее к представителю органов власти, полиции и к представителям богатой буржуазии, так называемым хозяевам жизни. — Семенов быстро писал мелом на доске фамилии жертв и рисовал кривую подъема, точно решал математическое уравнение. — Это очень быстрый подъем — нет промежуточных вариантов, промежуточных или случайных жертв, особенно это видно на примере третьего и четвертого убийства. Все это говорит о том, что выбор не случаен, а хорошо обдуман. Однако есть вероятность и того, что это чисто инстинктивный выбор, инспирируемый неконтролируемым, глубоко внутренним импульсом желания, жажды власти. И все это сопряжено с ранами и увечьями жертв в области половых органов при отсутствии признаков изнасилования. По данным судебно-медицинской экспертизы характер нанесения ранений *фрикционный*. Можно сделать вывод, что нападение

на жертву и расправа над ней является неким вербаль-
ным символом, неким замещением полового акта.

— Он власть, что ли, так утверждает свою, таким вот
способом? Над кем? — снова послышались голоса.

— В каждом конкретном случае убийства — над
жертвой, над женщиной. Но если рассматривать все это
в более широком аспекте — над жизнью, над обстоятель-
ствами, возможно, над кем-то, кого он всеми силами
стремится себе подчинить в реальности. В семье или на
работе или в личных отношениях.

— В семье? — переспросил Гущин. — По-вашему, он
может быть женат, семейный?

— Я не исключаю такого факта. Но возможно и нет.

— Ну ладно, власти он жаждет, а что нам все это конкретно дает?

Катя отметила про себя, *какой именно вопрос* задал
профайлеру полковник Гущин.

— Что все это дает? — Семенов повернулся от доски
лицом к залу. — Пять жертв, последняя двойная — супруги, подъем по социальной лестнице, учитывая их социальный статус, фактически завершен. Но это не значит, что убийца остановится. Такие не останавливаются,
вы это знаете сами. Я могу сделать предположение о том,
кто станет следующей возможной жертвой.

Зал настороженно затих.

— Просветите нас, — сказал Гущин хрипло.

— Следующая возможная жертва будет либо очень
молода и привлекательна...

— Фотомодель, что ли?

— Я уже не говорю о профессии, тут вопрос возраста — очень юный — и красоты, внешних данных, — Семенов начал снова писать что-то на доске, — либо это
будет женщина иного сорта — некий недосягаемый для
убийцы идеал, к которому он так пока и не посмел приблизиться, но он стремится это сделать. Жажда власти,

жажда подчинения, жажда обладания, все это приведет его к следующей жертве — к женщине мечты.

Это возникло на черной классной доске, начертанное мелом:

Женщина мечты...

Катя посмотрела на полковника Гущина, а он что-то записал в своем пухлом блокноте!

— Теперь по предметам, которые убийца оставляет на телах и возле своих жертв, — Семенов снова включил интерактивный экран. — Что мы видим здесь? Вроде как спонтанный хаотичный набор предметов... *Мусор*, как это проходит в материалах оперативно-розыскного дела. И правда эти предметы похожи на мусор. Что мы видим? Что нам оставлено в пяти случаях? Я читаю заключения экспертизы — спица от детской коляски, это на трупе Софии Каларащ. Часть нижней доски детской игрушки лошадь-качалка и часы-будильник на трупе Елены Павловой. Обломок — фрагмент бамбуковой ложки-рожка для обуви и клок ткани, вырванной из чехла диванной подушки — это обнаружено возле третьей жертвы Аси Раух.

На экране поочередно возникали фотографии предметов, как их исследовали в экспертной лаборатории.

— Хлыст — эротический аксессуар и пистон на трупе Марины Терентьевой, — продолжал перечислять Семенов. — И последнее, свежее, так сказать, послание — плевательница и детская кукла — это на трупе Виктории Гриневой. Предметы явно оставлены и расположены так, чтобы сразу бросились в глаза тем, кто найдет тело и кто приедет на место происшествия — то есть нам, полиции. Я прошу вас обратить внимание, что в трех случаях из пяти оставлялись предметы, наводящие на мысль о детской ассоциации — спица от коляски, часть игрушки лошадь-качалка и кукла. Возможно, это свидетельствует о том, что убийца таким способом выражает чувство недовольства, осуждая свои жертвы за то, что ни одна из убитых им женщин не имела детей, не являлась матерью, то есть не исполнила свой прямой женский долг. Хлыст и пистон — это вещи, которые несут в себе скрытое сексуальное послание. Заметьте, все это оставлено на трупе представителя власти, женщины-полицейского.

— Что может быть скрыто-сексуального в пистоне? — спросили с задних рядов.

— Вам знакомо грубое выражение «пистон вставить»? — Семенов снова повернулся к экрану. — Однако у нас имеются и вроде как нейтральные, не связанные друг с другом предметы — будильник, фрагмент бамбуковой ложки — рожка, клок ткани и плевательница. Будильник явно символизирует время... точнее, недостаток времени, это опять же предупреждение нам, полиции — торопитесь, времени у вас мало. Убийца провоцирует нас. Кстати, какое время было выставлено на будильнике?

— Когда тело продавщицы Елены Павловой обнаружили, часы ходили, там батарейка, — сообщил полковник Гущин, демонстрируя поразительную память в событиях двухлетней давности.

— Часы ходили? Странно, — Семенов впервые за всю свою речь казался обескураженным. — Мне казалась, там должно было быть выставлено определенное время... мы могли бы оттолкнуться от часа и...

— Я говорю вам, будильник работал, на батарейке. Тогда дождь шел, когда тело Павловой нашли на заднем дворе у стоянки торгового центра. Так дождь будильник не повредил, — возразил Гущин.

— Ну ладно... в сочетании с предупреждением о времени, которого у нас, полиции, мало, такой предмет как *плевательница,* — профайлер Семенов снова оживился, — дает очень интересный расклад. Это прямой вызов, который убийца бросает опять же нам. Я, мол, плюю на вас всех. Я буду и дальше делать то, что хочу. И как видите, продолжение серии последовало, и мы не можем не видеть теперь...

— Там на всех телах в ранах осколки были внедрены, глиняные черепки, — снова с места заявил полковник Гущин. — Это как можно толковать?

— Глиняные черепки, — профайлер Семенов снова как-то замялся. Видно, как раз эта деталь выпадала из схемы, которую он пытался создать. — Глиняные черепки... глина, это что-то земное... связанное с землей... этот аспект еще надо разрабатывать... думать, обсуждать...

— Ладно, понятно, что с глиной пока ничего не понятно, — из задних рядов послышался громкий голос эксперта Сивакова. — На телах Марины Терентьевой и Виктории Гриневой вырезаны ножом идентичные по своей форме знаки. И такая же татуировка была нами обнаружена на теле Родиона Шадрина. Что вы можете сказать нам про знаки?

Семенов вывел на экран снимок... Затем рядом — второй.

Катя на секунду закрыла глаза. Их мертвые лица... лейтенант Терентьева... Виктория Гринева... У каждой длинный продольный порез на лбу в форме линии с обломанными загнутыми концами. Даже при беглом взгляде на снимки видно абсолютное тождество. Сделано одной рукой — тогда, два года назад, и сейчас.

— По порезам я могу сказать только, что это похоже на какой-то готический символ, готический... типа германской или скандинавской руны, — сказал Семенов. — Вам надо обратиться к специалисту по готике. То же самое касается и татуировки Родиона Шадрина.

Глава 23
НОВЫЕ ВОПРОСЫ

Когда профайлер Семенов закончил, его сразу обступили сотрудники полиции и начали буквально засыпать вопросами. Полковник Гущин стоял в проходе и разговаривал с экспертом Сиваковым. Катя подошла к ним.

— Готический символ, подобие руны, — донеслось до Кати. — Федя, как там эта музыкальная банда называлась, где Родион Шадрин играл?

— «Туле», — ответил Сивакову Гущин. — Не путай с нашей оружейной Тулой, это...

— Вот об этом я тебя и спрашиваю как раз, — Сиваков кивнул. — У немцев, у фашистов, что-то было с этим тайным обществом «Туле» с мистикой связано.

— Федор Матвеевич, о «Туле» говорила нам Мальвина Масляненко, помните? — спросила Катя.

— Когда? — Гущин глянул на Катю. — Как тебе наш лекторий?

— Очень интересно, хотя пока все очень запутано. Профайлер пытался объяснить, а получилось, что запуталось все еще больше, — ответила Катя. — А про «Туле» упоминала Мальвина, когда читала нам стихи Михаила Кузмина — поэму «Форель разбивает лед». Зеленый край за паром голубым, Исландия, Гренландия и «Туле»... В поэме имеется в виду не тайное общество, а остров блаженных на Крайнем Севере — это по скандинавской мифологии и у греков. Так вот я подумала, может, есть какая-то связь между всем этим? Я могла бы съездить к этой рок-группе «Туле» под видом журналиста и поговорить с ними. А что они показывали на допросах?

— Мы их не допрашивали, — сказал Гущин.

— То есть как?

— А что ты хочешь, сразу было ясно, что Шадрин психически больной, стали проводить экспертизы, допросили родственников, собрали улики — улик-то там хоть отбавляй. Посчитали остальные допросы-беседы тратой времени — мартышкин труд. Для суда и принудительного лечения этого вообще не требовалось. Я этих типов не допрашивал. Группой «Туле» прокуратура тогда заинтересовалась как раз из-за их названия и текстов песен. Шили им там что-то по поводу экстремизма, но так и не сумели пришить. Обрезали им все доступы к сцене, к клубам, к молодежи — и только.

— Теперь придется допрашивать, — констатировал эксперт Сиваков.

— Я могу сначала к ним съездить под видом журналиста, посмотреть что они собой представляют, — повторила Катя настойчиво. Ей хотелось участвовать в расследовании!

— Прокуратура их тогда обработать не сумела. — Гущин поискал кого-то среди сотрудников в зале, которые не торопились уходить, а разговаривали с профайлером Семеновым. — Андрей Михайлович, можно вас на минуту?

К ним подошел помощник прокурора Илларионов, знакомый Кате по прошлым делам.

— Помните, два года назад в связи с делом Родиона Шадрина прокуратура делом группы «Туле» занималась? Музыкантов-рокеров? — спросил Гущин.

— Помню отлично, рокеры они только для вида, для популярности, молодежь привлекать. Сейчас они уже не выступают, — ответил помощник прокурора. — С таким названием выступать перед молодежью неприемлемо. Мы их деятельность проверяли, тексты песен. Мне особенно одна песня не понравилась: «Рейнские романтики» — вроде как рэп, а вроде как и новый «Хорст Вессель». Музыку и тексты писал у них некто Дмитрий Момзен, мы его вызывали на допрос. Но фактически группа содержалась на деньги Олега Шашкина, он молодой наследник большого бизнеса, превращает деньги таким образом в дым. Остальных — тех, кто фактически музыку исполнял — гитаристов, аранжировщика и этого Шадрина-ударника они нанимали, потому что сам Момзен играть на музыкальных инструментах не умеет. Он только пел тогда, если можно пением назвать весь этот ор под хард-рок и сумасшедший ритм.

— Похоже, вопросы у нас к этой «Туле» возникают снова, — сказал Гущин.

— Да, я понимаю. Тогда проверка на экстремизм ничего не дала, из текста песен много не выжмешь, действия конкретные нужны. А они после ареста Родиона Шадрина сидели тихо, — Илларионов хмурился. — Адвоката сразу себе крутого взяли. У Олега Шашкина в центре Москвы в Пыжевском переулке особняк — тоже в наследство достался от отца, там они и заседают. Что-то вроде военно-исторического клуба по интересам. Армейский магазин у них там для своих, много всякого барахла антикварного, киношники даже к ним обращаются. Вроде как никаких сейчас претензий к ним. Все чисто. Только вот было одно обстоятельство, очень необычное — еще два года назад.

— Какое? — спросил Гущин.

— Мы, когда стали их деятельность на экстремизм проверять, добились ордера на прослушивание телефонов и особняка в Пыжевском. ФСБ подключилось. Они все организовали, установили аппаратуру. Так вот... дня не прошло, как там все накрылось медным тазом с прослушиванием. Эти в Пыжевском, видно, сразу просекли и обратились к «чистильщику» — фирме частной. Те все им вычистили, установили мощную защиту — блокиратор на номера телефонов. В общем, сами понимаете... не могло все это не насторожить. Значит, есть какая-то причина, по которой они не желают, чтобы кто-то узнал, что там у них в этой «Туле» происходит.

— Слыхала? — спросил Гущин Катю уже в кабинете, куда они поднялись вместе с экспертом Сиваковым после лекции. — Сама своей волей туда в особняк в Пыжевском не вздумай соваться, к этому визиту надо хорошо, очень хорошо подготовиться. С умом!

— Я понимаю, Федор Матвеевич, я только подумала — может, Мальвина про «Туле» не случайно стихи прочла, возможно, есть какая-то связь, — Катя кивнула. — Я все думаю о том, о чем нам сейчас профайлер говорил.

— Вещественные доказательства, факты, улики, на которых арестовали Родиона Шадрина, свидетельствовали о его причастности к убийствам, — строго заявил эксперт Сиваков. — У меня тогда тени сомнений не возникло, и ни у кого не возникло. Мы все убеждены были, что те четыре убийства в мае совершил именно он. Но сейчас у нас пятое убийство, и совершить его Шадрин никак не мог. Возникает вопрос — с чем мы столкнулись? Если у нас имитатор, то насколько идеально можно сымитировать тот метод убийства, те приемы нанесения ран... оставить возле тела Виктории Гриневой те предметы... Об этих предметах вообще никто не знал, из дела уголовного это тогда изъяли. Но если принять версию имитатора, то получается, что ему все отлично известно. Что он был близок к Шадрину.

— А если это не Шадрин убивал? — осторожно, тихо, боясь даже глянуть на полковника Гущина, спросила Катя. — Если это ошибка? Если маньяк кто-то другой?

— Если ошибка... тогда возникает вопрос, почему настоящий убийца-маньяк два года не проявлял себя вообще никак? — Сиваков сунул в рот сигарету.

— Мог уехать куда-то, отлучиться, — сказала Катя. — Вот Феликс, например... двоюродный брат Шадрина...

— Что Феликс? — спросил Гущин.

— Он же находился за границей, мать сама об этом сказала. А отец, то есть отчим Шадрина... — Катя нащупывала путь в тумане версий и предположений, — его напугал арест, а потом они с семьей переезжали, прятались фактически, меняли фамилию. На все это нужно время. А сейчас у них в этом новом доме в Косино все устаканилось... Надо проверить и этих из «Туле» — может, и они куда-то уезжали. Федор Матвеевич, вы только не подумайте, я не хочу ничего плохого, только помочь, — Катя обернулась к Гущину, прижала руки к груди. — Но ведь эти вопросы все равно возникнут! А у меня из головы сейчас не идет то, что Вера Масляненко, тетка Шадрина, нам про улику сказала — вещь Терентьевой, мол, что ее могли подбросить в сумку! А это мог сделать лишь тот, кто с Шадриным общался. И потом анонимный звонок об убийце, о деньгах, разве это не подозрительно теперь? И еще — ведь Шадрина тогда вместе с его отчимом недалеко от места убийства Елены Павловой видели!

— Думаешь, они на пару с отчимом могли убивать? — спросил Гущин.

— Вы же сами об этом подумали, когда профайлера спросили, возможно ли, что убийца женат!

— У первой жертвы Софии Калараш мы нашли ДНК именно Родиона Шадрина в сперме, — сказал Сиваков. — И порезы, которые я изучаю сейчас на телах, такие же, как его татуировка.

— Но порезать Гриневу, как и убить, он не мог, — это сказал полковник Гущин. — Вам не кажется, что пришло время съездить к нему, проверить, как он себя чувствует в тюрьме после Орловской больницы.

Глава 24
О ЛЮБВИ

Олег Шашкин по прозвищу Жирдяй стоял напротив Машеньки Татариновой — она ждала стеклянный лифт, чтобы вознестись на четвертый этаж «МКАД Плаза» для проверки прихода по экстренному вызову электриков в секцию «Все для дома», где перегорели предохранители на щитке.

Так она сама объявила Олегу Шашкину. И улыбнулась. Лифт опустился — прозрачная кабинка.

— Ну ладно, мне работать надо, некогда. Пока, Олег.

— Пока... то есть подожди, — Олег Шашкин удержал ее за руку.

Машенька глянула на него снизу вверх — толстый... какой жирный... щеки залились багровым румянцем, и даже бритая макушка сейчас красная как помидор.

Лифт наполнился посетителями торгового центра и вознесся.

— Я это... я хотел спросить... может, сходим сегодня куда-нибудь вечером, когда ты закончишь работу?

— Куда? — удивилась Машенька. — Тут же все начнет закрываться.

— Не все, тут есть круглосуточные — и кинотеатр, и кафе. Или хочешь, поедем куда-нибудь?

— Куда? — снова спросила Машенька, улыбаясь. А сама подумала: куд-куда-а-а это я поеду с тобой, толстый? Ты жирный. Ты потный. Ты красный как рак. Фу, ты такая проза, Олег... ты такой отстой.

— Да куда угодно. Хочешь, в клуб ночной — любой. Хочешь, в «Пушкин» — ресторан, хочешь, в отель «Украина».

— В отель?? — Машенька изогнула брови, вырвала руку сразу.

— Нет, нет, я не то имел в виду... там у них ресторан крутой на верхотуре, вечером всю Москву видно, Кутузовский. Москва-Сити, небоскребы. У меня есть деньги. Я давно тебе хотел сказать — у меня ведь до фига бабок, — Олег Шашкин по прозвищу Жирдяй заторопился, потому что лифт — черт стеклянный, снова начал снижаться.

— Правда? Ты что, богатый?

— Да, у меня куча бабок.

Лифт опустился, открыл двери.

— А мне что за дело до твоих денег? — спросила Машенька капризно, однако в лифт не вошла, пропустила и на этот раз.

Наставила ухо — слушать.

— Ну, я подумал... я бы мог купить тебе что-то... да все, что угодно, что хочешь, — Олег Шашкин наконец-то перестал мямлить, заговорил увереннее, выпрямился, стал выше ростом и словно еще толще. Прямо человек-гора. Или человек-слон.

— Зарабатываешь так много?

— У меня от отца бабки остались. Полно. Если хочешь... если только захочешь — на Мальдивы могли бы слетать. Вдвоем.

Лифт где-то там, наверху.

Машенька окинула Олега Шашкина оценивающим взглядом.

— Ты милый, — сказала она.

От этого он залился краской еще гуще.

— Может, пойдем кофе выпьем? — спросил он.

— Мне надо работать, извини.

— Но вечером... вечером ты согласна? Чтобы это... со мной... куда только захочешь, куда пожелаешь...

Машенька смотрела куда-то мимо него. Внезапно щеки ее тоже порозовели.

— Да, хорошо... то есть нет, извини, я сегодня не могу, у меня урок верховой езды, и матери надо помочь. Все, пока, увидимся потом. Я пошла. Ты правда милый, Олег.

Лифт опустился. Но Машенька и в этот раз проигнорировала его. Она чуть ли не бегом спустилась к фонтану, украшавшему первый этаж «МКАД Плаза», и нырнула в толпу.

Все произошло так неожиданно, что Олег Шашкин по прозвищу Жирдяй сначала опешил. Затем устремился следом.

Он на кого-то налетел по пути, чуть не сбил с ног. Он искал в толпе покупателей рыжую головку Машеньки.

Он ничего и никого не видел, не замечал — лишь эту маленькую изящную рыжую женскую головку — такую пустую, такую коварную, такую прекрасную на точеной нежной шее. Лишь эти искрящиеся лукавством и кокетством глаза цвета фиалок, лишь эти губы, которые так хотелось смять, подчинить себе поцелуем.

Машенька Татаринова пропала в толпе, исчезла, словно и не рождалась никогда на свет.

Олег Шашкин заметался по первому этажу «Плазы», заглядывая поочередно во все магазины, возвращался к стеклянным лифтам, кружил возле фонтана.

Он никак не мог понять, как это она слиняла от него в тот самый момент, когда он вдруг заговорил про деньги... что у него много денег, действительно много... После таких фраз девушки обыкновенно оставались на месте, словно их гвоздями прибили, а эта убежала от него, и так быстро, что он не догнал ее, потерял... Почему она убежала? Если ее не интересуют деньги, то что же ей нужно?

И внезапно, уже потеряв надежду увидеть ее сегодня снова, Олег Шашкин заметил Машеньку у самых дверей кондитерского магазина «Царство Шоколада», что на первом этаже торгового центра возле супермаркета «Азбука вкуса».

Машенька, запыхавшись, столкнулась в дверях «Царства» с высоким темноволосым парнем, одетым как-то совсем чудно. И Олегу Шашкину показалось, что она сделала это намеренно — налетела на него, сделав вид, что споткнулась, толкнула своей упругой прекрасной грудью, дав сразу почувствовать, ощутить себя.

Парень обернулся. На нем было что-то вроде черного пальто — это в мае-то! И высокие сапоги, словно он тоже ездил верхом в той долбаной конной школе на долбаных кобылах. А под пальто у него черный бархатный жилет и какой-то нелепый белый кружевной платок вокруг шеи обмотан — так показалось в тот момент Олегу Шашкину.

А лицо напудрено, этот тип красился! У Олега Шашкина потемнело в глазах.

Парень сказал что-то и улыбнулся, Машенька ответила, покачала головой, потом кивнула, зарделась румянцем как майская роза.

Затем они вместе вошли в бутик «Царство Шоколада», остановились у прилавка.

Олег Шашкин, хоронясь за киоском с бижутерией, наблюдал за ними через витрину. Парень кивнул небрежно продавщицам и забрал с открытого прилавка небольшую подарочную коробку шоколада, перевязанную алой лентой. Он протянул ее Машеньке Татариновой. Та снова отрицательно покачала головой, потом кивнула... взяла подарок, еще сильнее зардевшись румянцем.

Олег Шашкин уже готов был войти в «Царство» и выбить все дерьмо из накрашенного придурка, как вдруг тяжелая рука легла ему на плечо.

Он оглянулся и увидел Дмитрия Момзена.

О своих поездках в торговый центр у МКАДа Олег Момзену не докладывал. А тот не спрашивал никогда. Но вот, оказывается, очутился тут рядом в самый острый момент.

— Остынь.

— Я...

— Брось, — Момзен смотрел на витрину «Царства Шоколада». — Нравится девчонка?

— Нет... я просто...

— Это та, что мы чуть не сбили в парке вместе с коняшкой?

— Да... то есть я тут случайно оказался...

— Брось, — повторил Момзен и улыбнулся — той широкой дружеской улыбкой, которая всегда действовала на Олега Шашкина хорошо, успокаивая, убеждая во всем. — Ну и что ты?

— Хотел ее пригласить куда-нибудь.

— А что она?

— Я сказал, что у меня... то есть у нас деньги, в средствах не нуждаемся, — не отвечая на вопрос прямо, сообщил Олег Шашкин.

— Кошельком похвалился перед девчонкой? — Момзен смотрел сквозь витрину. — Вот с этим, — он коротко кивнул на парня в черном пальто с кружевами, — деньги не помогут. Денег и тут куры не клюют. Значит, понравилась тебе она?

— Да, понравилась, — Олег Шашкни выпрямился. — А что?

— Ничего. Раз нравится — бери.

Олег Шашкин молчал.

— Я сколько раз тебя учил — бери, само в руки не свалится. Рыженькая... рыженькие редкость, такой еще не было. Бери, что смотришь?

Олег Шашкин кусал губы.

— Так сильно нравится?

Олег Шашкин повернулся и побрел прочь от «Царства Шоколада» — мимо фонтана, мимо стеклянных лифтов.

— От любви и от *мечт* одни неприятности, — Момзен не отставал от него ни на шаг. — Я всего один раз сделал попытку влюбиться, дай бог памяти, в каком же это году... в каком столетии, — он усмехнулся. — Тоже вот как ты молодой идиот, а девка оказалась психованной дурой. Это был настоящий ад, к счастью, очень короткий, недолгий ад, а то бы я ее, конечно, убил.

Олег Шашкин впервые, возможно, не слушал, о чем это там толкует его учитель и наставник по жизни. Он прокручивал в голове недавнюю сцену — как они стояли с Машенькой у лифтов, как говорили, как она реагировала. Она увидела этого типа в толпе и побежала за ним, как собачонка за хозяином. В этом нет никаких сомнений — она бросила его, Олега, ради этого хлыща в черном. И налетела на него в дверях магазина нарочно и толкнула своей грудью, своими упругими маленькими холмами.

Маленькие теплые упругие холмы под кофточкой...

Глаза цвета фиалок...

Рыжие волосы — тонкие и душистые, рассыпавшиеся по обнаженным плечам...

Тело белое, как китайский фарфор...

Широко раздвинутые ноги — сладкая бесстыдная поза полного подчинения...

Олег Шашкин закрыл глаза. Почувствовал, как рука его сжимает что-то тяжелое и острое — солдатское ружье со штыком или тот самый офицерский палаш, нет, самурайский меч...

Он ощутил приступ дурноты и одновременно приступ острого голода — живот скрутило в спазме. Из дверей «Макдоналдса» донеся запах жареных гамбургеров.

Глава 25

РИТМ

Все возникло перед глазами Кати в реальности как дежавю после просмотра той памятной записи на диске: кабинет для допросов во внутренней тюрьме Петровки, 38 — довольно мрачного места, от посещений которого всегда остается осадок в душе.

В кабинете для допросов несколько человек — могучего вида оперативник-конвоир в дверях, эксперт Сиваков, полковник Гущин, еще один оперативник за столом с протоколом, а на привинченном стуле под светом яркой лампы — тот, кого Катя видела только на видеозаписи и о котором столько слышала все последние дни.

Родион Шадрин.

Катя в кабинет для допросов не входила. Стояла на пороге, буквально пряталась за широченной спиной опера-конвоира. Полковник Гущин и эксперт Сиваков привезли ее сюда на Петровку, 38, и она была им благодарна, что они взяли ее с собой. Что скрывать и лукавить — ей хотелось взглянуть на Родиона Шадрина «вживую».

И вот она увидела его. За два года, проведенные в психбольнице, он постарел. Если это, конечно, можно сказать о молодом парне. Он и на пленке выглядел гораздо старше своего возраста, а теперь ему можно было дать на вид чуть ли не сорок. Все такой же худой. Все такой же бледный, одутловатый, словно лицо его покусали комары, и укусы эти и припухлости так и остались с ним навечно. Он был в спортивных штанах, клетчатой рубашке и спортивной куртке — все вещи очень чистые, но источающие тот особый запах больницы — смесь лекарств, дезинфекции и еще чего-то неуловимого, но сильного, по чему мы сразу определяем: так пахнет только больница.

На него не надели наручники. Он сидел, сгорбившись, положив руки на стол.

Не барабанит, — отметила про себя Катя. — *Видно, отучили...*

— Здравствуйте, Родион. Вы помните меня? — спросил полковник Гущин.

Шадрин не отреагировал, не ответил. Только руки — Катя внимательно следила за его руками — напряглись, пальцы спружинились, словно он слышал не ушами, а этими своими худыми нервными руками.

Катя подумала: он так старо сейчас выглядит, что просто невозможно представить его рядом с такой молодой матерью, как Надежда Шадрина-Веселовская, пусть она и родила его несовершеннолетней девчонкой, в пятнадцать. Он абсолютно не похож на мать. И все-таки кого-то он напоминает... и сейчас, когда он вот такой, это сходство...

Но тут Катя сама себя оборвала: какое еще сходство? Что ты выдумываешь? Смотри, слушай, наблюдай, ты за этим сюда явилась — за личным опытом, а не за выдумками.

— Я разговаривал с вашим лечащим врачом, Родион, — сказал полковник Гущин, — нам известно, что в больнице вы подверглись нападению других заключе... то есть других больных, которые вас избили. По какой причине произошло нападение?

Та-та-та... пальцы Родиона Шадрина коснулись стола.

— Так по какой же причине? Может, потому, что другие больные боятся вас из-за того, что вы совершили?

Родион Шадрин начал тихо барабанить — сразу очень быстро, четко, но в сложном рваном ритме.

Нет, не отучили его там, — подумала Катя. — *Это все при нем. Но зачем Гущин спрашивает его и задает такие вопросы? Пытается вот так до него достучаться? Но когда он барабанит, достучаться невозможно.*

— Врач сказал, что при нападении вы не защищались, не давали отпор, — Гущин встал напротив Шадрина, заслонив его своей толстой фигурой от Кати. — Мне хотелось бы знать почему?

Длинная дробь, плечи, локти Шадрина оставались неподвижными, лишь его кисти двигались, он уже стучал по столу не пальцами, а ладонями, словно барабанил в тамтам.

— Вы же можете разговаривать, когда этого хотите, Родион. Я знаю, что вы общались в семье со своими родителями и со своими родственниками тоже — с теткой, со своим двоюродным братом, с вашими приятелями по рок-группе. Вы ведь общались с ними со всеми.

Стук, стук, стук, та-та-та...

— Вы ведь разговаривали с ними, а не перестукивались. Два года большой срок, Родион, есть время для раздумий. Вы ничего не хотите нам сказать?

Стук, стук, стук, стук...

— А я подумал, вы, возможно, захотите нам сообщить вещи, которые, так сказать, остались да кадром тогда, два года назад.

Стук, стук, стук, стук, стук...

Или Кате показалось — или ритм изменился. Все такой же частый, рваный, но другой.

— Вы не удивлены, что вас снова привезли сюда из больницы через столько времени?

Стук, стук...

Зачем он задает все эти вопросы? — Катя встала так, чтобы Гущин не заслонял ей обзор широкой своей спинищей.

— А может, вы этого ждали, Родион? А? Что кое-что изменится в нашем с вами деле об убийствах?

Стук, стук, стук, стук, стук, стук...

— Я подумал, что вы потому и стучите, что не желаете говорить, боитесь говорить. Почему вы боитесь разговаривать, Родион?

Стук, стук, стук, стук, стук, стук, стук...

— У нас новое убийство, — сказал Гущин. — Точно такое же, как и два года назад, когда мы взяли тебя, парень.

В комнате для допросов воцарилась могильная тишина.

Руки Родиона Шадрина застыли в воздухе над столом.

Катя не могла оторвать взгляд от этих рук, они словно гипнотизировали их всех — своим молчанием, своим немым вопросом, своей осведомленностью, своим упорством, своей тайной.

Вот зачем все эти вопросы... чтобы посмотреть его реакцию на самый главный...

— Кто убивает сейчас? — спросил Гущин.

Тишина.

— Ты его знаешь, Родион?

Тишина.

— Вы вместе это делали раньше?

Тишина.

— Или ты этого не делал?

Тишина.

— Или ты не убивал? — спросил Гущин опять. — А убивал кто-то другой?

Руки Родиона Шадрина медленно легли на стол. Он вернулся в ту позу, в которой они и застали его, войдя в комнату для допросов. Опухшее лицо его ничего не выражало. Абсолютно ничего.

— Я бы хотел снова взглянуть на его татуировку, — эксперт Сиваков обратился к оперативникам.

Те подошли к Шадрину. Один показал жестом — поднимайся.

Шадрин поднялся. Катя увидела, что он высок ростом. Она снова вспомнила его красавицу мать, его красавицу тетку. Рост — только в этом его сходство с ними.

Оперативник показал — снимай спортивную куртку. Шадрин медленно снял. Затем оперативник повернул его к свету, к лампе и задрал рубашку и майку.

Катя заметила, что второй оперативник внимательно следил за происходящим, страхуя.

Эксперт Сиваков сунулся поближе. Кате тоже хотелось посмотреть. Тогда на видеозаписи она просто не обратила внимания на эту татуировку.

— Ах ты, дьявол, — внезапно тихо охнул эксперт Сиваков.

— Что там еще? — спросил Гущин.

— Другая.

— Что другая?

— Татуировка-то другая.

— То есть как? Как это другая?

— Посмотри сам, — Сиваков отстранился.

Гущин повернул лампу так, чтобы свет ее стал ярче. Катя осторожно приблизилась, стараясь опять-таки встать так, чтобы между нею и Шадриным находился Гущин. Не то чтобы она боялась... нет, просто было как-то физически нестерпимо находиться рядом с ним... с этим человеком, который, как ее уверяли, убил и распотрошил...

— Как в зеркале, — сказал эксперт Сиваков.

Катя увидела на бледной коже Шадрина на ребрах под мышкой словно синий длинный порез. Татуировка в форме линии с точно обломанными загнутыми концами. На первый взгляд совершенно такая же геометрическая фигура, что и раны на лицах лейтенанта Терентьевой и Виктории Гриневой.

— Наоборот, как же это мы раньше не заметили, тут наоборот!

Катя хорошо помнила: порезы у обеих потерпевших в форме линии с загнутыми под косым углом концами: левый загнут косо вниз, а правый — косо вверх.

На татуировке же Шадрина концы были загнуты наоборот: левый смотрел вверх, а правый — вниз.

Сиваков и Гущин отступили от Шадрина. Тот стоял с задранной рубашкой и майкой. Потом медленно опустил одежду и начал заправлять в свои спортивные брюки.

Глава 26

«В АМПУЛАХ ИЛИ В ПОРОШКЕ?»

Рыжая что-то лепетала, когда он протянул ей коробку с шоколадными конфетами «Царства» — то ли отказывалась, то ли благодарила. Феликс Масляненко не слушал, что она там бормочет.

Он и прежде замечал ее возле своего кондитерского бутика. Рыжая девчонка пялилась на него, словно не могла оторваться. Феликс спросил о ней продавщиц бутика, те ответили, что это Машенька Татаринова, она, мол, работает в торговом центре. Не в торговле, где-то там, в администрации на побегушках.

Девчонка — красотка, но он даже не стал запоминать ее имени и фамилии. Для него она просто Рыжая. Волосы как шкура лисы. На лис устраивают охоту. Можно, конечно, устроить... начать прямо сейчас... Рыжая, кажется, только этого и ждет, глаза ее светятся счастьем и робостью. Она даже не представляет себе, глупышка, чем все это может закончиться с ним, с Феликсом.

Но сейчас он чувствовал пресыщение. Так уже случалось прежде. Некоторые вещи не стоит испытывать слишком часто, иначе уйдут острота восприятия и тот непередаваемый драйв, что заставляет сердце почти лопаться от избытка наслаждения.

И потом у него было важное дело.

Из бутика «Царство Шоколада» Феликс спустился на нулевой этаж на автостоянку под торговым центром. Огляделся — нет, пока никого, те, кого он ждал, еще не приехали.

Он открыл свой «БМВ» — посмертный подарок отца, сел за руль и включил музыку. Что слушают антикварные готы? Конечно же классику. Вивальди, цикл «Времена года»... Зима...

Музыка наполнила салон, и Феликс закрыл глаза. Он вспоминал, прокручивал у себя в голове то, что следовало вспомнить во всех деталях, чтобы понять, где и когда, возможно, совершена непоправимая ошибка, грозящая бедой, нет, почти полной катастрофой.

Из раздумий его вывел визг тормозов. На подземную стоянку, лихо разогнавшись в ограниченном пространстве, зарулил черный битый «Паджеро». В нем сидели двое мужчин.

Один сразу вышел и приблизился к машине Феликса. У этих типов Феликс никогда не спрашивал ни имен, ни фамилий. Даже клички его не интересовали. Он покупал у них кокаин и марихуану, а также иногда «синтетики». Но сейчас его интересовало другое. И эти двое это самое ему, кажется, привезли.

— Вот, импортный, — сказал тот, кто подошел к машине, и протянул сверток в черном полиэтилене.

— Открой, покажи, — Феликс опустил окно.

Тип начал раскрывать сверток, точно новогодний подарок. Раскрыл и показал Феликсу пистолет.

— Такие на вооружении у немецкого спецназа, — сказал он. — Автоматический, многозарядный. А вот к нему патроны.

— Он заряжен? — спросил Феликс.

— Кто же продает заряженным? — усмехнулся неулыбчивый продавец из битого «Паджеро».

— Тогда зарядите.

Продавец вставил обойму, проверил, поставил на предохранитель.

— Сколько? — спросил Феликс.

— Как договаривались, плюс сверху еще десять тысяч. Я не сам доставал, мы звонили человеку, это его доля.

Феликс достал деньги, вручил, получил пистолет. Взвесил его.

— Осторожно, дуло не направляй, он же заряжен теперь. Ты что, с пушкой раньше дела никогда не имел?

— Я пользовался иным, — ответил Феликс и положил пистолет на сиденье рядом. — А то, другое?

— С этим пока проблема. Не достали еще, — ответил продавец. — Да и немудрено, такой заказ.

— Мне нужно, возможно, скоро понадобится. Привезите.

— Найдем, только надо подождать. Я это... я хотел спросить... там разные составы — тебе в ампулах или в порошке?

Феликс приглушил Вивальди.

— Мне то, что подействует быстро и наверняка, — сказал он.

— Я к тому, что мы с этим дела не имеем. Надо искать канал. Это ж не кока. Как достанем, я позвоню.

Феликс кивнул и завел мотор. У этих двоих он обычно покупал кокаин. Но сегодня его интересовали иные вещи. Пистолет он уже получил.

Глава 27
ТАТУИРОВКИ

По дороге с Петровки в Главк в Никитском переулке полковник Гущин разразился целым градом ЦУ по мобильному. Катя, притихнув на заднем сиденье, только молча дивилась такой внезапной активности.

Впрочем, понять мотивы всплеска профессионального рвения легко...

— Нам тогда, два года назад словно пелена глаза застлала. Ладно тебе, Федя, но мне с моим-то стажем работы экспертом! — Эксперт Сиваков, сидевший рядом с Катей, выглядел понурым и смущенным. — Отлично помню, мы тогда в тюрьму поехали, уже имея на руках результаты ДНК по сперме, ясно было, что это шадринская ДНК. И все факты остальные на него указывали. Татуировка как довесок, вот мы этот довесок и проглядели. Смотрели-то в упор, что называется, а разницы не заметили.

Гущин не ответил, не повернулся даже, он грозил кому-то (явно ни в чем не повинному оперу-подчиненному!) по телефону:

— Все, что есть по рок-группе «Туле», моментально мне на стол, как приеду! Свяжитесь с прокуратурой, запросите их оперативные данные... какой там, к черту, экстремизм... чтоб прислали по электронке, некогда тут секретность разводить! Я сказал, сделайте! И найдите специалиста по готическим или, как их там, нордическим татуировкам, чтобы к вечеру сидел у меня в кабинете, консультировал!

И свирепый приказ возымел моментальное действие. Когда разозленный (неизвестно на кого, на себя следовало злиться-то!) полковник Гущин переступил порог своего кабинета, к нему тут же широким ручьем потек поток информации по группе «Туле».

Из прокуратуры перегнали по электронной почте файлы проверки, а затем привезли диски с записью оперативной съемки.

— Это их один из последних концертов, затем группа уже больше нигде не выступала, — оперативник зачитывал сопроводительную к видеозаписи. — Это июньский концерт во Владивостоке. Два года назад, это местный ночной клуб.

Он поставил диск в ноутбук.

— Шадрина тогда уже с ними не было, у нас он сидел арестованный. Кто там в списке? — спросил Гущин.

— Дмитрий Момзен, Олег Шашкин, соло-гитара Пустовойтов, бас-гитара Рахимов и ударные Мулько. Тут вот запись в сопроводительной: Мулько — местный житель, из Владивостока, профессиональный музыкант, нанят через агентство, в группу «Туле» не входит, играл только концерт во Владивостоке, заменяя Шадрина.

Оперативник включил запись. Не слишком качественная, камера прыгает, как это и бывает на оперативных съемках.

Клуб, битком набитый молодежью, полутьма, только сцена ярко освещена. На ней рок-группа «Туле» — все в кожаных штанах, шнурованных ботинках, кожаных фуражках и кожаных жилетах. Солист до пояса голый.

Могучие децибелы хард-рока. Соло электрогитар. У полуголого солиста — крупного блондина — в руках гитары нет, только микрофон.

Катя не успела услышать, о чем поет «Туле» на своем концерте во Владивостоке, Гущин, перекосившись, как от зубной боли, приказал убрать звук.

Затем он приказал укрупнить изображение.

— Нас татуировки интересуют, а не этот гвалт, — сказал он. — Гляди-ка, они там все расписные!

Катя заметила это тоже — у солиста татуировка на левом плече, и вот он поворачивается — татуировка у него на спине. У бас-гитариста татуировки на плечах, у соло-гитары татуировка на груди.

— Так, отсмотреть пленку, отобрать все крупные планы, все татуировки их. Распечатать и подготовить для специалиста, — Гущин тыкал пальцем в экран. — Информацию мне на всю эту шайку, меня интересует, кто сейчас из них здесь, в Москве, а кто на гастролях.

Он покосился на Катю.

— Поди-ка ты прогуляйся до буфета, заодно и мне пирогов купи каких-нибудь на твой выбор, я-то пообедать уже не успею.

— Хорошо, Федор Матвеевич, секретничайте с агентурой, — кротко согласилась Катя. — Я вам с мясом куплю, вы с мясом любите.

Она зашла в свой кабинет в Пресс-центре, оставила сумку. Перед тем как отправиться в буфет обедать, она достала диктофон и еще раз прослушала запись, что сделала в кабинете для допросов. Вопросы Гущина... стук шадринских ладоней по столу, ритм... вот он изменился... этот момент... снова вопросы и... тишина.

Необычная беседа, но сколько в ней смысла, учитывая последующие события...

Обедала она медленно, потом купила пирогов с мясом в буфете. Она не торопилась возвращаться. Когда «подключают к работе агентуру» — это святое для розыска дело, это почти сакральный акт. Тотальное торжество профессиональных секретов. Представителям других служб, тем более сотруднику Пресс-службы, просто не место в этот момент в стенах управления розыска.

Она вернулась в приемную Гущина через два часа. Секретарша кивнула — заходите, теперь уже можно.

У Гущина в кабинете оперативники, он снова толкует о чем-то по мобильному. Завидев Катю, оторвался на секунду:

— Спасибо. С мясом пироги-то? Хорошо. А тут как раз о тебе речь, то есть... то, что предлагала, мы это обмозгуем, а это в помощь.

Катя аккуратно сложила пироги на тарелку на чайном столике. Чего это она предлагала там, когда? Ах, старик Гущин, с тех пор как в сердце твое, прикрытое бронежилетом, пуля угодила, разговариваешь ты порой так чудно... Ясен пень!

— Что там, в Пыжевском переулке, находится, кроме особняка Шашкина? — Гущин снова оторвался от мобильного и кивнул оперативникам: — Быстро, как это называется... погуглите, откройте просмотр улиц.

В руках оперативника моментально планшет, открыл Google-карты.

— Пыжевский переулок расположен между Ордынкой и Старомонетным переулком. Пять минут от Кремля, от Васильевского спуска. Вот... этот особняк, вход в армейский магазин со двора, рядом туристическое агентство.

— Какое там покрытие во дворе, посмотрите.

— Плитка, — оперативник показал Гущину планшет.

— Ага, там серая плитка, не асфальт, — сообщил Гущин в трубку и снова обратился к Кате: — Звоню в наше оперативно-техническое управление. Уж не знаю, как там ФСБ за этими «Туле» следила, что они в момент все просекли и всех жучков из дома повычистили. Мы пойдем другим путем. Так, хорошо... понял, — это он снова говорил уже в трубку, — посмотрите по карте, что у нас в этом Пыжевском?

— Управление федеральной антимонопольной службы, — оперативник открыл улицу в карте Google.

— Ну их к черту, с ними не договоришься, еще что?

— Институт физики атмосферы и Почвенный институт имени Докучаева.

— Физики? Это хорошо, это пойдет, у них там своей аппаратуры на крыше, наверное, до черта. — Гущин вновь обратился к мобильному: — Звоните в институт физики атмосферы и пошлите сегодня же туда бригаду ремонтников. Чтобы завтра к утру оборудование стояло и работало. У нас мероприятие в Пыжевском.

Он слушал трубку довольно долго, видно, спецы из оперативно-технического объясняли во всех деталях.

Катя включила электрический чайник, положила в чашку Гущина пакетик с заваркой. Когда он закончил свой долгий телефонный марафон, она протянула ему тарелку с пирогами и чашку горячего чая.

— Поставьте вторую запись из Владивостока, — сказал Гущин. — Смотри, как они там вырядились.

Катя увидела на экране ноутбука окоп, колючую проволоку и каких-то людей в странной форме, грязной и весьма необычного вида, какого-то колониального.

— Это реконструкция боев в Маньчжурии, так написано в сопроводительной. Они же клуб военно-исторический, в шоу участвуют, как тут написано, деньги вроде этим зарабатывают, а в основном существуют на деньги вот этого парня. Фамилия его Шашкин... Олег Шашкин. Это на нем форма Квантунской армии, японская. А я думал, они только фрицев представляют.

Катя смотрела на экран. Видно, что реконструкция, ражие сытые парни улыбаются, а в руках макеты винтовок со штыками.

— Сейчас в Москве, как мы выяснили, из всего прежнего состава «Туле» лишь двое. Дмитрий Момзен и этот вот Олег Шашкин, — продолжал Гущин. — Этого, который у них бас-гитаристом лабал, в прошлом году схоронили, умер от передозировки. Соло-гитарист вот уже шесть месяцев как проживает в Таиланде, квартиру свою сдал и подался на океан под пальмы, к экватору поближе. Так что интересовать нас будет вот эта парочка. Они живут вместе, в особняке в Пыжевском. Вроде на гомосексуалистов не похожи. А там уж не известно... Особняк активно посещается в настоящее время молодыми людьми на дорогих машинах. Исторический клуб, армейский магазин... что ж, понять можно, почему туда приезжают... У них там нет асфальта во дворе, плиткой все выложено, так что это нам на руку. Вот тут у них задняя дверь в особняк, дворик-патио, а вот здесь гараж.

Катя хотела было спросить — при чем тут плитка во дворе? Но не успела. Гущину позвонила по громкой связи секретарша и сообщила, что оперативники привезли в Главк специалиста-консультанта по татуировкам.

После профайлера Семенова в полицейской форме Катя опять ожидала, что спец окажется необычной персоной — этаким молодцом в бандане и косухе типа байкера. А кто еще может детально разбираться в татуировках?

Однако вошедшая в кабинет дама лет шестидесяти напоминала школьного завуча — в сером деловом костюме, в очках, со старой сумкой Луи Вюитон наперевес.

— Леокадия Оттовна Бем, профессор этнографии, — представилась она прокуренным басом. — Что у вас тут случилось? Меня увезли прямо с заседания кафедры!

Гущин сразу приосанился и засуетился. Выдвинул самое удобное кресло у стола для совещаний, бормоча, что дело очень серьезное... убийства, нужна ваша помощь как специалиста, профессор...

Он усадил консультантшу и выложил перед ней пачку снимков. Фотографии татуировок — тех, что были сделаны членами рок-группы «Туле», татуировка Родиона Шадрина и фотографии порезов на трупах жертв.

Леокадия Бем глянула на снимки сквозь очки и попросила черного кофе без сахара.

— У нас, помимо этого, к вам есть вопросы. — Гущин заваривал ей кофе сам, лично. Катя лишь наблюдала со своего места, как он делает это неуклюже. — Фигурирует у нас такое название «Туле». Вроде какой-то остров блаженных на Севере, а одновременно и экстремистским душком тянет. Объясните коротко, что это такое «Туле»?

— Тайное общество в Германии после Первой мировой войны, — сказала Леокадия Бем. — Входили туда немецкие аристократы. Оккультное и политическое тайное общество, его не надо путать с обычной масонской ложей. Возникло из своеобразного кружка по интересам по изучению германских древностей на почве оккультных теорий немецкого мистика фон Зеботтендорфа. Арийские теории превосходства, окрошка из магических ритуалов, секретных знаний и расовой нетерпимости.

— Оккультных, значит? — Гущин выхватил тот термин, который его заинтересовал больше других. — Колдовали, что ли? Ритуалы, жертвоприношения, черная месса, как сатанисты, да?

— Нет, не как сатанисты, как нацисты, те в дьявола не верили. Оккультные теории были лишь прикрытием политических целей — прихода к власти сначала путем проникновения членов «Туле» во властные структуры, а затем и военного вооруженного переворота.

— У молодежи название популярно, — сказал Гущин. — У нас вот музыканты, некая рок-группа «Туле».

— В поп-культуре, в кинематографе широко эксплуатируется этот образ как тайного черного ордена. Фильмы, видеоигры, дешевые фантастические романы, музыка — сейчас это своеобразный коммерческий бренд уже.

— А я вот такое название слышал: «Рейнские романтики»... Песня вроде... что это такое может быть — Рейнские романтики? — спросил Гущин.

— Тоже немецкое тайное общество, но лишь на уровне болтовни в салонах. «Туле» вдохновило немецкий нацизм, а у этих дальше разговоров о военном путче дело не пошло — богатые бездельники совершать государственные перевороты не способны, — отчеканила профессор Бем. — Это удел нижних армейских чинов. Опыт южноамериканских и африканских диктаторов это подтверждает.

— Так, хорошо, теперь ваше мнение о татуировках и вот об этом... это было на телах двух убитых женщин.

Профессор Бем углубилась в изучение снимков.

— Это не гальдраставы, — сказала она.

— Не что?

— Это новоизобретенные символы на основе готической идеографики и гальдраставов — скандинавских магических рун.

— Профессор, а можно совсем просто?

— Плоды творчества художников-графиков из СС, — ответила профессор Бем. — Их создали как графическую символику немецких фашистов. Вот этот знак, например, на этой татуировке — это так называемый символ непоколебимой веры.

Катя увидела на снимке крупным планом на обнаженном предплечье татуировку в форме трех скрещенных стержней. Средний стержень похож на копье. На снимке надпись — Дмитрий Момзен.

— Однако этот символ непоколебимой веры в изображении немецких фашистов выглядел вот так, — профессор начертила на бумаге ручкой тот же знак, но без «копья» в середине — просто три скрещенных стержня. — Вот такой знак в обязательном порядке в виде нашивки украшал форму всех членов СС от эсесмана до рейхсфюрера. Но на этой татуировке знак символа непоколебимой веры совмещен со знаком войны, непримиримости в сражении, символом бога Тора, — она нарисовала рядом знак в форме «копья». — Очень необычное сочетание... можно сделать вывод, что это уже постизобретенный современный символ на базе новоизобретенных фашистских. Сочетание веры и непримиримости.

— А вот тут что изображено? — Гущин указал на другой снимок.

Катя прочла надпись — Дмитрий Момзен, опять он же. И татуировка крупным планом та, что на спине между лопаток.

Катя почувствовала, как сердце ее замерло: тот же самый символ, что на трупах? Нет, тут как бы не ошибиться... татуировка в форме линии с обломанными загнутыми концами — левый смотрит косо вверх, правый — косо вниз. Это копия татуировки Родиона Шадрина. Только отличает ее одна деталь — небольшая разделительная полоска в самой середине.

— Это Вольфсангель, так называемый волчий капкан. Языческий оберег, защищающий своего хозяина. В средневековой геральдике обозначался как символ контроля — над злом, над оборотнями. Однако со времен Тридцатилетней войны у него иное значение — это знак произвола, полной свободы действий. Творю, что хочу...

— Творю, что хочу? — переспросил Гущин. — И если пожелаю, могу даже убить?

— Вроде того, — профессор Бем кивнула. — Один из вариантов начертания этой руны использовали голландские нацисты, он также являлся эмблемой добровольческой пехотной дивизии Ваффен СС, укомплектованной голландцами.

— Это тот же самый знак? — спросил Гущин, показывая на следующий снимок.

Катя прочла надпись — Олег Шашкин.

— Да, совершенно верно. Вольфсангель.

— А вот это?

На снимке, помеченном той же надписью «Олег Шашкин» — татуировка крупным планом на левом плече. В форме заглавной буквы И.

— Это знак товарищества, — сказала профессор Бем. — Берет свое название от названия метательного копья Get.

— Теперь вот это, что это за знак? Есть в нем смысл какой-нибудь?

Катя увидела на снимке татуировку Родиона Шадрина.

— Вы впервые спросили меня о смысле, — сказала профессор Бем.

— Потому что эту татуировку сделал психически больной человек. Аутист.

— Аутисты не психбольные, — возразила профессор Бем. — Конечно, это новоизобретенный символ на основе гальдрастава. Это иногда изображалось в сочетании с руной Онфер. После Первой мировой в Германии ее использовали ветераны войны.

— Но что она означает?

— Это символ самопожертвования.

— Самопожертвования?

— Да, но у нее и другое нацистское значение — это символ так называемых мучеников. Сторонников Гитлера, убитых полицией во время так называемого Пивного путча.

Гущин хмыкнул. Затем он выбрал два снимка крупным планом. Порезы на лицах Марины Терентьевой и Виктории Гриневой.

— Вот это меня интересует особо, профессор. Это убийца оставляет на телах жертв. Что это может быть за символ? По виду точно такой же, как тот, о котором вы только что говорили. Но он словно зеркальное отражение.

— Да, точно, как будто это зеркальное отражение руны, однако это совсем другой знак, — сказала профессор Бем. — Собственно говоря, это вообще не руна, это новоизобретенная графика нацистов. Такой знак носил, например, личный адъютант Гитлера.

— И что он значит?

— Это знак энтузиазма, — ответила профессор Бем. — Энтузиазма в самом широком смысле этого слова.

Глава 28

СПЕЦОПЕРАЦИЯ

На чердак Института физики атмосферы, расположенного в Пыжевском переулке, на лифте поднималась бригада «ремонтников, посланная компаниейпровайдером для проверки линий сетевого подключения».

А полковник Гущин в это самое время объявил Кате подозрительно торжественным тоном:

— Ты ведь, кажется, посетить хотела этих из «Туле». Неймется тебе. Так вот, отправишься туда завтра, но не с утра, а в обед. Эти господа рано не встают. Кстати, кое-что захватишь с собой кроме своего шпионского диктофона.

— Мой диктофон не шпионский, я для статьи все записываю, — сказала Катя, внимательно слушая, что же старик Гущин брякнет дальше.

— Можешь спрашивать их о Родионе Шадрине как репортер. Больше ни о чем спрашивать не смей. И на татуировки, если они и там, в особняке, полуголыми бродят, не пялься, — Гущин хмыкнул. — Явишься сюда в розыск завтра к десяти, у нас тут все будет как раз готово, вся техника. Твоему шефу в Пресс-центр я позвоню, что рекрутирую тебя для спецоперации в помощь розыску. Гляди, еще медаль получишь.

— Может, меня даже это... — Катя всхлипнула, — наградят посмертно.

— С этим не шути, — Гущин сразу нахмурился. — Это очень серьезное дело. Мы не знаем, кто эти типы, за кого бы они там себя ни выдавали — за клуб исторический или за скинхедов. С ними ФСБ пролетело с прослушкой. А мы их в возможной причастности к серийным убийствам подозреваем. Так что отнесись с должным пониманием к поручению и ситуации.

— Федор Матвеевич, я все понимаю.

— Днем там ничего, магазин у них открыт армейский, народ толчется. Наши сотрудники тебя подстрахуют. Ты в их дворике оставишь маленький гостинец от нас, я завтра схему получу, где именно оставить. И ты будешь постоянно с нами на связи.

С этим многообещающим напутствием Катя отправилась домой. Надо ли говорить, что она просто сгорала, лопалась от любопытства — как оно все получится завтра и что еще старикан Гущин придумал?

На следующее утро она ровно в десять уже стучалась в дверь кабинета Гущина. В это утро она постаралась дома одеться, как одевается настоящий ушлый репортер «желтой прессы». В гардеробе она выбрала потертые прикольно рваные джинсы, в которых никогда не позволяла себе ходить в Главк, красные кеды, яркий топ цвета кармина с открытыми плечами и прорезями. Следовало выглядеть хиппово и сногсшибательно.

В понимании Кати без высоченных каблуков выглядеть сногсшибательно не получалось, она привыкла к шпилькам. Однако на спецоперацию следовало надевать только удобную обувь. Мало ли что может случиться...

В это утро она накрасила губы алой помадой и достала из шкафа свою гордость — сумку Lancel BB в форме восхитительного мешка из мягчайшей кожи в тон топа, увешанную разными прибамбасами, с широким «гитарным» ремнем в стиле незабвенной Брижит Бардо.

Глянув на себя в зеркало, Катя лишь вздохнула — хипповать так хипповать! И начало густо красить тушью свои длинные ресницы, а потом перед зеркалом захлопала ими как куколка Брижит — глуповато и кокетливо.

Когда она переступила порог гущинского кабинета, там клубилась «летучка» — полно сотрудников, все предельно деловые. Но все разом замолкли, воззрившись на светловолосое создание в соблазнительном топе, дорогой шведской джинсовой рванине, с роскошной сумкой и совершенно «не утренним» макияжем.

Кате почудилось, что половина собравшихся ее просто не узнали! В душе она ликовала, однако чувствовала уколы обиды — разве она в будни такая страшная, что сейчас они ее за другую принимают?

Первым отреагировал Гущин. Сказал:

— А вот и ты. Проходи.

Потом он сказал еще:

— В Пыжевский поедешь в полдень. Вот тут мы все приготовили.

Катя увидела на столе спецаппаратуру. Прямо нанотехнологии.

— Это как клипсы, — сказал сотрудник оперативно-технического отдела. — Микрофон и камера. Это будет на вас для постоянной связи с группой сопровождения. А вот это вы оставите возле дома в точке, указанной на схеме.

На столе — кусок плоской серой плитки. Самой обычной плитки, какой сейчас вымостили половину тротуаров столицы. Сотрудник оперативно-технического отдела взял плитку в руки, перевернул — обратная сторона из металла.

— Это станция слежения и контроля, — сказал он. — Замаскирована под дорожное покрытие. Вот схема двора в Пыжевском, вы оставите ее здесь, в 50 сантиметрах от угла дома. Вот фотографии, видите, вот это место. Тут мертвая зона, камерами не просматривается. Мы проверили, так что это лучший вариант. Сделаете это перед тем как войдете в их магазин и установите контакт.

Катя открыла свою роскошную новую сумку, и плитка... то есть станция слежения, аккуратно легла на самое дно.

— А если дождь пойдет? — только и спросила она.

— Техника работает в любых условиях, она герметична. Но все же в лужу глубокую ее не кладите. — Сотрудник оперативно-технического отдела не понимал шуток на профессиональные темы. — А теперь займемся экипировкой.

К двенадцати часам дня Катя, полностью упакованная, уже подъезжала на оперативной машине к Замоскворечью. На Большой Ордынке на углу Пыжевского сотрудники уголовного розыска остановили машину, и дальше она пошла одна.

Как раз наступило время ланча, из окрестных офисов начал выходить офисный люд, торопясь занять столики в ближайших кафе на Ордынке.

Катя оглядела Пыжевский переулок — уютный и тихий, узкий как ущелье. Его буквально запрудил припаркованный в два ряда транспорт. Машины медленно проезжали по тропе между припаркованными. Почти весь переулок занимали мрачного вида здания НИИ — розовое, серое и желтого кирпича и бывшие доходные дома, переоборудованные под офисные центры.

Катя шла по переулку, пытаясь найти, где тут этот Институт физики атмосферы, на крыше которого сотрудники оперативно-технического установили мощный передатчик, чтобы контролировать происходящее в реальном времени. Она прошла уже почти весь переулок, как вдруг увидела невысокий, совершенно дачного вида, заборчик с почтовым ящиком, а за ним чудесный палисад-двор со старыми липами. А в палисаде прелестный особняк — желтый с зеленой крышей, застекленной мансардой, такой музейный, замоскворецкий купеческий.

Калитка гостеприимно открыта. Перед калиткой навороченный донельзя джип типа «сафари» с мощными прожекторами на крыше. Катя увидела, что двор вымощен серой плиткой — точно такой же...

Она поняла, что пришла в пункт назначения. Вошла внутрь: особняк, рядом армейский магазин — что-то вроде флигеля с вывеской. Все остальное пространство двора занимали гаражи. Правда, за домом имелся еще внутренний дворик, осененный тенью все тех же старых купеческих лип.

Во дворе никого — Катя оглянулась воровато и, быстро наклонившись, положила плитку-станцию возле самого фундамента.

Она открыла дверь армейского магазина. Звякнул гостеприимно колокольчик.

И вдруг возник *голос* — словно изнутри, в голове:

— Оглядитесь, поверните голову, нам нужен полный обзор.

От неожиданности Катя крепко вцепилась в ручку входной двери. Да, конечно, она носитель, на ней сейчас спецтехника, и ее предупреждали, что с ней установят связь. Однако все произошло так внезапно, этот голос звучал в самых мозгах, точно она спятила!

В оперативной машине, на которой ее привезли в Пыжевский, никакого оборудования нет. Значит, уже подключилось то, что «на крыше» Института физики атмосферы.

Она выполнила приказ, оглядела армейский магазин. Отделанный светлой сосной со стеллажами, он производил впечатление театральной костюмерной и лавки старьевщика. Из всего этого изобилия она запомнила лишь то, что бросилось ей сразу в глаза: чугунные ядра, сложенные точно шары кегельбана у стеллажей, военная форма, полки с солдатскими сапогами и шнурованными ботинками, корзина, полная золоченых эполет опереточного вида, ящички с металлическими новенькими пуговицами, пряжками, бляхами и значками. Ящички с пуговицами и бляхами медными, старыми, позеленевшими от времени, еще не отчищенными. Полка, на которой словно железные котелки — солдатские каски, вешалки с формой — вся какая-то желто-коричневая: кители и брюки-галифе, целый шкаф битком набитый шинелями. На специальной подставке сабли, палаши, самурайские мечи, но все совершенно «подарочного» типа, из тех, что вешают над камином «для красоты».

Возле стеллажей и вешалок толклись покупатели — парни крепкого телосложения. Такой же амбал сразу подошел к Кате:

— Здравствуйте, — сказал он весьма миролюбиво, — чем могу помочь?

— Мне нужен Дмитрий Момзен, — сказала Катя. — Я из газеты. Клевый магазин тут у вас.

— Момзена сейчас нет, — сказал продавец.

— Да? Тогда я его подожду здесь, — Катя бесцеремонно уселась на плетеный стул возле немецких касок. Положила ногу на ногу, покачивая носочком красного кеда.

— Я сейчас узнаю, — продавец оглядел ее. — Возможно, он уже вернулся.

— Узнайте, будьте добры, — Катя медленно осматривалась, давая возможность «следящим» получить полную картинку армейского магазина.

Ждала она совсем не долго. Появился другой парень — очень толстый, бритый, в камуфляжных брюках, шнурованных ботинках и черной застиранной майке. У него были пухлые щеки и маленький, младенчески-невинный рот — словно на толстом заплывшем жиром лице в самый последний момент спохватились и просверлили дырочку для кормления.

Толстяк глянул на Катю, и она поняла, что видела его на видеозаписи, той, Квантунской — в форме, с винтовкой возле окопа с колючей проволокой.

«Это не Момзен, — подумала Катя. — Тот блондин, а этот бритый, волосы темные, едва пробиваются на темени, это, должно быть, Олег Шашкин, богатый наследник, хозяин особняка».

— Что вам нужно, девушка? — спросил Олег Шашкин по прозвищу Жирдяй тоже весьма мирно.

— Мне нужен Момзен. Вы ведь не он, так чего спрашиваете? Или вы его секретарь? Или как тут у вас в военно-историческом клубе, адъютант?

— Я его друг. Дмитрий сейчас занят.

— Хорошо, я подожду, — Катя снова кивнула, обнимая свою роскошную сумку. — Я никуда не тороплюсь. У меня к Момзену дело.

— Какое дело?

— Я из газеты, журналист. Я пишу статью о Родионе Шадрине, Майском убийце, — в этот момент Катя почти не врала. — Он ведь играл в вашей рок-группе «Туле». Классный барабанщик, как говорят. Мне нужны сведения о нем для статьи. Вы ведь его хорошо знали, правда?

— Ладно, пойдем со мной, журналистка, — сказал Олег Шашкин уже совсем иным тоном.

Он повел ее через весь зал, открыл дверь в маленькую комнату с конторкой, кожаным креслом и большой кофеваркой. Но в комнате — никого. Тогда он кивнул:

— Пошли за мной.

Они миновали подсобку армейского магазина, и Шашкин открыл еще одну дверь — железную. Очутились в узком коридорчике, поднялись по ступенькам и...

Катя поняла, что он привел ее в свой особняк. Шашкин толкнул белые двойные двери, и они очутились в просторном зале — когда-то купцы давали тут балы на все Замоскворечье. А теперь зал пуст, хорошо отреставрирован, украшен позолотой и лепниной, с белыми маркизами на окнах, с натертым до блеска паркетом, но пуст — никакой мебели.

Двери в противоположном конце открыты, и через анфиладу комнат к залу приближается человек — высокий, статный.

Катя увидела блондина в отличном дорогом черном костюме и белой рубашке без галстука. Светлые волосы на косой пробор, очень аккуратный пробор, голубые глаза. Чем-то похож на немецкого пастора, увлекающегося спортом. Всем был хорош — и ростом, и атлетикой, только вот...

Катя не смогла себе толком объяснить, что конкретно с первого взгляда ей так не понравилось в этом красивом молодом мужчине. Вроде, если разбирать все по отдельности, — почти идеал. Но вот когда все собрано вместе...

Его взгляд? Да нет, он смотрел нормально, со скучающим интересом...

— Я Дмитрий, здравствуйте, — сказал он весьма любезно.

У него был приятный низкий голос.

— Екатерина, я журналист, пишу статьи для «Коммерсанта» и других изданий, — Катя начала импровизировать на ходу. — Сейчас пишу о Родионе Шадрине, маньяке. Он играл в вашей рок-группе. Я бы хотела задать вам несколько вопросов о нем. Можно?

Она спросила это очень нежно, ее голос дрогнул... пусть этот тип решит, что произвел неотразимое впечатление на глупую репортершу.

Дмитрий Момзен оглянулся на Шашкина.

— А чего мы собственно можем сказать... два года уже прошло. Он ведь в психушке сидит. Кто же знал, что он такой бешеный, правда, Олег?

— Никто не знал, — толстяк покачал головой. — Он же этот... человек-цветок, не в себе с самого рождения. Мы к нему хорошо относились, не обижали его. Он же больной, как можно больного обидеть? А играл он лучше любого здорового. Мы сначала как-то сомневались — ну, псих все же, как такого на концерт выпускать. Брали других ударников. Только все не то. Родя барабанил как бог. Так зажигал порой...

Момзен кивал — да, да, все правильно. Катя чувствовала на себе его взгляд.

Они не предложили ей сесть — в зале просто не на что. Момзен давал аудиенцию как король.

— Я слышала вашу запись с концерта во Владивостоке, — сказала Катя. — Но там не Шадрин с вами уже. Можно мне услышать, как играла группа «Туле», в полном, настоящем составе? А то в Интернете вас что-то нет совсем и на «ютюбе» тоже нет.

— Мы больше не выступаем, — ответил Момзен, — Олег, исполни пожелание дамы.

Олег Шашкин вышел, и буквально через минуту просторный зал наполнился мощными звуками первых аккордов электрогитар. А затем хлынуло точно лавиной — электрогитары, басы и совершенно невообразимый какой-то сложнейший четкий страстный могучий ритм ударных. Пустой зал потонул в музыке. Катя почти оглохла — этот ритм пульсировал и рвался и вновь становился четким, а затем прихотливо изломанным. Именно ритм ударных делал все, зажигал, вел за собой, гитары лишь вторили ударнику.

Катя не могла даже скрыть своего потрясения. И это вот так играет, так виртуозно исполняет свою партию ударных парень, которого она видела во внутренней тюрьме на Петровке? Это чудовище?!

Все смолкло.

— Что это? — спросила она.

— А это мы прикололись для концерта. Я решил попробовать классику. Аранжировали нам Камиля Сен-Санса. Вместо рояля Родя на ударных, вместо оркестра мы.

Катя вспомнила, что слышала о том, что сам Момзен ни на каких инструментах не играет. Шашкин вроде тоже. И они сумели создать вот такую рок-группу?

— Ваш Родя... знаете, о нем ведь говорят, что он новый Потрошитель. Жертв у него, как и у того, четверо, и все женщины, зверски убитые. Просто зверски.

— У Джека Потрошителя, кажется, пять было жертв, причем одна из них двойная, — сказал Дмитрий Момзен.

Катя смотрела на него. Чувствовала, как холод ползет по позвоночнику. Что это? К чему это он?

— Скажите, — начала она, — вот Родион Шадрин находился тут с вами часто, на концертах, у вас на глазах. Близко к вам. Вы ничего не замечали за ним такого?

— Нет, нет, нет, — Момзен покачал головой. — Ничего такого мы не видели. И в крови с ног до головы он нам не являлся.

— Может, он что-то говорил? Рассказывал?

— Он очень редко что-либо говорил. Он предпочитал свои ударные. Иногда скажешь — Родя, Родиоооооон. А он стук, как дятел по тарелочке, — Момзен усмехнулся. — Забавный был парень. Жаль, что так все с ним вышло.

— Вы не верите в то, что он убийца? — быстро, по-репортерски ввернула Катя.

— Как не верить, если его в психушку законопатили. Писали о нем в газетах — убийца, мол, маньяк.

— Но вам в это верилось с трудом, да?

— Да не настолько мы его хорошо знали, — капризно вмешался Олег Шашкин, он снова появился в зале. — Что вы нас допрашиваете, как прокурор. Он барабанил как бог, классно. Мы с тех пор не можем ничего близкого даже найти ему на замену, у него врожденный талант. Группа из-за этого наша распалась. Ни чем он с нами не делился, иногда явится — только глянет, вылупит зенки вот так, когда скажешь ему: Родька, привет. У него этот, как его...

— Аутизм, — подсказал Дмитрий Момзен. — С людьми такого сорта нужно адское терпение. И мы его терпели. Никогда не обижали. Платили за выступление аккуратно. Он хорошо с нами зарабатывал. Насчет всего остального — кто же знал. Ведь и полиция его не сразу поймала.

— Нет, его поймали как раз довольно быстро, — возразила Катя. — У него за три недели было четыре жертвы. А почему вы вот сейчас сказали, что жертв пять, одна двойная?

— Я про Потрошителя это сказал, про настоящего Потрошителя, — ответил Дмитрий Момзен.

— А что, Родион Шадрин потрошитель не настоящий?

— Он больной, — ответил Момзен. — Что мы можем поделать с больным разумом? Ничего. Только прощать.

Принимать все, что случилось, как данность. И прощать. Или бежать подальше. Вы меня извините великодушно, я опаздываю на деловую встречу. Олег, пожалуйста, проводи очаровательного журналиста вон.

Олег Шашкин кивнул Кате — айда. Ее никогда еще вот так вежливо и бесцеремонно не гнали взашей — из такого вот богатого дома с анфиладой комнат.

Глава 29

ПЕРВАЯ ЖЕРТВА

Никогда еще прежде Катя не была так недовольна собой и окружающей действительностью: никогда прежде ее не гнали взашей. В оперативной машине на обратном пути в Главк она прокручивала встречу в Пыжевском.

Ничего конкретного. Она ничего толком не узнала. Даже татуировок их не видела, потому что Момзен — в костюме с иголочки, а этот толстый хозяин особняка Шашкин в футболке с длинными рукавами. Ему на вид лет двадцать пять, откуда у него такой дом в центре Москвы?? Папа был богатый?

Катя злилась — да, она услышала, как играет на своих ударных Родион Шадрин, он виртуоз, вон как Сен-Санса исполнил. Но ведь это не он совершил пятое двойное убийство...

Уже на подъезде в Главк она стала себя успокаивать — ладно, зато она оставила там у них передатчик, Большое Ухо. И то хорошо. Ее лишь смущало то, что однажды выйдя на связь и напугав ее до колик, эти из оперативно-технического дальше словно воды в рот набрали. Молчали они и сейчас.

В Главке вместе с оперативниками группы сопровождения она сразу отправилась к Гущину. В кабинете у него снова полно народа. А сам мрачный, такой же, как мрачная недовольная Катя.

— Вернулась? Вот и хорошо, а то мы волноваться начали. Теперь отдыхай.

— Федор Матвеевич, я не понимаю... Вы слышали наш разговор там?

— Нет, — Гущин покачал головой.

— Нет? Но я же...

— У них там мощный блокиратор в доме по-прежнему. Вот из технического отчет о спецоперации. В магазине тебя было слышно. Потом, когда этот тип повел тебя в дом, все как отрезало. И звук, и картинка пропали. Я уж не знал что думать, хотел своим приказать, чтоб входили в магазин. Но ты вышла из дома. Все, что мы можем пока — это прослушивать их военторг и гаражи. Станция только оттуда ловит сигнал. В гаражах ремонт какой-то, все металл лязгает, — Гущин глянул на огорченное лицо Кати. — Да ты не переживай. Ты молодец.

— Вот наша беседа. Очень короткая, — Катя выложила на стол свой верный диктофон.

Когда нанотехнологии не фурычат, выручают лишь старые проверенные журналистские фишки!

Все собравшиеся в кабинете слушали запись. Камиль Сен-Санс... Партию ударных исполняет Джек Потрошитель... не настоящий потрошитель...

Когда Катя уже хотела возвращаться в свой кабинет — надо переодеться, снять этот красный топ, рваные джинсы, надеть обычный офисный брючный костюм, — Гущин сказал:

— Надо быть предельно осторожными.

Необычная фраза для шефа криминальной полиции! Катя решила подождать, что он скажет еще.

— У меня из головы не идет то, что профайлер о новой жертве сказал. Ждите, мол, скоро. Я знаю, что он прав... *Женщина мечты*... Как нам не допустить этой новой жертвы? Либо молодая красавица, либо какой-то там идеал для этой поганой сволочи... Знаешь, Екатерина, я сейчас жалею, что послал тебя к ним в Пыжевский. И в дом к Шадриным больше одна ездить не смей.

Катя не стала спрашивать почему.

У себя в кабинете она переоделась в свой обычный деловой костюм, стерла с губ влажной салфеткой яркую помаду. Еще раз прослушала запись с Пыжевского переулка. А потом запись беседы с родителями Родиона Шадрина.

До вечера она корпела над своими статьями для интернет-изданий — рутина рутиной, криминальная хроника. А перед тем как отправиться домой, решила снова заглянуть в уголовный розыск — нет ли новостей.

Полковник Гущин отсутствовал. В его кабинете сидел молодой лейтенант Сайкин за компьютером, назначенный координатором поступающей информации. От него Катя узнала, что Гущин вместе с опергруппой пытается прояснить пробелы в сведениях о двух последних днях супругов Гриневых.

— Поехали трясти ночные клубы, выяснять, где они веселились в ночь накануне убийства, когда консьерж видел их нетрезвыми среди ночи. Надо понять, где убийца мог пересечься с этой парочкой.

Катя кивнула: да, это важно. Она уже шла по коридору к лифту, как вдруг...

Узнать, где мог пересечься... А про Родиона Шадрина это узнавали? Первая жертва София Калараш, на ее трупе ДНК Шадрина, и, по показаниям ее приятельницы, он приходил к ней и даже находился с ней в интимных отношениях. Экспертиза это подтвердила. Гущин вон на этом целую версию выстроил — мол, София Калараш после секса оскорбила Шадрина, посмеялась, и он ее убил, а всех остальных женщин убил, потому что вымещал на них свою злобу за свою мужскую несостоятельность.

Но где они могли пересечься до этого, где познакомились? Откуда больной Шадрин узнал Софию Калараш, приезжую из Молдавии дворничиху? Кажется, этот вопрос так и не выяснили тогда. А ведь она первая жертва. Именно с нее началась вся эта цепь кровавых убийств и странного ритуала с оставлением *мусора* возле тел.

Раскройте любой учебник криминалистики, и там черным по белому — первая жертва всегда чрезвычайно важна. Именно в ней чаще всего кроется ключ и к личности серийного убийцы, и к его поступкам.

Тогда, два года назад, действовали грамотно — установили связь между Шадриным и первой жертвой по наводке какого-то анонима, позвонившего в полицию. Однако все, что предшествовало этой связи, осталось как бы за кадром. Тогда улик и фактов и так хватало. Но их не хватает сейчас. Так вот не настал ли момент обратиться опять к самому началу? К первой жертве?

Катя вернулась к оперу-координатору и попросила поднять в компьютере уже загруженный туда специальным файлом архив дела.

— Мне нужен адрес Софии Калараш, — сказала она. — И фамилия, имя и адрес той ее подруги, которую допрашивали в качестве свидетеля по делу.

Диспетчерская по управлению и ремонту домов микрорайона — этот адрес и телефон фигурировал в деле, оказалась в Вешняках. Именно там, в Вешняках, и был обнаружен изуродованный труп Софии Калараш. Катя записала себе данные и фамилию свидетельницы — Лолита Силуян. Два года назад обе женщины работали в ДЭЗе на улице Молдагуловой — София дворником, Лолита — уборщицей подъездов.

Катя снова поднялась в кабинет Пресс-центра и открыла файл с перекачанной записью — той самой с диска, когда у Родиона Шадрина впервые проверяли его татуировку. Она сделала раскадровку на компьютере и напечатала несколько фотографий крупным планом. Все это забрала с собой.

Она позвонила в ДЭЗ вечером, попала на дежурного диспетчера, официально представилась и спросила:

работает ли все еще Лолита Силуян? Тут счастье улыбнулось — уборщица по-прежнему «обслуживала дома» на улице Молдагуловой. Катя поинтересовалась, как ей отыскать уборщицу на маршруте — может, номер мобильного ее диспетчер подскажет?

Тут диспетчер явно забеспокоилась, спросила, а зачем вам Силуян? Если насчет регистрации, то у нас в ДЭЗе с этим строго... Катя заверила, что она не из миграционной службы.

— Она работает с восьми утра, ищите по домам в подъездах, — диспетчер назвала номера домов. — Если не застанете, сходите в шестой дом на углу Молдагуловой и Снайперской, там один подъезд и подвал.

На следующий день Катя встала очень рано и в восемь уже пилила на своей крохотной машинке через всю Москву в Вешняки. Но не повезло! На Рязанском проспекте она ввинтилась в огромную пробку. Тут уж не помогло ничего — ни воля к победе, ни музыка, которую она слушала... Она провела в пробке час и еще четверть часа, и еще полчаса, пока съезжала с Карачаровской эстакады на поворот.

Часы показывали двадцать минут одиннадцатого, когда она наконец-то достигла улицы Молдагуловой. Искать по подъездам уборщицу в такой час... да у нее небось скоро перерыв! И Катя сразу взяла курс на перекресток с улицей Снайперской. Нашла нужный дом — действительно один подъезд, а рядом вход в подвал, точно в блиндаж.

Катя закрыла малютку «Мерседес-Смарт» и направилась к подвалу. Дернула дверь. Ожидала, что заперто — нет, открыто. Тусклая электрическая лампочка горит, крутая лестница, сумрак внизу и...

— Ой-е-е-е-и!

Женский вопль — оттуда, снизу, из сумрачного подвала.

— Ай-и-и-и-и, умираю!

Женскому крику вторило сопение, хрип.

— Ой-е-е-е-и!!!

Катя застыла на верхней ступеньке. Вихрь мыслей... Лолита Силуян — свидетель... новое двойное убийство... а теперь этот тип... убийца явился за ней и приканчивает ее там, внизу!

— Полиция! — заорала Катя во всю мощь своих легких. — Эй, ты, там, оставь ее, оставь женщину, иначе стреляю на поражение сразу!

Внизу точно боров хрюкнул. Потом наступила тишина. Затем шлеп... шлеп...

— Стоять на месте, я кому сказала! — снова заорала Катя. — Лолита Силуян, вы там?

— Тута, — испуганный женский голос.

— Вы в порядке?

— Д-да, ой, только не стреляйте!

— Можете свет включить?

— Щас!

Шлеп... шлеп... босые ноги шлепают по цементному полу.

Катя подумала — вот... вот сейчас вспыхнет свет и она увидит *его*... А он увидит, что она без оружия, и что делать тогда?

Свет вспыхнул, осветив огромный подвал, разгороженный на клетушки и уставленный двухэтажными койками, словно в ночлежке.

Катя увидела толстую брюнетку — абсолютно голую, та стояла у выключателя. А на ближайшей койке в ворохе одеял сидел пожилой мужчина — тоже абсолютно голый, волосатый, стыдливо прикрывающийся простыней.

— Фамилия? — грозно сверху крикнула Катя.

— Это... Кулицкий я... ой, да что же это такое, мы же ничего... Лолочка, скажи, мы же ничего плохого, мы отдыхаем... Мы любим другу друга! Только умоляю, не говорите моей жене!

Катя распахнула дверь подвала — больше света.

— Документы при себе?

— Пенсионное...

— Одевайтесь, прошу ваши документы.

Там внизу моментально засуетились. Пожилой гражданин начал сначала почему-то натягивать носки и надевать ботинки, потом спохватился и уже совал ноги в ботинках в трусы. Катя наблюдала весь этот стриптиз — и не отвернешься ведь, а то прыгнет на лестницу и шарахнет чем-нибудь по голове.

Лолита Силуян накинула цветастый халат из ситца.

— Так значит, вы в порядке? К гражданину нет претензий? Вы кричали, словно вас режут, — сказала ее Катя.

— Нет, нет, что вы... он ко мне ходит... постоянный мой. Я это... испугалась до черта. Маркуша, погоди, дух переведи, на тебе лица нет. Что же это вы, он только-только раздухарился на мне, а тут вы со стрельбой.

— Я не стреляла, — оборвала ее Катя, — Кулицкий, с документами на выход.

— Только не говорите моей жене! — Пожилой ловелас — рысью по лестнице вверх с удостоверением пенсионным.

Катя глянула.

— Проживаете где?

— Да тут, в доме на восьмом этаже, — за ловеласа ответила Лолита. — Я ж говорю, ходит ко мне, постоянный. Чуть жена за дверь по магазинам, он в лифт, и нырь сюда.

— Лолочка, разочтемся потом, радость моя... ох, что-то сердце, я совсем ослаб...

Однако, как только Катя вернула ему пенсионное, он, подхватив ветровку, бейсболку, пулей вылетел из подвала.

— Значит, ваш местный ухажер? — уточнила Катя.

— Мой, только это... не любовник он мне, а так — похохотали и баиньки, сами видели — от Маркуши толку, как с козла молока. А вопеж мой от того, что только так он еще и заводится. Человек хороший, безобидный, щедрый. Как не помочь? Теперь совсем перепугался, до-о-о-лго не придет.

— Поднимайтесь, Лолита, есть разговор.

— О чем это хотите говорить с моей супругой? Чего тут ползаете?

Голос раздался сзади так неожиданно, что Катя чуть не свалилась со ступеньки. Запахло чесноком и перегаром.

Она резко обернулась — низенький, плотный, почти квадратный брюнет в кожаной куртке, лысый, небритый, весьма решительного вида и руки в карманах. А это еще кто? В деле не сказано, что Лолита Силуян замужем.

— Нанимать пришли? — вякнул тип в кожанке.

— Документы, — Катя оценила, насколько не выгодна для нее ситуация — она на верхней ступеньке крутой лестницы, а парень здоровый как бык, захочет — одним пинком столкнет ее вниз, в подвал.

Она оперлась спиной о дверной косяк покрепче.

— Чего? Какие еще документы?

— Это из полиции, Сенечка! Из полиции ползают!

— Из полиции? — Тип в кожанке прищурился. — Что забыли у моей Лолки?

— Лолита, поднимайтесь, — приказала Катя. — Паспорт захватите свой.

Внизу опять суета, поиски в ворохе вещей, в чемодане. Затем шлеп.. шлеп.. Лолита Силуян, как была босая, без обуви, поднялась по лестнице.

— Паспорт, хорошо, покажите штамп. Это ваш муж?

— Гражданский, — басом пискнула толстуха. — Вы это не подумайте только...

— Штампа нет. Как его зовут?

— Сенечка, я... она нас с Маркушкой застукала, Маркушку прямо на мне!

— Налицо супружеская измена, — сказала Катя. — Что же вы не возмущаетесь, Семен? Лолита, кстати, а что ваш гость имел в виду под словом «потом разочтемся»?

Лолита Силуян молчала.

— Это ваш сутенер? — прямо спросила Катя, кивая на типа в кожанке. — Кишиневская мафия?

— Скажете тоже... мафия... мы просто...

— Что просто?

— А что, я старику задаром давать должна? — огрызнулась Лолита. — Он прилип ко мне как смола, у него дома семья, жена, ей грыжу вырезали, он мне сам жаловался, а у него самого уже все зубы вставные, челюсть ходуном ходит во рту, я что, его за так должна ублажать?

— Лолита, мне до ваших подвальных амуров дела нет, — сказала Катя. — Я к вам по другому вопросу.

— По какому? — встрял «Сенечка».

— Я не с вами разговариваю. Лолита, учитывая все то, чему я стала тут у вас свидетелем, советую быть со мной откровенной, если не хотите, чтобы я сейчас же позвонила в ДЭЗ и местному участковому и этот ваш подвальный дом свиданий прикрыли. А вас миграционная служба выслала вон.

— Да я это... ой, не надо высылать... ой, спрашивайте...

Катя оглядела Лолиту Силуян — по возрасту она старше Софии Калараш. Та более симпатичная, а эта расплылась уже от излишеств и алкоголя. Чесноком и от нее разит, как и от сожителя-сутенера.

— Я хочу, чтобы вы рассказали мне о Софии.

— О Соне? — Лицо толстухи разом изменилось. Она вся как-то моментально притихла.

— Да, о Софии Калараш. Я читала ваши прошлые показания. Но у меня к вам вопросы.

— Два года прошло. Его ведь поймали тогда, гада...

— Я знаю, но мне нужно кое-то у вас уточнить, — сказала Катя и достала из сумки фотографии Родиона Шадрина. — Этот человек приходил к Софии?

Она показала фото. Лолита глянула.

— Да.

— Точно он?

— Он самый.

— Да он это! — снова вякнул «Сенечка».

— Вы тоже были тут два года назад? — спросила Катя.

— А то, был, конечно.

— И видели Шадрина, вот этого человека вместе с Софией Калараш?

— Нее, я не видел.

— Так чего же говорите тогда?

— Так я ж ему все рассказала, а Соня мне. И я его видела, как вас. Приходил он к ней. Чудной такой парень. Вроде заторможенный, у него с головой не в порядке, — зачастила Лолита.

— София имела с ним интим?

— Ага.

— За деньги?

— Конечно, платный, с таким-то недоразвитым? А он ее еще и убил потом, тварь такая!

— Как они познакомились? — спросила Катя. — София вам рассказывала? Вспомните, что она говорила? Где они познакомились с Родионом Шадриным?

— Так мне и вспоминать нечего, на работе и познакомились.

— Здесь где-то во дворах? София ведь дворником работала.

— Нет, не здесь. Она еще подрабатывала в одном месте, то есть в разных местах, где придется.

— Проституткой, что ли? — прямо спросила Катя.

— Уж сразу и проституткой! Что же это вы покойную позорите! Сонька человек добрый, безотказный.

— Извините, пожалуйста, я не хочу обижать никого. Просто очень важно узнать, где София могла встретиться с человеком, который потом ее убил.

— Так в доме ихнем они и познакомились.

— В каком доме? В Дзержинске? София ездила в Дзержинск?

— В какой еще Дзержинск, в Косино она ездила, наняли ее туда, приезжали нанимать, то есть сначала по объявлению в Интернете звонили, а потом приезжали за ней, ну поглядеть, что ли, товар лицом, — вмешался опять «Сенечка». — Со мной разговор шел, весь наем только через меня.

Катя почувствовала, словно что-то ударило ее изнутри... О чем это он?

— Какое объявление в Интернете? Кем София подрабатывала?

— Да я ж вам объясняю, никакой проституции, сиделкой она работала еще, сиделкой при тяжелобольных, — затараторила Лолита. — Ну и я тоже, только я потом перестала, а она работала. Разные там услуги больным. Ну и особые тоже, если надо, но это за двойную плату.

— А что за тяжелобольной был в Косино? — спросила Катя, хотя она уже догадалась.

— Богатый мужик, семейный. Родственник этого, ну, Родьки... В общем, София мне говорила — он ей сам сказал, это отец его.

— Вы хотите сказать, его дядя?

— Нет, отец, — повторила Лолита уверенно. — Дядька его, опекун... то есть отчим, только один раз приезжал, нанимать, смотреть товар лицом. А отец — раковый больной.

— Лолита, объясните, пожалуйста, все по порядку. Вы прежде ни о чем таком не говорили следователю.

— Меня никто не спрашивал, сунули фотку под нос вот как вы, я и опознала этого скота. За что он ее зарезал? — Лолита всхлипнула. — Соня ведь к ним со всей душой, всю себя им отдала, этой семейке. Она сразу поняла, не просто сиделкой ее в тот дом берут. Этот богач в последней стадии рака, а все бабу требовал. Так, мол, ему казалось, что он все еще живой, все еще жизнь в нем теплится. С раковыми больными в постели кувыркаться проститутки дорогие отказываются, ни за какую плату не согласятся с таким лечь. Ну нашли, нас... мы понаехавшие, мы на все согласные, ничем не брезгуем ради денег, так по-вашему, по-московски, — Лолита царапнула Катю недобрым взглядом. — Соня ухаживала за ним, и он трахал ее, пока еще мог. Потом уже не мог, конечно. А семейка эта, кроме всего прочего, наняла ее еще и услуги интимные этому Родьке оказывать, психу. Тоже ведь мужик уже, хочет бабу. Хоть и с головой плохо совсем, а стояк стояком! Соня и с ним спала. Снимала напряжение у него. Потом уж после похорон он к ней сюда заявился, в дворницкую.

— Лолита, вы что-то путаете. Богатый бизнесмен, больной — это дядя Родиона Шадрина.

— Ничего я не путаю, Соня так сказала, он ей сам признался.

— Кто, Родион? Он с ней общался, разговаривал?

— Ну не дурак же он, чтоб уж совсем ничего ни бе ни ме. Придурок, но не полный. Соня мне сказала — Родион не знал ничего сам, потом уже перед самым концом больной этот раковый ему признался — мол, я твой настоящий отец, ты семя мое.

— Что еще София вам рассказывала про тот дом в Косино?

— Ну, мол, богатый дом, фабрика кондитерская и много всего, тачки такие, что закачаешься.

— Значит, Родион жил там, не с родителями?

— Приходил он туда часто, за больным ухаживал. За отцом то есть. Когда надо с постели поднять, помыть и все такое. Там у него брат был, Соня говорила... и еще сестра, кажется, и тетка, эта всем верховодила, все приказы раздавала.

— Это она приезжала нанимать Софию?

— Нет, не она, я же вам объясняю. Приезжал опекун, то есть не опекун, а отчим Родьки, мне Соня говорила — он в доме у них на посылках подай-принеси.

— Вы знаете его фамилию, имя?

— Нет, знаю лишь, что отчим, а тот — настоящий отец.

— Вы сами его видели?

— Я нет, вот Сенечка его видел, он и деньги с него получил. Бабло.

— Получается, отчим Шадрин тоже общался с Софией, знал ее?

— Конечно, он же сам ее выбрал, — сказал «Сенечка», — а вот Лолку отверг. Эта, мол, подойдет сиделка, а не та. Он на сайте агентства, которое сиделок посылает, фотки глядел. Разборчивый!

Катя смотрела на кишиневского сутенера. То, что она услышала тут, возле подвала, поразило ее.

Она подумала: кажется, бесполезно спрашивать у тебя — не ты ли тот аноним, что звонил в полицию насчет награды за информацию... Но кто, как не ты, мог звонить, зная все подробности о связи Софии Калараш и Родиона Шадрина?

Глава 30
ЛАСТОЧКА

Полковник Гущин разговаривал по телефону с экспертом Сиваковым, когда Катя, вернувшись из Вешняков, не говоря ни слова, выложила перед ним на стол включенный диктофон с записью разговора «у подвала».

Гущин сначала замахал рукой, точно разгневанный гриф крылом — потом, потом, не видишь, я занят! Затем вслушался и тут же буркнул Сивакову, что перезвонит.

— Это что еще такое? — спросил он, когда запись кончилась.

Катя рассказала все коротко и без утайки. Гущин снова включил диктофон. По мере того как вслушивался в показания Лолиты Силуян, лицо его приобретало очень сложное выражение интереса, напряженного внимания, досады и еле сдерживаемой злости. Катя подумала — ведь это ты и никто другой разыскал тогда два года назад эту свидетельницу, провел опознание с ней, но вот, оказывается, некоторых весьма важных фактов так и не узнал. И теперь ты досадуешь и злишься, словно это я виновата, словно это не ты оплошал тогда. И ты бесишься, что я все это раскопала сейчас, а ты, старик Гущин...

— Молодец. Пять с плюсом за инициативу, — сказал Гущин непередаваемым тоном.

— Федор Матвеевич, я решила поступить, как вы меня учили — снова вернуться к первой жертве.

— Когда это я тебя учил?

— Много раз, а вы не помните? Ваши уроки оперативной работы помню наизусть.

Катя постаралась, чтобы этот подхалимаж... этот наглый подхалимаж... ах, да что там — подлизываться так подлизываться!

— Я решила, что вы все равно сами вернетесь к первой жертве — Софии Каларам, но вы заняты — вчера вот Гриневыми занимались, так что я решила вам помочь. Удалось что-то узнать по Гриневым?

— С одиннадцати до трех ночи накануне убийства они в «Сохо» веселились. Коктейльная вечеринка на крыше, — сказал Гущин, смягчившись.

— В «Сохо» всегда полно народа, знаменитый ночной клуб, — сказала Катя, — Федор Матвеевич, смотрите, что получается. Если Лолита нам не врет, выходит, София

Каларащ работала в доме Масляненко в Косино сиделкой. И заодно оказывала больному Масляненко интимуслуги. И Родиону Шадрину тоже. Может, и Феликсу? Получается, Феликс знал первую жертву, как и Родион. И его отчим Роман Шадрин знал Софию Каларащ тоже. Он же тогда, после второго убийства, оказался вместе с Родионом, когда патруль проверил у них документы. Смотрите, как все сплетается!

— Да, но порезы на трупах выглядят очень похожими на нацистские татуировки, как у Момзена и Олега Шашкина, — сказал Гущин.

— А вы сами сказали, что у Феликса тоже татуировка на руке. И потом он единственный, кто отсутствовал все это время — был за границей.

— Что свидетельница там плела насчет какого-то отца настоящего? — спросил Гущин и снова включил запись, перемотал до нужного момента.

Прослушал. Потом сказал:

— Ты не очень этим всем увлекайся.

— Да, но я подумала...

— Когда все так сплетается, жди какого-то нового подвоха, — Гущин глянул на часы. — Ты посиди пока тут. Мне надо зайти к начальнику Главка.

— Я посижу, а что Сиваков вам сказал по телефону? У экспертов какие-то новости?

— Пока особо никаких. Он там все колдует с черепками. Сказал, что это части одной и той же вещи, химический анализ показал идентичность состава глины. Теперь они хотят задействовать какую-то новую компьютерную программу для обработки данных.

Катя ждала Гущина долго, видно, в больших кабинетах читали длинные нотации о том, как надо и не надо работать. Наконец Гущин вернулся, промокнул носовым платком свою глянцевую вспотевшую лысину и объявил:

— Поедешь сейчас со мной.

— Куда? — Катя так сразу и засветилась любопытством.

— Тряхнем опять фабрикантшу. В прошлый раз Вера Масляненко не до конца была с нами откровенной. Оказывается, ей есть что еще порассказать о своем племяннике. Или кем он ей приходится, если учесть показания дворничихи. О первой жертве тоже есть что порассказать, раз она у них по двойному тарифу работала.

Лишь в машине, когда позади осталась МКАД, Катя поняла, что они едут вовсе не в Косино на Святое озеро.

— Вера Масляненко сегодня на своей фабрике, — глядя в окно, произнес Гущин. — Я ей звонил, у нее номер недоступен, а вот секретарь ее в офисе сказал, что она сегодня с самого утра на фабрике. «Царство Шоколада», любишь их конфеты?

Катя пожала плечами.

— Ну? Фрукты в шоколаде — чернослив, груши, абрикосы?

Катя кивнула — яркие обертки конфет в кондитерском магазине.

— Шоколад у них там, сплошной шоколад, — Гущин смотрел в окно, они уже проезжали Люберцы-1. — Я помню то место — свалка там существовала с начала времен, загаженный пустырь. За неделю все там расчистили, раскатали бульдозерами, забетонировали и поставили цеха. Запустили кондитерское производство. Это все она — Вера Масляненко. Муж ее тогда лечился. Потом похоронили его. А фабрика до сих пор лучшая в Подмосковье, одна из лучших в стране.

Проехали Люберцы-2, свернули с автострады на оживленное шоссе, и впереди в поле, чистом, убранном (поди догадайся, что бывшая свалка) возникли фабричные корпуса — розовый и желтый, точно сделанные из марципана.

Катя уловила волшебный аромат — в воздухе пахло шоколадом. И этот запах перебивал все — и вонь бензина, и жар нагретого солнцем асфальта, и даже аромат майской зелени.

Они остановились у проходной. Гущин показал охране удостоверение.

— Вера Сергеевна на фабрике?

— Да, здесь, в цехах или у себя в офисе. С дочкой приехала сегодня, знакомить с производством. А вы это... из полиции, да? С проверкой?

— Позвоните в офис секретарю, — приказал Гущин. — Он в курсе, я с ним час назад разговаривал, пусть предупредит, что мы уже здесь.

Секретарь — средних лет, очень деловой, явился за ними к проходной сам.

— Пойдемте, я вас проведу в офис. Вера Сергеевна сейчас в цехе темперирования, будет через несколько минут.

— Скажите, у вас тут в отделе кадров работает Роман Веселовский, — сказал Гущин, — он сегодня на фабрике?

— Да, он заместитель начальника отдела кадров. Он дальний родственник нашей хозяйки, очень хороший сотрудник, — охотно сообщил секретарь.

Катя подумала — надо привыкнуть к тому, что у отца... то есть у отчима Родиона Шадрина новая измененная фамилия. А то, когда Гущин вот так спрашивает неожиданно, первое впечатление — а о ком идет речь? Тут у них так все запутано — новые фамилии, новый дом. И какие-то новые, неизвестные следствию, семейные тайны.

— А кем отчим работал два года назад? — тихо спросила она Гущина, когда они шли следом за секретарем длинным служебным коридором.

— В московской фирме по продаже газового оборудования. Не кадровиком, просто менеджером. Видимо, его жена попросила сестру Веру пристроить его сюда на фабрику. Ведь место работы тоже пришлось менять, как адрес и фамилию.

— Нам надо пройти через цех очистки и дробления какао-бобов, пожалуйста, наденьте вот это, — секретарь указал на шкаф с зелено-синими, похожими на больничные комбинезонами. — У нас в цехах все стерильно. И на ноги надевайте бахилы.

Катя и Гущин начали одеваться. Толстому Гущину комбинезон оказался чудовищно мал, пришлось снять пиджак.

Секретарь открыл дверь магнитной картой, и Катя сразу оглохла.

Такой шум стоял в цеху! Работали агрегаты-дробилки в закрытых емкостях. Пахло какао так одуряюще, что в голове клубился шоколадный туман.

Они миновали цех. Эти хромированные аппараты, эти механизмы, этот неумолчный гул — и ни одного рабочего в цеху! Все автоматизировано до предела.

В следующем цеху было намного тише, но гораздо жарче. Воздух как в тропиках.

Роботы-автоматы поворачивали огромный чан, и темная ароматная река шоколада растекалась...

У Кати захватило дух. Шоколадная фабрика... мечта всех детей... шоколадное царство...

Коричневая ароматная густая, как смола, обжигающая, как лава... сладкая, горькая... да, пока еще очень горькая жижа булькала в емкостях и растекалась по формам.

Возле жидкокристаллического дисплея — рабочий фабрики, единственный в этом огромном роботизированном цеху, облаченный в точно такой же зеленый комбинезон с плотно облегающим голову капюшоном.

Сотрудник повернулся — это была женщина. Катя опять, как тогда, в том доме на Святом озере, подумала, что видит саму хозяйку — Веру Масляненко.

Но потом она узнала женщину, хотя в комбинезоне ее не так просто было узнать.

Мальвина — сестра Феликса.

— Здравствуйте, вы и сюда добрались к нам, — улыбнулась она приветливо. — Секретарь позвонил, и мама сама пошла вас встречать.

— Мы, наверное, разминулись, — ответил Гущин. — Что, производство шоколада осваиваете потихоньку?

— Мама считает, что мне нужно быть с ней здесь, полезно приехать на нашу фабрику. Но я не люблю тут бывать, у меня голова начинает болеть.

— Да, шоколадом пахнет, аж дух захватывает, — Гущин оглядывал цех. Он ждал Веру Сергеевну. — А вы не на занятиях сегодня?

— На занятиях? Каких?

— Ну, ваши лекции.

— Нет, сегодня у меня лекций нет. Мама велела поехать с ней сюда, смотреть производство.

— Мальвина, можно спросить вас, — Катя на секунду запнулась. Хотела задать тот главный вопрос: вы знали Софию Калараш? Но она перехватила предупреждающий взгляд Гущина и поэтому тут же перестроилась: — Помните, вы читали нам стихи Михаила Кузмина про «Туле», северный остров? Зеленый пар за краем голубым... Скажите, вы слышали о рок-группе под названием «Туле»? В ней играл ваш двоюродный брат.

— Мой брат?

— Ну да, Родион, — Катя подумала: если дворничиха сказала правду, то он тебе вовсе и не двоюродный, а единокровный брат.

— «Туле»? Да, я знаю, — Мальвина кивнула. — Казалось мне, сижу я под водою... Зеленый край за паром голубым... Но я искал ведь не воспоминаний, которых тщательно я избегал, а дожидался случая... Когда зеленый край за паром голубым...

Внезапно Мальвина умолкла. Взор ее был устремлен куда-то в дальний край цеха — туда, назад.

— Зеленый пар за краем голубым... за *граем*...

Робот в очередной раз перевернул чан с кипящим шоколадом, и коричневая река медленно потекла по желобам в формы, точно лава из жерла вулкана.

Глаза Мальвины расширились, на лице появилось выражение беспредельного ужаса, словно она увидела там, в глубине цеха, что-то невообразимо жуткое.

— Мальвина, что с вами? — спросила Катя и увидела, что полковник Гущин, будто завороженный этим странным взглядом, быстро обернулся.

Катя тоже хотела посмотреть, что там, среди этих поточных автоматизированных линий.

Однако лицо Мальвины приковало ее взгляд. Лицо исказила дикая гримаса, словно все черты перекосил мгновенный паралич. Рот широко раскрылся, распялился, как будто она собиралась истошно кричать, но не смогла издать ни звука, лишь со странным свистом и хлюпаньем втянула в себя пропитанный ароматом шоколада воздух.

Ее глаза... В них промелькнуло что-то, и они тут же помертвели от беспредельного ужаса.

И так же неожиданно черты лица разгладились. Это было то же самое лицо и одновременно *другое*. Катя поклясться в этом была готова — те же черты — лоб, щеки, нос, глаза, темные волосы, но...

Губки сложились бантиком, в глазах появилось невинное выражение любопытства, детской непосредственности и абсолютной наивности, если не сказать больше — какого-то младенческого идиотизма.

Мальвина улыбнулась светло и произнесла:

— Все хорошо.

Катя чуть не упала. Гущин... он никак не мог понять, что происходит. Он даже снова оглянулся, ища в цеху невесть откуда взявшегося тут ребенка. Потому что «все хорошо» сказал именно ребенок — девочка лет семи, которая страшно шепелявила.

Мальвина коснулась пальцем руки Кати и спросила:

— Ты кто?

— Мальвина, что с вами? Вам плохо? — хрипло спросил Гущин.

— Мальвина ушла. Ее тут нет.

— То есть куда... вы что это шутить с нами вздумали...

— Федор Матвеевич, подождите секунду, — Катя разглядывала стоявшее перед ней существо. — Я Катя. А ты кто?

— Я Ласточка, — прошепелявила девочка.

— Тебя зовут Ласточка?

— Да.

— А кто тебя так зовет? Мальвина?

— Нет. Да. Все. Они все.

— Она что, спятила моментально? — тихо спросил у Кати Гущин.

— Я не знаю, — ответила Катя тоже шепотом. — Но это точно не Мальвина, вы послушайте, как она разговаривает.

— Мальвина ушла, — повторил ребенок. — Она испугалась.

— Кого она испугалась? Тебя?

— Нет, — девочка засмеялась.

Этот смех... детский смех в шоколадном цеху — громкий, заразительный, такой озорной...

Внезапно он затих. Слышалось лишь бульканье шоколада в чанах и шипение растекающейся шоколадной жижи.

— Хочу конфет, — произнесло существо.

Катя полезла в сумку и достала карамельку, она всегда носила с собой фруктовые леденцы. Протянула. Заметила, что рука дрожит — так в зоопарке мы протягиваем лакомство странному непредсказуемому зверьку, который может и полакомиться из ваших рук, и откусить всю руку.

— Шоколадных, — уточнила Ласточка. — Ой, тетя пришла.

В дверях цеха темперирования застыла высокая фигура точно в таком же зеленом комбинезоне с капюшоном.

Вера Сергеевна Масляненко спросила:

— Что тут происходит?

— Это вы нам объясните... ваша дочь... она как-то очень странно себя ведет, — Гущин с трудом нашел нужные слова.

Вера Сергеевна поднесла руку ко рту.

— О боже... это опять... это опять случилось...

— Я Ласточка, — пропел ребенок. — Все хорошо, я Ласточка.

— Да, да, Ласточка моя, ты моя Ласточка, — голос Веры Сергеевны дрожал. — Ты моя девочка...

— Ласточка, а где сейчас Мальвина? — спросила Катя.

— Не надо с ней говорить, она не в себе, я ее сейчас уведу, — Вера Сергеевна подошла к дочери. — Не видите, она не в себе. Я потом вам все объясню. Сейчас ей лучше уйти.

— Подождите, — сказал Гущин и кивнул Кате, — спрашивай, что хотела.

— Ласточка, все хорошо, — Катя старалась говорить очень спокойно, хотя давалось это с трудом, — а где сейчас Мальвина?

— Ее нет. Она ушла, — ребенок повторил то же самое, но уже капризно, с вызовом.

— Куда она ушла? Она тут, на фабрике?

— Я не знаю. Но это хорошо, что она ушла.

— Почему?

— Потому что так нужно.

— Но Мальвина вернется к нам?

— Да. Только это плохо.

— Почему плохо, Ласточка?

— Потому что он ищет ее.

— Кто он?

— Андерсен.

— Сказочник? Ты любишь сказки?

— Нет. Андерсен. — Ребенок обвел их невинно весе-
лым взором. Потом личико его стало печальным. — Он
вас убьет. Он вас всех убьет.

— Почему он нас убьет?

— Потому что он всех убивает.

— За что?

— Он плохой. Бойтесь его.

— Андерсена сказочника?

— Да, — ребенок вздохнул. — Я всегда прячусь.

— Ты видела его?

— Да.

— А Мальвина видела его?

— Я не знаю. Я его боюсь. Я прячусь. Не отдавайте
меня ему.

— Мы не отдадим, Ласточка...

— Не отдавайте меня ему! Только не пускайте его
сюда-а-а-а!!!! — Ребенок начал плакать, затем плач пере-
шел в рыдания взахлеб.

— Прекратите, видите же, она не в себе! Ласточка,
девочка моя, — Вера Сергеевна, оттолкнув Катю, ринулась к Мальвине, обняла ее крепко, словно пытаясь объ-
ятиями заглушить эти рыдания, наполнившие цех темперирования. — Все хорошо, все хорошо... тебя никто не
обидит... ну тихо, тихо... успокойся.

— *Он не может жениться, он злой... очень злой поэтому!!!*

— Ласточка, что ты сказала? — воскликнула Катя. —
Где ты видела Андерсена, когда? Сегодня, тут, на фабрике?

Вера Сергеевна одной рукой крепко прижала дочь
к себе, а другую руку подняла, словно щитом защищаясь,
словно умоляя...

В цеху темперирования стало очень тихо. То есть по-
прежнему работали все автоматизированные поточные
линии. Но никто из них даже не замечал сейчас этого
фонового шума. Царила *могильная тишина*.

— Мама, мне душно, ты меня задушишь, что ты в меня так вцепилась.

Это сказала Мальвина.

Руки Веры Сергеевны бессильно упали. Мальвина медленно стащила с головы зеленый капюшон. Обернулась.

Лицо ее снова было прежним. И говорила она нормально, как обычно. Только по лицу ручьем тек пот. Темные волосы промокли, слиплись от влаги.

— Что вы на меня все так смотрите? — спросила она.

— Вам было нехорошо, — тихо сказал Гущин. — Сейчас вам уже лучше, да?

— Голова гудит. Мама, я же говорила, мне не стоило приезжать сюда, тут так пахнет, так нестерпимо воняет!

Она снова смотрела туда — в дальний конец цеха.

Катя обернулась — там стоял Феликс. Никакого защитного комбинезона на нем — черный сюртук с кружевным жабо, замшевые сапоги, бархатный жилет — костюм антикварного гота среди современных поточных линий кондитерского цеха смотрелся невероятно, словно шоколадную фабрику посетило привидение из прошлого.

— Сынок, хорошо, что ты приехал так быстро, — сказала Вера Сергеевна. — Помоги сестре, позаботься. Это опять случилось.

Она повела Мальвину туда, к нему. Он обнял сестру за плечи. Катя наблюдала за ним.

Все оказалось очень просто — в дальнем конце цеха — тоже дверь: раздвижная. Феликс приложил к датчику магнитную карту.

Когда они ушли, Вера Сергеевна сказала:

— Я вам должна объяснить. Только не здесь. Пойдемте в мой офис.

Глава 31

СЕМЕЙНЫЕ ТАЙНЫ

В офисе, куда они перешли из цеха темперирования, Вера Сергеевна первым делом услала куда-то с поручением своего секретаря. Затем плотно закрыла дверь. Потом достала из ящика пачку сигарет и закурила.

Катя думала о том, куда так внезапно появившийся в цеху Феликс увел свою сестру — в другой офис, в туалет или успел уже увезти с фабрики.

— Думаете, мне легко жить со всем этим? — хрипло спросила Вера Сергеевна, жадно глотая сигаретный дым. — Родной племянник объявлен маньяком-убийцей. Моя дочь, старшая... моя гордость... вы сами только что все видели.

— Что с ней такое? — спросил Гущин. — Это и на припадок не похоже, и не косила она вовсе, не притворялась. Это прямо какой-то другой человек вдруг возник. Девочка. Я своими ушами слышал. Вашей дочери около тридцати, а это был ребенок маленький совсем. И внешне она изменилась — не знаю как, но она стала какой-то другой даже внешне. Походка, жесты... это был ребенок.

— Диссоциативное расстройство идентичности, — сказала Вера Сергеевна.

— Что, простите?

— Раздвоение... расщепление личности. Слышали про такое?

— Только в кино. Я считал — это все выдумки.

— Я тоже так когда-то думала, — Вера Сергеевна закурила сигарету. — Мальвина родилась, когда мне было девятнадцать. Я была замужем, мы жили счастливо с Валерой, моим мужем. И наша девочка родилась в полном порядке. Все было хорошо. Она отлично училась. Всегда считала образование главным, хотя ни я, ни отец особо не настаивали. Она изучала иностранные языки, литературу, всегда хотела преподавать. Но однажды... случилось вот это. Появилось это создание. Ласточка...

— Это случилось с Мальвиной уже во взрослом возрасте? — осторожно спросила Катя.

— Да. Как гром среди ясного неба. Не было ни болезни, ни какого-то душевного потрясения... Эта вторая личность появилась словно ниоткуда. Словно бес какой-то вселился, — Вера Сергеевна всхлипнула. — Мы с мужем не знали, что и думать. К нашим врачам обращаться не стали. Мы повезли Мальвину в Швейцарию. Там ее смотрели врачи, поставили этот вот диагноз — диссоциативное расстройство идентичности. Редкий случай в психиатрии. Объяснили, что это не сумасшествие, не шизофрения, это просто раздвоение личности. Как в такое можно поверить мне, матери? Как с этим прикажете жить? Это дочь моя любимая, плоть моя, кровь моя... Я люблю ее, мою дочь, ее характер, ее душу, ее привычки, даже ее недостатки я люблю. Я ведь ее мать. И вдруг возникает эта... я не знаю даже, как это назвать... эта маленькая тварь, эта чертова Ласточка...

— Мальвина помнит о появлении Ласточки? — спросила Катя.

— Вы же видели, она ничего не помнит. Я не знаю, куда она сама девается... то есть я хотела сказать, куда исчезает при этом ее настоящая личность, ее первое я... Психиатры в Цюрихе нам с мужем что-то объясняли, я не помню, муж во всем этом пытался хоть как-то разобраться. Я только плакала, я никак не могла смириться. А потом мой муж умер. И теперь все это обрушилось на меня. Весь этот домашний кошмар.

— Ваша дочь... то есть я хотел сказать, Ласточка, она упоминала кого-то по имени Андерсен. И речь шла о том, что он вроде как убийца, — сказал Гущин.

— Да, я тоже это слышала. Она вообще стала какой-то другой. Ласточка, не Мальвина, а эта маленькая дрянь. Раньше она много болтала о всяких пустяках, пела иногда. А сейчас она стала ужасной плаксой. И словно постоянно чего-то боится. Словно ее кто-то сильно напугал.

— А Мальвина что говорит?

— Я же вам объясняю, она ничего не помнит. Жалуется на головную боль, на усталость, на слабость.

Гущин помолчал, будто обдумывая произошедшее и сказанное. Катя тоже помалкивала, она еще не оправилась от шока.

Затем Гущин достал из кармана пиджака фотографию.

— Вера Сергеевна, вам знакома эта женщина?

Вера Сергеевна зажгла от старой сигареты новую. Ухоженное лицо ее со следами былой красоты сейчас осунулось.

— Это София, наша бывшая сиделка. Она из Молдавии. Ухаживала за моим мужем.

— Она жила в вашем доме?

— Приезжала, у нее был скользящий график — иногда дневные дежурства, иногда ночные.

— Вера Сергеевна, у нас есть сведения, что она не просто ухаживала за вашим мужем.

— Если вы не понимаете, то вы должны понять, — сказала Вера Сергеевна.

— Я понимаю, но лучше вам все объяснить самой.

— Мой муж умирал от рака. Я исполняла любое его желание, лишь бы как-то продлить... облегчить ему существование... Черт возьми, он ждал смерти, вы знаете, что это такое? Нет? А я знаю, потому что все происходило на моих глазах. Мой муж медленно умирал. И я ничем не могла ему помочь. Я была готова на все. Да, он хотел женщину, ему казалось, что с женщиной не так страшно... понимаете, не так страшно ждать смерти. Он всегда был очень пылок и любвеобилен. До самого конца. Я наняла для него Софию. За деньги она была готова делать все, что он пожелает и сможет в постели.

— Для Родиона вы ее тоже наняли?

— Да, и для моего племянника тоже. Он помогал нам как мог, ухаживал за моим мужем. Он мужчина. Несмотря на свою болезнь, он был и остается мужчиной. Надя меня просила что-то сделать... Сонька, то есть София, не возражала. Она была жадной бабой, и до мужиков, и до денег.

— Вам известно, что София Каларащ, ваша сиделка, стала первой жертвой Родиона Шадрина?

— Мне Надя... сестра говорила об этом. Она ведь с делом уголовным знакомилась как законный представитель Роди. Но я не верила. Мой племянник не способен убить.

— У нас есть сведения, что Родион вам не просто племянник, — сказал Гущин.

Лицо Веры Сергеевны пошло красными пятнами.

— Что вы хотите этим сказать?

— У нас есть сведения, что он сын вашего мужа от вашей младшей сестры Надежды.

— Да кто вам такое сказал???!!!

Она закричала это так, что...

Но возмущенный крик как-то быстро заглох.

Полковник Гущин и Катя ждали.

— Ладно, — сказала Вера Сергеевна, раздавила окурок сигареты прямо о столешницу офисного стола, не утруждая себя поиском пепельницы. — Ладно. Не знаю, кто проболтался. Но если вы не понимаете, вы должны постараться понять и это.

— Я постараюсь, — серьезно сказал полковник Гущин.

— Наша с Надей мать пила. Она работала костюмершей на «Мосфильме». Законченная алкоголичка. Ее пьяную сбила машина. Мне тогда только исполнилось восемнадцать лет, Надьке было восемь. Я стала для нее матерью, я пошла работать туда же, на «Мосфильм», в художественный цех. Потом мне предложили сниматься в кино, так, несколько эпизодов... сочли мою внешность подходящей. Там я встретила Валерия. Помните восьмидесятые, полковник, что это было за время? О, люди тогда уже начали делать свой бизнес. Валерий делал бизнес на видеокассетах. Фильмы, подпольный видеопрокат за деньги, покупали и перепродавали видеомагнитофоны. Он был широко известен в Москве. Вокруг него всегда полно толклось народа — актеры, все эти пьяницы... Они занимали у него деньги без отдачи. Потому что он в деньгах купался уже тогда. Когда я встретила его, он купался в деньгах, понимаете? «Мерседес», квартира на Кутузовском, огромная дача в Малаховке. Это сейчас нам странно слышать про все это. Кажется таким жалким. А тогда это считалось пределом мечтаний, богатством, капиталом. Он захотел меня, и я... я выскочила замуж за него пулей. Я не помнила себя от счастья. Он стал мне и мужем, и отцом, он ведь был старше меня почти на шестнадцать лет. Надя жила с нами, он заботился о ней. Потом у меня родилась Мальвина. А затем... Это моя вина. Но мне было тогда всего двадцать четыре, еще дура дурой... Хотелось какого-то рожна, хотя и так все в руки плыло. Валерка был ненасытный в постели. А Надька подросла, стала так хорошеть... Короче, это я виновата, я позволила... Однажды на Новый год мы напились все в ресторане и потом поехали на дачу. Затопили камин и все втроем легли в одну постель. Я была пьяной, Валера тоже и моя младшая сестра... Надьке было всего четырнадцать, но она хотела секса не меньше, чем мы. Короче, она залетела с первого раза. Да, она забеременела от Валерки, моего мужа, он не соображал, что делает... И я не соображала, я все это поощряла. Казалось — вот она свобода во всем, долой условности. Потом только, когда мы поняли, что Надька беременна... О господи, это моя вина! Я всю жизнь перед ней виновата. И за то, что Родиоша вот таким родился. Мы с мужем заботились о ней и о мальчике тоже. Когда поняли, что Родиоша неполноценный, что у него врожденный аутизм... еще больше заботились. Надя жила с нами. А когда она стала совершеннолетней, Валера нашел ей подходящего мужа.

— Романа Шадрина? — спросил Гущин.

— Да, Рому. Он служил шофером у моего мужа уже тогда, всегда был предан ему всей душой. Он принял Надю как жену и полюбил. Родиошу принял тоже, он его усыновил с разрешения Валеры. Мы помогали им материально всегда.

— Поэтому так щедро помогаете и сейчас?

— Я очень виновата перед Надей. А Родиоша плоть и кровь моего мужа, которого я обожала.

— Поэтому вы не верите в его виновность? Именно потому, что он сын вашего мужа?

— Да.

— Или у вас есть какие-то иные причины для сомнений?

— Он сын моего мужа. Он мне дорог.

После паузы полковник Гущин произнес:

— Я признателен вам за откровенность, Вера Сергеевна. Попрошу завтра к четырем часам приехать вместе с дочерью в Главк в Никитский переулок. Я вызову специалиста из Института Сербского.

— Психиатра? — Вера Сергеевна так и вскинулась.

— Да, психиатра. Он побеседует с Мальвиной в вашем присутствии.

Глава 32
ОТХОДЫ

Роман Ильич Шадрин-Веселовский в это утро по дороге из дома на кондитерскую фабрику остановил машину возле мусорных контейнеров у шоссе на въезде в поселок Черное озеро.

Он открыл багажник и вытащил два больших аккуратно завязанных мусорных мешка, плотно набитых, и, оглянувшись по сторонам, бросил их в контейнер.

— Нет, совсем не так я представлял себе нашу работу по розыску маньяка, — со вздохом сказал один из сидевших в машине, припаркованной возле бензозаправки на противоположной стороне шоссе. — Вообще девяносто семь процентов оперативной работы — это вот такое дерьмо разгребать.

— Сейчас разгребешь, — пообещал второй, сидевший за рулем, постарше. — Мужик чего-то оглядывается, по сторонам глазами шарит.

Оперативники терпеливо ждали, когда машина Романа Ильича скроется из вида. Тот, что постарше достал список предметов, которые они должны не пропустить в домашних отходах, если таковые там окажутся. В списке значились: колеса или какие-то другие части детской коляски, фрагменты бамбуковой ложки-рожка, рваный чехол от диванной подушки, любые деревянные щепки или доски, любая посуда из глины или осколки от посуды, любые предметы женской одежды, особенно женского белья.

Выждав еще минут десять — а то вдруг фигурант вернется, оперативники перешли шоссе и открыли мусорный контейнер. Черные мешки лежали сверху. Они не стали утруждать себя перетряхиванием содержимого на месте, а забрали оба мешка с собой.

Отходы дома Шадриных-Веселовских теперь проверялись регулярно, хотя мусор там любили копить и выбрасывали не часто — всего два раза в неделю.

Отходы особняка в Пыжевском старались проверить тоже. Однако там оказалось все гораздо сложнее. Мусорные баки для мусоровоза, навещавшего этот тихий уголок Замоскворечья по ночам, оказались на углу в непосредственной видимости камер особняка. Достать сразу что-то из контейнеров, как только мешки с мусором туда бросались, не представлялось возможным — это могли заметить. Приходилось ждать позднего часа. А к тому времени мусор в баках накапливался до предела, и определить, что из какого дома в Пыжевском или из окрестных переулков выброшено, было невероятно сложно.

Уже через час мешки с отходами из контейнера на шоссе лежали на столе в экспертном отделе местного УВД. Эксперт-криминалист уложил на стол большой железный лоток, надел резиновые перчатки, вооружился пинцетом и высыпал содержимое.

Гора дряни. Все слипшееся, осклизлое, сопревшее, туго утрамбованное в мешке.

Картофельные очистки, пластиковые коробки, почерневшая кожура от бананов, рваный полиэтилен, чайные пакетики, кофейная гуща из кофемашины, сгнившие объедки...

Эксперт-криминалист сосредоточенно ковырял пинцетом всю эту вонючую кучу. Тот же самый список, который имели оперативники, он уже успел выучить наизусть.

Затем достал второй железный лоток и опустошил туда второй мусорный мешок.

Все то же самое, плюс использованные гигиенические пакеты, плюс пять непарных рваных носков — двое детских и трое мужских, плюс выдавленные тюбики зубной пасты, банка с пожелтевшим кремом, пластиковые корытца из-под фасованных полуфабрикатов и слипшийся ком оберточной бумаги.

Эксперт очистил его пинцетом, раскрыл. Затем вытащил руками из мусора, уложил на специальную подставку и начал аккуратно расправлять. Он искал этикетку или товарный чек, если тот еще не распался от влаги и гнили.

Мокрая бумага ползла под пальцами. Однако то, что он хотел найти, оказалось в самой середине скомканной массы и не слишком пострадало. Эксперт отогнул край бумаги пинцетом.

Товарный чек. Все реквизиты до сих пор читались довольно четко. Эксперт-криминалист сверился с другим списком.

И сразу же схватился за мобильный — звонить в Экспертно-криминалистическое управление Сивакову.

Глава 33
ГИПНОЗ

— То, что вы мне рассказали, крайне любопытно. Если, конечно, вы правильно интерпретировали то, чему стали свидетелями. Это очень редкое заболевание, и ввиду его редкости долгое время само существование этого явления ставилось под сомнение. Хотя в медицинской литературе и описаны некоторые достоверные случаи, однако в большей степени факты оказывались неподтвержденными.

Старичок в синем костюме поднял руку, украшенную обручальным кольцом, и мягко с укором погрозил — нет, не притихшему полковнику Гущину и не затаившейся на дальнем конце стола для совещаний Кате, а словно этим самым «неподтвержденным фактам».

Сухонький, как мумия, нудный, как зубная боль, в старомодных золотых очках профессор психиатрии Давид Гогиадзе — еще один профессор в этом запутанном уголовном деле — ведущий консультант по вопросам судебной психиатрии Института имени Сербского.

Несмотря на свой почтенный восьмидесятилетний возраст, он до сих пор считался лучшим специалистом по самым спорным случаям и приехал в ГУВД в Никитский переулок по первому звонку полковника Гущина лично.

— Ее мать сама назвала вам диагноз? — спросил он.

— Да, раздвоение личности. Только она назвала это по-ученому как-то, — ответил Гущин.

— Диссоциативное расстройство идентичности?

— Во-во, это самое, что это такое, Давид Георгиевич? Психоз?

— Нет, это не психоз и не шизофрения. И не синдром. Это психический феномен — диссоциативное расстройство. Очень редкое явление. Принято считать, что в какой-то момент у больного происходит разделение личности, расщепление на две половины, так что складывается впечатление, что в теле обитают сразу двое. Два «Я», которые сменяют друг друга.

— Так все и было. Сначала она разговаривала с нами нормально. А потом вдруг, я не знаю как, но в ней появился ребенок. Девочка совсем маленькая.

— Интересно. И тому есть какие-то доказательства? — спросил профессор Гогиадзе подозрительно.

— Я это своими ушами слышал и видел своими глазами. И моя коллега из Пресс-службы капитан Петровская тоже.

Катя закивала с дальнего конца совещательного стола.

— Но это же все произошло в производственном цеху. Там ведь так шумно. Вам могло показаться. Девушка решила пошутить, изменила голос на детский. А вы неправильно все интерпретировали.

— Да не шутила она с нами. Она сама изменилась — опять же не знаю как, но все в ней стало другим. Мимика, жесты, походка, как она вела себя с нами, ее голос! И слышал и видел ребенка.

Профессор психиатрии благожелательно кивал, с интересом (весьма профессиональным интересом, надо сказать!) наблюдая за начинавшим горячиться полковником Гущиным.

— Так, так, все правильно. Вторая личность абсолютно не похожа на первую. Считается, что в момент расщепления и после «переключения» активная, в данный момент, личность не может вспомнить, что происходило, пока была активна вторая личность. Хотя это весьма спорно и никем не доказано. Фактор памяти... это и проверить-то невозможно.

— Вы сейчас сами убедитесь, — сказал полковник Гущин, который не очень понял сказанное. — У нас есть запись на диктофоне. Екатерина, продемонстрируй Давиду Георгиевичу.

— Запись? Документальное подтверждение? Это интересно! — профессор оживился. Золотые очки блеснули в сторону совсем сникшей Кати.

— Федор Матвеевич, а я не записала.

— Как это не записала? У тебя с собой твой диктофон постоянно, ты вечно все записываешь.

— Я не успела тогда включить. Все произошло так неожиданно. Когда эта Ласточка появилась вдруг... я так испугалась, — Катя говорила чистую правду, — Федор Матвеевич, я в тот момент обо всем забыла. Про диктофон тоже.

Полковник Гущин только крякнул с великой досады.

Профессор же совсем повеселел, словно услышал что-то весьма приятное.

— А, значит, нет документального подтверждения! Ну что ж, дорогие мои коллеги, вынужден заявить вам, что...

— Вы сейчас сами убедитесь, — горячо возразил Гущин, — эта девушка, Мальвина Масляненко — она тут с матерью по нашей просьбе. Они в соседнем кабинете, я их специально вызвал. Поговорите с ней сами. Вы сами все увидите. Эту Ласточку.

— Как же я ее увижу, уважаемый Федор Матвеевич?

— Но вы же умеете, разные там приемы — гипноз, внушение, о вас такая слава по всему институту, профессор. Вы загипнотизируйте ее! Как в фильмах показывают — такой диск блестящий на цепочке крутится, и вы применяете гипноз: спи, усни! — Гущин загудел, изображая.

— И часто вы смотрите подобные фильмы, коллега? — уже с неприкрытым профессиональным интересом осведомился Гогиадзе. — И что, это помогает вам в вашей работе?

Катя не поняла: профессор в свои восемьдесят лет издевается или у него такой вот метод, специальный прием для общения с собеседником.

Полковник Гущин встал и вышел из кабинета позвать Мальвину и Веру Сергеевну, которые приехали ровно к четырем часам и ждали в приемной.

— Никогда не использовал никаких блестящих дисков. Блестит — это сорока летит, — усмехнулся профессор. — Сорока-воровка. А все должно быть вот тут, — он постучал высохшим пальцем по своему лысому черепу и стал еще больше похож на мумию.

Вошли Мальвина, Вера Сергеевна и Гущин. Катя смотрела на Мальвину — вроде все как обычно. И одета она обычно — в белые летние джинсы и синий топ в горошек. Ее мать — вот она, кажется, волнуется гораздо сильнее.

Интересно, а где Феликс? Он в курсе, что сестру его вызвали в ГУВД?

— Вот, доктор, профессор, о котором я вам говорил, Мальвина, — сказал Гущин.

— Здравствуйте. Только я никак в толк не возьму, для чего мне доктор?

— Это по поводу твоей головной боли. Ты вчера жаловалась, — сказала Вера Сергеевна.

— И для этого надо приезжать в полицию? — спросила Мальвина с раздражением, с недоумением, с вызовом. — Слушайте, я взрослый образованный человек. Что это за комедия, что происходит?

— Девушка милая... ах, какая вы красавица, и мама у вас какая красивая, — восьмидесятилетний профессор Гогиадзе так и расцвел, заулыбался, демонстрируя великолепные вставные зубы. — Уж простите меня, старика великодушно. Это я заинтересовался вашим недомоганием. Попросил полковника о встрече с вами. Уж не откажите в любезности старику.

— Да я совсем не против, только я не понимаю...

— Давайте присядем вот тут на диван, — Гогиадзе указал на кожаный диван и кресла в углу просторного кабинета Гущина. — Здесь гораздо удобнее. Меня зовут Давид Георгиевич, а вас Мальвина? Какое прелестное имя!

— Глупое, но существую с ним, — Мальвина села на диван, профессор встал и заковылял к ней.

Гущин усадил Веру Сергеевну в кресло. Сам остался стоять.

— Сядьте, не маячьте, — приказал ему Гогиадзе. — Мальвина, а кто такая Ласточка?

— Я не знаю. Птица?

— Птица, конечно, я так и думал. Вы знаете, что такое гипноз?

— Знаю. По телевизору видела. Но я в это не верю.

— Считаете, что вы не подвержены внушению и гипнозу?

— Не знаю, я как-то об этом совсем не думала. Это все чушь.

— Гипноз иногда хорошо помогает от головных болей, гораздо лучше таблеток. Вы принимаете какие-то лекарства?

— Нет, ненавижу таблетки.

— И не принимайте никогда, — торжественно заявил Гогиадзе. — Мне восемьдесят два, а я даже вкус аспирина не знаю и чувствую себя великолепно. Так вы не против попробовать сеанс гипноза?

— Здесь? — опешила Мальвина. — В полиции?!

Катя поняла: с ней так нельзя, она права — она взрослый образованный человек, преподаватель. Надо объяснить.

— Мальвина, дело в том, что вчера вам стало плохо в кондитерском цеху. Не припадок, нет, не пугайтесь, но вы словно в обморок провалились, — сказала она быстро, чтобы Гущин не успел заткнуть ей рот. — И вы кое-что нам рассказали в этот момент беспамятства.

— Я? Что я рассказала?

— О ком-то, кто может быть убийцей. Мы расследуем убийства. Помогите нам, пожалуйста!

— Но я не знаю ничего ни о каких убийцах. Вы же сами Родиошу в психушку запрятали, обвинили, что это он убивал, — Мальвина оглянулась на мать. — При чем тут я?

— Я вас очень прошу, помогите нам, — повторила Катя.

— Ну хорошо, хорошо... Если для этого надо меня загипнотизировать, — Мальвина усмехнулась. — А что, гипноз похож на смерть? Это вообще как — противно или приятно? Что я буду чувствовать?

— А вы нам потом расскажете, — сказал профессор Гогиадзе.

— Хорошо, гипнотизируйте, это даже интересно, — Мальвина откинулась на спинку дивана, сложила руки на груди. — Из Элизия выводит потаенною тропой... И счастливец отпирает осторожною рукой дверь, откуда вылетает сновидений ложный рой.

— Вы замечательно читаете Пушкина, — профессор смотрел на нее пристально. — Закройте глаза. Почитайте нам еще.

— Ада гордая царица взором юношу зовет, обняла, и колесница уж к Аиду их несет... мчатся, облаком одеты, видят вечные луга, Элизей и томной Леты усыпленные брега...

— Усыпленные брега... ваши глаза закрыты, Мальвина, вы погружаетесь в спокойный сон. Лета — река течет, течет, как прохладный горный ручей, вы слышите плеск воды, шум водопада...

— И толпою наши тени к тихой Лете убегут... смертный миг наш будет светел и подруги...

— Это не смерть, это новая жизнь, — сказал профессор Гогиадзе. — Это сон во сне.

— И подруги шалунов соберут наш легкий пепел в урны праздные... пиров...

Мальвина глубоко дышала. Она спала.

Не потребовалось ни сияющего вертящегося диска. Ни дурацких команд «на счет раз, два, три вы заснете»...

Катя судорожно нащупала диктофон в кармане пиджака своего брючного костюма. Включила. Вот это гипноз! Ай да старичок-мумия!

— Я хочу поговорить с Ласточкой, — сказал Гогиадзе.

Тишина.

— Ласточка, пожалуйста, поговори с нами.

Тишина. Мальвина ровно дышала. И вдруг она спросила во сне своим обычным голосом:

— Это что, игра?

— Да, а Ласточка хочет поиграть с нами?

Тишина. Молчание. Затем Мальвина произнесла:

— Давайте играть в людей, это всегда интересно.

Профессор Гогиадзе молча ждал. Потом он посмотрел на наручные часы.

Они все ждали. Но ничего не происходило.

Катя тоже глянула на часы в углу гущинского кабинета. Секундная стрелка медленно описывала круг. Второй круг. Третий.

— Мальвина, сколько будет пять умножить на шесть? — спросил профессор после долгой паузы.

— Тридцать.

— Все верно. Вы проснулись.

Мальвина открыла глаза.

— Вы просто умница, — профессор мягко потрепал ее по руке, словно одобряя. — Все прошло прекрасно.

— Я, кажется, и правда заснула.

— Да, сон всегда на пользу. Очень рад был с вами познакомиться, Мальвина, и прошу меня извинить, если что-то показалось вам излишне вольным и неуместным.

Подождите в приемной, пожалуйста, я только переговорю с вашей мамой.

Когда Мальвина вышла, он обратился к Вере Сергеевне:

— Это вы заявили моим коллегам, что ваша дочь страдает диссоциативным расстройством идентичности?

— Я. Но я... нам так с мужем врачи сказали.

— Какие врачи?

— В швейцарской клинике.

— Я вам советую как можно реже посещать швейцарских психиатров, это дорого, знаете ли, — заявил Гогиадзе таким тоном, что опять же не поймешь — серьезно он говорит или шутит. — И поменьше смотреть по телевизору всякой ерунды про разные там переселения душ и полтергейсты.

— Но я никогда не смотрю это.

— Вот я выпишу вам рецепт. Безобидный, проверенный состав, очень помогает... по три капли на ночь... Это для вас, не для вашей дочери. По три капли на ночь, очень успокаивает нервы.

— Но профессор! — попробовал возникнуть полковник Гущин.

— И вам такой же рецепт, пять капель на ночь, — светло улыбнулся старичок, — о-о-о-очень успокаивает нервы. И ни слова мне больше о диссоциативном расстройстве идентичности, пожалуйста.

Катя вызвалась проводить профессора Гогиадзе, во дворе Главка его ждала машина с шофером. По дороге она попросила у профессора визитную карточку и позволения позвонить самой, если понадобится снова консультация.

Когда она вернулась в управление розыска, приемная уже пустовала — Мальвина и Вера Сергеевна уехали. Кабинет Гущина пустовал тоже, однако из дальних кабинетов как раскаты грома слышался его гневный бас: «Почему до сих пор не сделано??? Сколько можно повторять, что это срочно!»

Катя не стала входить в кабинет, а скромно притулилась в приемной на диване. Шеф криминальной полиции после «отлупа» консультанта срывал злость и досаду на бедных подчиненных — все как обычно.

Катя сидела тихонько, как мышка, щелкая кнопкой диктофона и поднося его к уху — сеанс гипноза не удался. Но что это значило?

— Почему ты здесь? — рявкнул полковник Гущин, материализовавшись в приемной. — Для чего я кабинет открытым оставил?

Катя пошла за ним в кабинет.

— Не волнуйтесь, — сказала она.

Гущин упал в кожаное кресло. Закурил.

— Дураки — это наш профиль. Мы же еще и дураками оказались, — сказал он.

— Это я виновата, Федор Матвеевич, что профессор нам не поверил. Я не записала тогда в цеху все на диктофон. Я испугалась. Все случилось так внезапно.

— Я сам труса спразновал. Сначала-то не понял, — Гущин курил, — не поверил нам с тобой эксперт. И гипноз ничего не дал. Девчонка эта, Ласточка, так и не появилась в ней. Видно, по заказу-то это нельзя... Но факт остается фактом, я это своими ушами слышал и видел своими глазами. И ты.

— Да, мы этому с вами свидетели. И такое не забудешь! Я вот что сейчас вспомнила. Перед тем как появиться Ласточке, Мальвина... она кого-то увидела в глубине цеха. Мне так показалось. Там двери раздвижные. Она кого-то увидела и испугалась. И потом возникла Ласточка. Я вот все думаю, кто это мог быть там, на кондитерской фабрике? Феликс? А может, отчим Роман Шадрин, он ведь вчера работал там. Или кто-то другой?

— Может, ее мать? — Гущин курил. — Черт знает что. Доразвратничались они там, эти шоколадные короли. Она, видите ли, мужа своего обожала! А он четырнадцатилетнюю девчонку, сестру ее младшую, обрюхатил. Наградил ребенком больным. И ей тоже, жене своей, вот такую дочь сделал. Это ж одна кровь, они единокровные. Дети одного отца. И младший их, Феликс, тоже чудной. Софию Калараш наняли, чтобы ублажать, дни последние, видите ли, перед смертью скрашивать. А потом ей кто-то живот вспорол, в раны разной дряни напихал — глиняных осколков, железную спицу воткнул!

— Если Ласточка что-то знает... — сказала Катя, — если она что-то знает про убийцу, а мне так показалось, Федор Матвеевич... И вам тоже, только не говорите «Нет».

— Я уже ничего не говорю.

— Так вот, если Ласточка что-то знает про убийцу... то нет ничего странного, что она называет его таким литературным прозвищем — Андерсен. Ведь Мальвина-то сама филолог, у нее все с книжками связано. Это уже глубоко в подсознании.

— Что она там бормотала в самом конце, эта Ласточка?

— Она боялась, кричала — не отдавайте меня ему.

— Это я помню, а еще что?

— Что он плохой, этот Андерсен. Злой, потому что он не может жениться.

— И как это прикажешь понимать? — спросил Гущин. — На ком он не может жениться?

— Мне показалось, Ласточка имела в виду Мальвину. Сама-то она еще ребенок.

— А кто не может жениться на Мальвине? Во-первых, ее брат Феликс. Во-вторых, отчим Шадрина. Он женат. Я все гадал — как такой тюфяк старый получил в жены такую раскрасавицу. А отгадка простая — он служил шоферюгой у Масляненко, с рук на руки у него принял бывшую юную любовницу с сынком-аутистом. Заплатил ему босс, конечно. И до сих пор Вера сестре вынуждена крупно помогать. Все правильно, все логично тут. Но кто еще не может жениться? Кто-то, кого мы не знаем?

— Мальвина не замужем. Надо узнать, был у нее кто-нибудь раньше, парень, жених, — сказала Катя. — И про группу «Туле» она слышала. Она сама нам об этом сказала. Но, Федор Матвеевич, я, знаете, о чем сейчас подумала?

— О чем? — Гущин курил, размышлял.

— Когда я пришла в «Туле», в Пыжевский, Момзен упомянул про Джека Потрошителя. И вот сейчас я... Федор Матвеевич, вижу некоторое сходство с нашими убийствами! Все убийства произошли два года назад в очень короткий отрезок времени. Жертв пять, как и у Потрошителя. И почерк...

— Жертв шесть, с супружеской парой, муж и жена Гриневы. Промежуток между убийствами огромный — два года. Там все жертвы — проститутки, у нас же... подъем по социальной лестнице с каждой новой жертвой. Нет, ты мне еще этим голову не забивай!

— Я говорю не для того, чтобы голову вам забивать, — Катя не отступала, — знаете, какая самая необычная версия была тогда, кто мог быть Джеком Потрошителем? Женщина! Я читала об этом, сразу нескольких женщин подозревали. Все, мол, из-за бесплодия, из-за того, что детей не могли иметь и нормальные сексуальные отношения, и мстили проституткам, к которым якобы бегали их мужья. А у нас этот *мусор*, этот странный набор предметов, оставленных у трупов. И что мы там видим, много намеков на детский образ — спица от коляски, щепка от лошади-качалки, кукла.

— Что ты хочешь всем этим сказать?

— Мы же видели с вами Мальвину. Она ведь не в себе.

Гущин курил.

— И она тоже, как и ее брат, отсутствовала все это время, ездила за границу. И у нее нелады с психикой, как и у ее единокровного брата Родиона. Так вот я подумала,

Федор Матвеевич, а почему мы ее исключаем из нашего списка?

— Потому что убивал мужик.

— Родион Шадрин? Федор Матвеевич, вы только не обижайтесь, но неужели вы сами теперь не видите, что версия о виновности Родиона...

— Убивал мужчина. Это абсолютно точно.

— Почему вы так уверены?

— У нас есть свидетель.

И тут Катя вспомнила: да, в самые первые дни, когда она лишь приступала к своей статье, речь шла о каком-то свидетеле!

— Что за свидетель? Кто он?

— Ася Раух.

— А почему до сих пор... — и тут Катя умолкла, осознав, *что она услышала.* — То есть как же это?

— Третья жертва, сотрудница ЕРЦ Ася Раух, — повторил Гущин. — Он не убил ее, оставил в живых. Он говорил с ней. О таких вещах говорят мужики. Мы проводили с ней опознание. Она опознала Родиона Шадрина.

— Она узнала в маньяке Родиона?

— По голосу, — ответил Гущин.

Глава 34

ОСЕДЛАВ ПРЫГУНА

В эту пятницу (выходной для Машеньки Татариновой) мать разрешила выбрать на конюшне клуба верховой езды Прыгуна.

Машенька так и лучилась счастьем. Прыгун — вороной конь, молодой и резвый — считался гордостью клуба и предназначался лишь для особо важных клиентов.

Машенька все сделала сама, оседлала коня, очень тщательно все проверила. Прыгун тихонько заржал, словно радуясь предстоящей прогулке, и Машенька села в седло.

Парк у Святого озера в этот день — еще сумрачный и влажный от ливня, прошедшего утром, шумел листвой на ветру. На аллеях полно луж, берега озера пусты — ливень отпугнул всех гуляющих.

Машенька решила поехать прямо к озеру. Она потрепала Прыгуна по шее, легонько толкнула его пятками в бока, и Прыгун сразу с места рванул в галоп.

Разбрызгивая лужи...

Стремительно и мощно...

Все быстрее и быстрее...

Машенька наслаждалась быстрой ездой, каждым мгновением. Это вам не гнедая старуха Одиль и не толстый как бочка Пегасик. Это Прыгун, и он несет ее на себе.

Воображение нарисовало скачущую рядом белую лошадь... нет, этакого серого в яблоках красавца, а на нем — Феликса. Машенька уже почти решила на следующей неделе поговорить с ним более обстоятельно. Как же, ведь он подарил ей такие вкусные шоколадные конфеты и так улыбался при этом... Теперь все просто — первый шаг, самый трудный в их отношениях, уже позади, и она в следующую их встречу в качестве ответного презента предложит ему конную прогулку: Феликс, привет, ты не хочешь на лошади покататься? Это все чушь, что парни первые должны куда-то приглашать. Порой парни просто робеют, и надо брать инициативу в свои руки и действовать наступательно. Да, напор и натиск! А если он не умеет ездить верхом... Ах, как сладко ей будет учить его это делать тут, в парке у Святого озера!

Белый конь, а на нем, как принц из сказки, прекрасный гот Феликс. Бешеная скачка по парку и поцелуй — долгий, глубокий и страстный под старым дубом на берегу озера. И кто знает этих антикварных готов... может быть, во время страстного поцелуя у него вырастут во-о-о-т такие клыки! Ах-х-х-х!

Прыгун перемахнул через рытвину — на аллее что-то копали, тянули какие-то трубы. И Машенька от неожиданности чуть не отпустила поводья. Ее буквально толкнуло вперед, и она припала к шее Прыгуна. Но это длилось всего пару секунд, она быстро выправилась.

Впереди еще рытвины и канава. Она и не знала, что в парке начали вести земляные работы.

Прыгун сиганул через препятствие — легко!

Оле! Машенька сильнее ударила его пятками в бока, посылая вперед — к новой канаве.

Оле, Прыгун! Давай же взлетай!

— Нет, ты глянь, что девка делает.

Счастливая Машенька Татаринова не знала, что в парке за ней пристально наблюдают в армейский полевой бинокль.

Дмитрий Момзен и Олег Шашкин по прозвищу Жирдяй расположились в кустах орешника на склоне оврага. Конный клуб и аллея к озеру с этого места как на ладони.

Олег Шашкин нашел это место и приезжал сюда порой так же, как приезжал в торговый комплекс «МКАД Плаза».

Сегодня они поехали в парк на Святое озеро вместе с Момзеном, и Олег Шашкин не возражал. Даже наоборот.

— Храбрая, прыгать не боится, — заметил Момзен, он смотрел на Машеньку в армейский бинокль, потом протянул его Шашкину.

Но тот покачал головой — не надо мне бинокля. Он и так видел все — маленькую лошадь и маленькую фигурку в черном шлеме для верховой езды.

Волосы рыжие из-под шлема, как пламя...

— Одна девчонка катается, никого с ней, а ты переживал все. Одна — это хорошо, — сказал Момзен. — Попка у нее как орешек крепенькая. Такой сладкий задик. Скок-поскок молодой дроздок...

Он почувствовал, что на плечо ему опустилась тяжелая рука. Олег Шашкин засопел.

— Ну не буду, не буду, — усмехнулся Момзен.

— Мне просто неприятно, когда... — Олег Шашкин засопел сильнее. Он не хотел ссориться с обожаемым другом, с учителем.

— Все твое, вся твоя. Только не роняй из рук, когда сама в руки свалится, — Дмитрий Момзен опустил бинокль. — А та длинная пигалица-журналистка, что приходила, тоже ничего. Красотка. И кожа как персик. Может, ее возьмем, а?

— Ты бери кого хочешь, — буркнул Олег Шашкин, — а я...

— А я втрескался в рыжую девчонку. Ну все, напрыгалась, к озеру поскакала. И чем только проняла тебя так эта малышка?

— Ты видел, какие у нее глаза? — тихо спросил Олег Шашкин. — Таких глаз, как у нее, нет ни у кого на свете.

Глава 35
ТРЕТЬЯ ЖЕРТВА

Это ощущение, когда внутри все словно куда-то проваливается, как в бездну, а по спине ползет холод... Это чувство беспредельной беззащитности и ужаса, первобытного, древнего как мир, живущее в подсознании и будто соль выступающая на поверхность... Дуновение ледяного ветра прямо в ваше бедное сердце, которое замирает...

Дыхание страха...

Все это Катя испытала тогда — солнечным теплым майским днем. Она помнила это потом долго. Первый отклик души на *это* — желание, неодолимая потребность спрятаться.

Но прятаться некуда. Катя ощущала это каждой трепещущей клеточкой своего тела, бедной уязвимой напуганной плоти. Прятаться — некуда. И отступать поздно. Это дело о *пяти убийствах, одно из которых двойное и в котором шесть жертв,* обрастало все более чудовищными, пугающими подробностями. А Кате, наивной в самом начале, когда она лишь набрасывала план своей статьи, казалось, что известно уже все.

О том, что произошло с третьей жертвой Асей Раух, она узнала лишь на следующий день.

Вечером им с Гущиным поговорить об этом так и не удалось, потому что позвонил эксперт Сиваков. Он сам лично перепроверил сведения, поступившие из экспертно-криминалистического управления. Среди мусора, выброшенного Романом Ильичом Шадриным-Весёловским, оказался товарный чек из торгового центра «МКАД Плаза». Более того, данные, пробитые на чеке, свидетельствовали о том, что это чек из супермаркета «Твой Дом», который в день убийства посещали супруги Гриневы.

Одно плохо — та часть чека, где проставили дату покупки, отсутствовала. Эксперт Сиваков поехал лично в лабораторию и полночи сидел над отбросами из мешков, буквально просеивая все через сито, пытаясь найти микроскопические бумажные фрагменты, чтобы восстановить хоть часть и просмотреть под микроскопом.

Обо всем этом Катя узнала утром. Она подумала — значит, отчим Шадрина тоже посещал этот огромный магазин. Это факт, но факт этот прямо ничего не доказывает — «МКАД Плаза» вместе с «МЕГА» — два крупнейших торговых центра на юго-востоке Москвы. А в новом доме Шадриных-Весёловских ремонт, она видела это своими глазами.

Она чувствовала — этот день они с полковником Гущиным посвятят не экспертизам, нет. Они посвятят его третьей жертве.

И она не ошиблась.

После оперативки Гущин предложил ей поехать с ним. Катя не стала спрашивать куда, она знала.

— Ее обнаружили дети, — объявил Гущин в машине. — В Кусковском лесопарке в трубе коллектора недалеко от аллеи Большого пруда. Пацаны катались на велосипедах в половине десятого вечера и услышали крики. Они сначала испугались, потому что она не звала на помощь. Она просто кричала, так страшно... Они нашли ее в трубе коллектора... Я потом вместе с МУРом разговаривал с этими ребятами. И время уже прошло, но они, когда вспоминали и говорили о том, какой они ее нашли в той трубе, все еще заикались от страха.

Катя сидела на заднем сиденье машины. Они ехали по Рязанскому проспекту в Вешняки, она помнила эту дорогу. Но теперь это словно какая-то другая дорога... что ждет в конце?

— Ася Раух, двадцати восьми лет, сотрудница единого расчетного центра. У них контора на Первом Вешняковском, а жила она на улице Молдагуловой...

Знакомое название... София Калараш и ее болтливая товарка Лолита...

— Она часто ходила через парк пешком, не ждала автобус. Шла парком и в тот вечер, было всего половина восьмого, совсем светло, — продолжал Гущин. — Но дети нашли ее в коллекторе довольно далеко от ее привычного маршрута. Сама Раух ничего не помнит. Судя по ранам на голове, ее сначала оглушили ударом сзади. У жертв почти у всех раны на голове. У Гринева, мужа, тоже, только у него рана смертельная. Это своеобразный почерк, стиль, чтобы жертвы не кричали там, где он на них напал. А это не всегда были совершенно безлюдные места. Напротив. Аллея, которой шла Ася Раух, параллельна улице, там потоком идет транспорт, пробка к Карачаровской эстакаде. Потом уже *он* оттащил ее глубже в парк, к этой трубе. Там он связал ее скотчем и сделал ей два укола.

— Каких? — тихо спросила Катя. — Яд, да?

— Нет, обезболивающее. Местная анестезия. Два укола — в шею и в лицо. И пока она была без сознания, оглушенная и под наркозом, он выколол ей глаза.

Катя отвернулась к окну. Они въезжали в знакомые Вешняки — парк по обеим сторонам улицы пронизан солнечными лучами.

— Дети отыскали ее по крикам. У нее начала отходить анестезия, она почувствовала боль и поняла, что ослепла, — сказал Гущин. — Там, в коллекторе, он находился с ней какое-то время, когда она очнулась. Он говорил с ней. Она запомнила его голос. И узнала его потом, когда мы предъявили ей запись голоса Родиона Шадрина.

Катя молчала. Потом она спросила:

— Откуда же у вас его голос, он ведь не разговаривает, только барабанит?

— Я ему дал свидание с матерью, — ответил Гущин. — Специально. Нам нужна была запись. Нельзя сказать, что он там очень многословен. Но все-таки я... мы его услышали. Он сказал матери, что все хорошо.

Все хорошо...

Катя вспомнила, что она уже слышала эту фразу.

— Мы на месте, вот ее дом, — полковник Гущин указал на блочную девятиэтажку, возле которой они остановились. — Девушка слепая. Я вчера им звонил. Ее мать сегодня на работе, но с ней бабушка и тетка. Они не оставляют ее одну с тех пор. Охраняют. И боятся, что она покончит с собой, уже однажды делала попытку.

— Если она опознала именно Родиона Шадрина по голосу и так уверенно, о чем же сейчас вы хотите с ней говорить, через два года? — спросила Катя.

— Это не мне, это тебе необходимо с ней встретиться, — ответил Гущин. — Разве нет?

— Да. Но почему столько времени вы скрывали, что она... что третья жертва жива?

— Потому что мы исполняли ее желание. Прежняя Ася Раух умерла. Она не хотела никаких упоминаний о себе в связи с этим делом — никто не должен был знать, что она жива. Что она выжившая жертва Майского убийцы. Пойми, Катя, ее пугает не огласка, не назойливость прессы, даже не судебная канитель — после всего того, что с ней случилось, ее пугает весь мир. Сама жизнь ее страшит. Жертвы серийного убийцы... знаешь, что это такое? Порой для них быть мертвым лучше, чем живым.

Гущин нажал кнопку домофона.

— Кто? — спросил старческий голос.

— Полиция. Полковник Гущин, я вам вчера звонил.

Дверь подъезда открыли.

На шестом этаже, где остановился лифт, дверь квартиры тоже приоткрыта на цепочку — их изучали еще на подступах.

— Покажите удостоверение. Кто это с вами?

— Моя коллега, капитан Петровская.

— Пусть тоже покажет удостоверение.

Катя показала.

Дверь открылась — в прихожей две женщины: старуха в спортивном костюме и пожилая, очень полная женщина в махровом халате с... пистолетом в руке.

Полковник Гущин на пистолет в руках пожилой дамы отреагировал странно.

— Если используете в квартире, в любом замкнутом пространстве, надо окна открывать настежь, — сказал он спокойно. — Газовый и довольно мощный. Если сработает, потом хоть вон из квартиры беги. А племянница ваша Ася бегать не может.

— Проходите в комнату, извините, — ответила так же спокойно, с редким достоинством, женщина. — Это просто меры предосторожности. Насчет пистолета я внимательно читала инструкцию. Умею пользоваться. Мы все умеем. Ася, это из полиции по вчерашнему звонку, не бойся, голубка!

Квартира — самая обычная «трешка» со смежными двумя комнатами и третьей, маленькой, примыкающей к крохотной кухне. Они прошли в дальнюю, смежную, комнату — «спальню», по сути превращенную в больничную палату.

Всюду прибиты скобы — к стене и даже к деревянному комоду. У комода нет зеркала, оно убрано, вместо этого на его месте картина — репродукция, в раме. Пейзаж на картине — солнечный сосновый лес.

У стены узкая кровать опять же больничного вида. Столик, уставленный лекарствами и кресло. Больше никакой мебели. Свободное пространство.

В кресле у окна с задернутыми шторами сидела худенькая девушка в серых фланелевых брюках, носках и серой кенгурушке. Длинные отросшие волосы — густые и темные. В комнате из-за штор сумрачно. Катя пригляделась, и... та холодная волна страха, нет, не страха, ужаса, нахлынула...

Худое, почти прозрачное лицо, такое юное, с тонкими чертами.

И уродливые, сморщенные, как сухие осенние листья, веки, прикрывающие пустые запавшие глазницы.

Пластические хирурги и офтальмологи сделали все возможное, но уродство... его нельзя уже спрятать никак.

Эти сморщенные веки, эти ужасные шрамы вокруг глаз, оставленные лезвием ножа.

Катя смотрела на третью жертву Майского убийцы — слепую, искалеченную. Она чувствовала панический страх.

Как и там, в том жутком доме в Котельниках...

Страх... ужас, перед тем, что может сотворить один человек с другим человеком.

Но вместе с ужасом, почти паникой, росло и крепло внутри Кати и другое чувство — ненависть. Она ненавидела Майского убийцу. Кто бы он ни был — тот или другой, больной или здоровый, она ненавидела его. И никогда, никогда не простила бы... Никогда.

Вот что значит увидеть все происшедшее глазами жертвы... Только у третьей жертвы нет глаз...

— Ася, здравствуйте, я полковник Гущин, помните меня?

— Да, помню, вы его поймали. А потом приезжали ко мне, — сказала Ася. — А кто еще с вами? Я слышу.

— Это моя коллега, капитан Петровская. Ася, простите нас за вторжение, как вы себя чувствуете?

— Нормально. А что вам нужно от меня? Вам ведь что-то нужно, я слышу.

Катя смотрела на слепую — вот, она уже научилась «видеть» при помощи слуха. Это дар слепым.

Гущин кивнул Кате — давай, ради тебя ведь мы сюда приехали в этот печальный дом.

— Ася, помогите нам, пожалуйста, — сказала Катя.

— Чем я могу вам помочь?

— Ася, о чем он с вами говорил тогда?

Катя не стала делать долгих прелюдий — не стала даже извиняться: что, мол, простите, вам, наверное, тяжело все это вспоминать... Это страшно вспоминать... Не стала говорить «убийца», «тот, кто на вас напал» — просто сказала ОН. Не назвала его Майским, не назвала его Родионом Шадриным, опознанным два года назад.

Ася молчала. Пустые глазницы, прикрытые сморщенными веками, смотрели прямо на Катю.

И та чувствовала, что страх ее... ненависть.. боль... слезы... слезы закипают внутри.

— Ася, пожалуйста, я вас очень прошу, помогите нам. Слезы... Ася Раух услышала их.

— Его же поймали, он в психушке, — сказала она.

— Да, он там. Но речь может идти о других жертвах. Вы единственная, кто... Ася, пожалуйста. Я все понимаю. Я никогда бы к вам не пришла, не посмела побеспокоить, напомнить все вновь. Но нам очень нужно. Помогите нам. О чем он с вами говорил?

— Что я — ничтожная грязная девка, — тихо сказала Ася.

— Вы помните его голос?

— Никогда не забуду.

— Да, вы его опознали тогда по голосу. Оказали неоценимую помощь, — Катя достала из сумки диктофон, включила на перемотку. — Какой у него был голос? Низкий, высокий, тихий, громкий, мужской или же измененный?

— Страстный, — сказала Ася. — Мужской, очень страстный. Красивый голос.

— Красивый?

— Жуткий.

— А вот сейчас он говорит... послушайте, — Катя включила диктофон.

Я не присутствовал. Я сидел в коридоре. Отдал все медицинские документы... Щелк! *Следователь или кто он там у вас прочел медкарту и справки... Только разговора не получилось, буквально минут через десять он открыл дверь и сказал, что мы можем идти, все свободны.*

— Ася, вы узнаете голос?

— Да, это он, — уверенно сказала Ася. — Только спокойный тут.

Полковник Гущин не произносил ни слова. Все время, пока в комнате звучала запись голоса Романа Шадрина-Веселовского — отчима, запись, включенная Катей.

— Неужели его освободят? — спросила Ася.

— Нет, — Катя покачала головой. — Но нам необходима ваша помощь.

— Я понимаю. Спрашивайте.

— Что он вам еще говорил тогда?

— Что я недостаточно хороша для него. Не мила и не желанна, — сказала Ася. — И что, если я думаю, что он недостаточно хорош... не обладает, чем должен...

— Не обладает, чем должен?

— Да. Он говорил... очень интимные вещи мне. Про то, что у меня между ног, — сказала слепая. — Про то, что мой сок ему не нужен, но что он все равно возьмет меня... трахнет. Это чтобы я помнила его, чтобы я запомнила его.

— Он пытался вас изнасиловать?

— Он трогал меня. Он трогал меня всю. И там тоже, — слепая смотрела прямо на Катю. — Он трогал меня. И говорил, что не хочет касаться, что брезгует мной. И при этом он трогал меня всю!

— Ася...

— Он трогал меня. Но говорил, что любит другую.

— Любит другую? Он назвал имя?

— Нет, просто шептал, что любит другую, а сам в это время...

— Ася, он не говорил вам, что он Андерсен?

— Нет. Он трогал меня, а я не могла пошевелиться. Он говорил, что трахнет меня, что наполнит меня своим семенем, а потом набьет меня... мою матку грязью, всю меня, мой рот... Будет больно...

Полковник Гущин шагнул к Асе и крепко обнял ее, прижал к себе.

— Ну все, все, все, — сказал он. — Девочка, успокойся. Милая моя, хорошая девочка, успокойся, не надо больше.

— Потому что я сама грязь, — прошептала Ася. — Под ногами той, другой... кого он любит... Он мне так сказал там.

— Ася, он никого не любит, — Катя снова включила запись. — Значит, у него был красивый мужской голос?

— Да. Очень.

— Как здесь?

Что мы можем поделать с больным разумом? Ничего. Только прощать. Принимать все, что случилось, как данность. И прощать.

Голос Дмитрия Момзена. Беседа в особняке в Пыжевском.

— Да, как здесь. Вот так точно он говорил и со мной, — слепая кивнула.

— Этот человек?

— Да.

— Этот красивый голос?

— Этот голос.

Катя показала полковнику Гущину жестом — выйдем на минуту.

— Ася, мне нужно позвонить по телефону, — сказал он. Он все еще крепко держал девушку за руку.

— Да, конечно.

Они вышли в коридор. Там — сторожевая команда: бабушка и тетка.

— Я пару раз вмешаться хотела, — объявила тетка. — Но врач мне сказал — любая встряска Аське полезна. Депресняк гораздо хуже, когда она вся в себя погружается. В свои суицидальные мысли. По какому поводу вы приехали опять через столько времени?

— У нас неладно с опознанием по голосу, — честно ответила Катя. — С вашего позволения, можно мы с полковником поговорим на кухне одни?

— Конечно. Там на плите лапша варится, курица, не обращайте внимания, — сказала бабушка.

Они прошли на кухню. Суп булькал на плите, исходя паром.

— Федор Матвеевич, чтобы у вас не осталось уже никаких сомнений, — сказала Катя, поднося к лицу Гущина свой диктофон, — скажите что-нибудь очень интимное. Не мне вас учить, вы мужчина. Произнесите что-то очень страстное, сексуальное, что говорили раньше своим... ну вы знаете, кому.

— Слушай, чего ты добиваешься?

— Говорите, Федор Матвеевич. Это нужно для дела. Нам необходимо окончательно убедиться.

— У тебя глаза красивые...

— Нет, это не то. При ней про глаза вообще не упоминайте! И потом ОН говорил с ней не так.

Гущин посмотрел на диктофон, потом на потолок, стараясь не встречаться с Катей взглядом. Он вдруг покраснел как мальчишка — так весь и вспыхнул.

— Я тебя хочу, — глухо произнес он. — Я хочу тебя... Возьму тебя, войду твердо и глубоко, закричишь у меня громко, запомнишь меня, будешь вся моя, только моя.

Катя щелкнула кнопкой диктофона.

В комнате, похожей на больничную палату, она сказала слепой:

— Ася, у нас тут еще одна его запись. Это он уже в больнице... Воображает себе.

Я хочу тебя... войду глубоко... запомнишь... будешь вся моя...

На записи голос полковника Гущина звучал так, как никогда не звучал ни в кабинете управления розыска, ни в беседах с друзьями, ни на задержании, ни во время дружеской вечеринки в баре.

— Да, да, это он! ОН говорил это тогда! — воскликнула Ася, она так и встрепенулась в своем кресле. — Он говорил это той, другой, своей! И при этом лапал меня, как продажную девку. И я еще не знала, что он меня ослепил!!

Глава 36

НА СВОБОДЕ

Возле лифта на первом этаже, когда они уже покинули квартиру, полковник Гущин попросил диктофон. И стер сам последнюю запись.

Все и так ясно без слов из этого следственного эксперимента.

В Главке Катя сразу пошла к себе в кабинет Пресс-центра. Хотелось побыть в одиночестве после того, как она встретилась с третьей жертвой.

Следовало все обдумать теперь самой.

Итак, не осталось никаких сомнений. Опознание Родиона Шадрина по голосу два года назад теперь рассыпалось в прах. Очевидно, что Ася Раух реагирует на любой мужской голос, принимая его за голос своего мучителя. Кого-то конкретно опознать по голосу она, увы, не способна, хотя и «видит» при помощи слуха, как многие слепые.

Однако один вывод из всего происшедшего можно сделать абсолютно точно теперь: *голос, который слышала Ася, был мужским, и в роли маньяка выступал именно мужчина.*

Катя вспомнила Мальвину Масляненко и Ласточку. Да, там с мозгами тоже не все ладно, но это не то.

И насчет Родиона Шадрина, после встречи с третьей жертвой, все сомнения... а они все же имелись, эти сомнения, до самого последнего момента... теперь растаяли как дым. И не только потому, что опознание по голосу провалилось — и тогда, два года назад, и сейчас.

Просто наступает в душе свой личный персональный момент истины, и все сомнения разом умирают. Убийство супругов Гриневых Родион Шадрин совершить не мог. Но он не убивал и два года назад.

Катя встала, подошла к окну, выходящему в Никитский переулок, долго смотрела на крышу Зоологического музея, что как раз напротив, на чистое голубое, вымытое ночным ливнем небо.

Никаких сомнений. Это не он. Тот, кто это делал и делает до сих пор, на свободе.

Серийный маньяк. Майский убийца до сих пор на свободе. И на примете у него новая жертва.

Что говорил профайлер? *Женщина мечты...* Подъем по социальной лестнице завершен, и теперь очередь настала для женщины мечты.

Убийца говорил третьей жертве Асе Раух о любви к какой-то женщине. Но он не называл имен. Оно и понятно почему. Он также не называл себя Андерсеном. Вообще, есть ли какая-то связь между тем, что произошло и происходит, и бредом несчастной Ласточки?

Если подумать, почему убийца оставил третью жертву в живых? Не успел убить? У нее стала отходить анестезия, она начала кричать... там, в парке, гуляли дети, и он испугался, что его увидят, поэтому бросил ее в трубе коллектора. Он прикасался к ней, он собирался ее изнасиловать, и она нужна была ему живой в этот момент. Но она начала кричать... Да, тут, кажется, тоже все сходится, он просто не успел с ней расправиться. Он хотел сначала ее изнасиловать.

Но он ведь не насиловал других своих жертв? Даже Софию Калараш, первую жертву. У той был половой контакт с Родионом Шадриным. Получается, что же... убийца следил за Родионом? И прикончил Софию? Может, приревновал ее?

В памяти всплыл Феликс Масляненко... Потом Катя подумала и об отчиме Родиона. Представить отчима Романа Ильича, ревнующего толстушку Софию из Кишинева, еще возможно, хоть как-то возможно. Но представить в роли ревнивца Феликса — принца вампиров...

Нет, тут дело не в ревности. В чем-то другом. И все равно первая жертва очень важна. Пусть в живых убийца оставил третью жертву по какой-то, пока неизвестной причине. Однако начал он свою кровавую эпопею именно с Софии.

Интересно, *а Ласточка видела Софию?*

То, что сиделку и любовницу отца Мальвина встречала в доме, нет сомнений. А вот Ласточка... понимала ли она суть происходящего в доме тогда, два года назад?

А если это не бред, а некая аллегория? Кто может скрываться под именем Андерсен?

И верно ли предположение о *женщине мечты* в качестве новой жертвы? Опять же, что говорил профайлер об этом? Это некий недосягаемый идеал для убийцы, женщина, в которую он влюблен. Ага, тут уже какая-то связь... Но это может быть и некая особа, очень молодая и очень привлекательная. Может, оба эти понятия для убийцы едины?

Однако никто из жертв, даже Виктория Гринева, не отличался особенной красотой. Возраст, да, у всех относительно молодой — от двадцати шести до тридцати трех лет...

А вдруг юная красавица все же существует? Только она пока вне поля нашего зрения?

Катя вернулась к столу и включила ноутбук. Открыла скопированный файл с результатами экспертизы *мусора*.

С этими предметами, оставленными возле тел и в ранах, вообще до сих пор никакой ясности. На первый взгляд, совершенно бессмысленный набор: спица, обломок бамбукового рожка для обуви, плевательница, пистон, хлыст, клочок ткани и так далее. Глиняные черепки...

С этим даже профайлер не смог помочь. Истолкование, которое он предложил, в принципе логично, но как-то совсем неубедительно. Будильник... И на нем не выставлено определенное время, часы просто ходили... Значит, время неважно, то есть важно не само время, а опять же что-то другое. Какой-то иной смысл в это вложен.

Какой иной смысл? А он ведь есть. Убийца делает это с настойчивой последовательностью, раз за разом оставляя на трупах *мусор*. Он что-то хочет сказать. Это и есть его послание — все эти предметы в определенной последовательности.

Катя закрыла глаза. Ой, ну кто же это разгадает... Это просто невозможно. Это только в фильмах все читают как по нотам.

Она открыла скопированный файл «татуировки». Порезы на трупах... Нацистская символика. Но что мог знать о тайном толковании нацистской символики аутист Родион Шадрин? По силам ли это его разуму? И вообще, каким образом он попал в рок-группу «Туле»? Там, в Пыжевском, во время той памятной беседы ни Дмитрий Момзен, ни его толстый приятель Шашкин так об этом и не рассказали, уклонились. Родители Родиона тоже этого вопроса не прояснили. И про татуировку сына их никто не спросил.

Но их ли следует спрашивать о таких вещах?

Катя не стала тревожить полковника Гущина — старику еще надо отойти, оклематься после той записи для диктофона. Как его в краску-то вогнало... Нужно вновь обрести душевное равновесие.

Катя позвонила по телефону лейтенанту Сайкину, аккумулятору всей поступающей по делу информации, и спросила — установлено ли, где именно Родион Шадрин делал свою татуировку?

— О нем ничего конкретного, тогда, два года назад, это не посчитали нужным сделать, — ответил Сайкин, «пролистав» файлы компьютера. — Однако есть свежие данные по Дмитрию Момзену. Он фигура заметная, его в таких местах помнят хорошо. По оперативным данным, он свои татуировки делал и делает в одном месте — это на Таганке, Товарищеский переулок. Салон имеет вывеску «Студия загара», но там не только загорают.

Катя посмотрела на часы на стене кабинета — обеденный перерыв. Нет, обедать она уже станет там, на Таганке. После посещения салона.

Глава 37
СПЛЕТНИК

По пути к Таганке Катя открыла на планшете Google-карты и просмотрела Товарищеский переулок, как и Пыжевский. Очень похожие места — тихий ухоженный уголок с купеческими особняками. Вывеска «Студия загара» красовалась на двухэтажном доме приятного голубого цвета, однако с решетками на окнах.

Катя решила, что в таком тихом месте напор и наглость — лучшее оружие. Открыла дверь, как и в Пыжевском, звякнул колокольчик.

Холл поделен на две половины стойкой рецепции — правая уводила собственно в студию загара, оттуда как раз вышли две девицы — обе в кожаных штанах, с косичками-дредами. Одна говорила другой:

— Сразу после загара делать нельзя. А жаль, Сашка Голощапов как раз из отпуска вернулся, он это делает потрясно. Никакой боли, машинкой просто гладит, и он — супер! Любой орнамент изобразит, какой закажешь.

У стойки рецепции переминался с ноги на ногу молоденький паренек, он с восторгом и страхом разглядывал фотографии на стене, на которых красовались в основном обнаженные парни бравого вида и девушки явно нрава крутого, покрытые сложнейшими татуировками на самых разных частях тела.

Тут же висели кумачовые лозунги: «Галерея наших работ. Тату любой сложности!», «Орнаментал и маори, трейбл и Полинезия, чикано, анимэ и другие узоры!».

Лозунг над рецепцией гласил: «Тут не украшают тело. Здесь укрепляют дух!» За стойкой царил могучего вида менеджер в майке-алкоголичке, весь буквально испещренный узорами татуировки от самой шеи до... дальше все эти чудеса скрывали джинсы в облипочку.

— Не дрейфь, — говорил он пареньку, — раз решил, надо делать, а то чего пришел тогда? У Голощапова четверг свободен с шести до восьми, я тебя запишу, лады? Голощапов один на всю Москву, больше никто так не сделает, как он. Так лады?

Паренек что-то промямлил, видимо, он пока еще трусил татуироваться.

— Другие узоры это что? — с ходу нагло спросила Катя. — Готикой занимаетесь?

— Смотря какой, — менеджер повернулся к ней, — Александр Голощапов наш мастер, наш великий художник.

— Меня друзья с Пыжевского прислали, — сказала Катя.

— Откуда?

— Из «Туле». Только я хочу поговорить с вашим Голощаповым сначала.

— Он занят. Медитирует перед сеансом.

— Ты что, глухой? — дерзко спросила Катя. — Не слышал, кто меня прислал? Два раза, что ли, повторять?

Менеджер подумал секунды две, потом позвонил по мобильному.

— Налево по коридору до конца. Студия, а рядом комната для медитаций.

Катя, громко стуча каблуками, промаршировала по коридору. Студия — дверь открыта и у самой двери аппарат «сухожар» для стерилизации игл и инструментов. Дверь соседней комнату закрыта. Катя не стала даже стучать, просто толкнула дверь кулаком — бах! (Кулак от такого молодечества потом адски болел, конечно, но дело, как оказалось, того стоило.)

В крохотной комнатке с кожаным диваном, низким столиком и зарешеченным окном на диване полулежал толстый мужчина неопределенного возраста. На столике — рюмка и ополовиненная бутылка дорогого французского коньяка. Он был сильно пьян.

— Медитируете, Голощапов? — опять же с ходу по-свойски осведомилась Катя. — Недурненько устроились.

— Присоединяйтесь, прекрасная незнакомка, — пьяненький художник тату расцвел широкой улыбкой. — Так вас фашисты прислали? Все клубятся они там, в Пыжевском, пузыри-то еще пускают?

— Пускают пока, — Катя села в кресло и нагло положила свои стройные ноги, обутые в изящнейшие туфельки на шпильках, прямо на стол.

— Коньячку? — предложил Голощапов галантно.

— Нет. И вам пока хватит. Угадали вы, я по поводу фашистов с Пыжевского. Читать еще не разучились?

— А что?

Катя сунула ему под нос свое удостоверение. Голощапов вперился, потом воскликнул: «Ох, ё!!» и сразу же сел на диване прямо, то есть попытался.

— Вам ведь не нужны неприятности, — сказала Катя.

— Нет, конечно, я...

— Вы просто художник, мастер тату, такой, что один на всю Москву и просто супер, — Катя старалась произнести весь этот комплимент с довольно зловещей интонацией. — И неприятности вам на кой черт?

— Точно, на кой черт. А что собственно я...

— С группой «Туле» давно дела ведете?

— Нет, то есть да... татуировки... делал им, этим Рейнским романтикам, у них так принято. Это же просто тату... искусство и мода...

— Так давно?

— Несколько лет.

— Два года назад?

— Да, и раньше.

— Мы убийства расследуем серийные. Вот заинтересовались татуировками «Туле». Это ведь не готика даже, это новоизобретенные символы на основе гальдраставов, — выдала Катя (не зря, ой не зря слушала тогда консультацию профессора этнографии!) — Плоды творчества графиков из СС.

— Я это не пропагандирую, у нас и в прейскуранте цен нет, — Голощапов покачал головой. — Но клиенты иногда заказывают тату по своим эскизам. Эти из «Туле» всегда только по своим и весьма конкретно. Фотки показывают, рисунки, требуют, чтобы все было точно.

— Момзена Дмитрия вы расписывали?

— Димона? Я, — Голощапов внезапно протрезвел. — Только это... знаете, что мне будет, если он узнает, что я вот так с ментом откровенничаю?

— Не станете сотрудничать, салон закроем, а вас привлечем к уголовной ответственности за пропаганду нацистской символики, — сказала Катя. — И это не угроза, это реальность. Вы не слишком окосели, чтобы это осознать?

— Не слишком окосел, — толстяк протрезвел совсем. — Слушайте, я просто художник, наношу любой орнамент на тело клиента, который мне заказывают.

— Любой да, но не нацистские символы, — Катя выложила на стол фотографии, распечатанные с компьютера. — Ваша работа?

— Да, моя.

— Вот этот знак Вольфсангель, — Катя указала на снимок татуировки Дмитрия Момзена: линия с обломанными загнутыми концами с разделительной полосой посередине.

— Волчий капкан? Это он мне велел сделать. По его рисунку и другую татуировку тоже.

— Когда?

— Когда? Первую татуировку мы с ним делали давно, — Голощапов вспоминал. — Года три назад, кажется, или два. И капкан тоже давно, но позже. Кажется, ту зимой, а вот эту весной.

— В мае, два года назад?

— Нет, пораньше, в марте, наверное. Потом они ко мне табуном попёрли, эти из «Туле». Много стало народа приходить по рекомендации Момзена. Всю весну. Потом вдруг летом как отрезало, и почти года полтора все было тихо. Никто от них не являлся. А сейчас опять приходить начали.

Катя прикинула — приходили весной, с марта. Потом в конце мая арестовали Родиона Шадрина, и группа «Туле» распалась, они затаились больше чем на полтора года. А теперь все началось снова...

— А этот Вольфсангель? — Катя указала на снимок татуировки Олега Шашкина. — Это когда вы делали? Кому?

— А, это пузанчику, адъютантику Димона... помню, молодой, сытенький такой. Сказочно богат. Олежек его звать, по кличке Жирдяй, — Голощапов усмехнулся. — Не подумайте только, что я сплетничаю, но я прежде считал, что он к Димону неровно дышит. Ну живут-то они вместе. Только все там оказалось совсем не так. Да, и ему я Вольфсангель делал тоже, у них, Рейнских романтиков, у многих такой знак, любят они его рисовать.

— И когда вы сделали Шашкину это тату?

— Тогда же весной, в марте. Они вместе приходили. Он за ним ведь как нитка за иголкой всюду таскается. А сам пол-Москвы купить может на деньги покойного фатера. Но Димон полностью его себе подчинил. Он это просто обожает, искать богатеньких пай-мальчиков, в основном студентиков, смысла жизни алчущих, и становиться этаким гуру для них. На полном, так сказать, пансионе. Вы только не подумайте, что я сплетничаю.

— Нет, нет, что вы, вы очень помогаете следствию, вы же художник, умный человек, — закивала Катя. — И салончик ваш прелесть что такое, жаль было бы терять. Так, значит, у них у многих такие татуировки в «Туле»?

— Да, и все через меня проходили, — Голощапов уже хвалился.

— А вот этот знак. Это не волчий капкан, — Катя как карту из колоды вытащила снимок татуировки Родиона Шадрина. — Не помните, кому из «Туле» вы его сделали?

— Что-то не припомню.

— А вы вспомните.

— Ах, да, это типа руны Онфер. Это не Димону я делал, он не приходил ко мне с этим знаком.

— А кто к вам приходил?

— Неадекват ихний.

— Неадекват?

— Ну, псих у них ошивался, юродивый, навроде шута у них в «Туле» был. Парень ненормальный. Как бишь его звали-то... Родиоша Блаженный. Кстати, первоклассный барабанщик. Но, кроме барабана, ему все остальное по барабану было. Такой не от мира сего — то ли даун, то ли аутист с рождения. Я его впервые на их концерте в клубе увидел. Ну, там-то он бог ударных. А потом как расслабуха после концерта началась, когда выпивать стали — дурак-дураком. Одно слово, юродивый! То-то я еще удивился, когда он вдруг сам ко мне приперся. И даже объяснил, чего он хочет.

— Когда он к вам приходил? Тоже в марте?

— Нет, позже дело было. А когда... я даже число вам скажу! В мой день рождения, двадцать второго мая. Я работал только до двенадцати, потом планы у меня имелись. А этот оболтус приперся с рисунком — скомканной такой бумажкой, в кулаке зажатой. Бубнить что-то начал, деньги совать. Я его хотел отшить — мол, в другой день, не сегодня. Но он так бубнил, смотрел так умоляюще. Юродивый... жалко... Отнял Бог половину мозгов, немножко только оставил для растопки. Там и рисунок простой, на двадцать минут работы. Я сделал ему. Хотел, как обычно, вот тут, — Голщапов показал на плечо, — но он просил вот здесь, на боку у подмышки. А там болевой порог иной. Не самые приятные ощущения при татуаже.

Но он вытерпел, не вскрикнул ни разу. Мне показалось, даже он это специально.

— Что специально?

— Боли хотел, мозгов-то нет, одни ощущения.

Катя прикинула: двадцать второго мая... за три дня до убийства лейтенанта Марины Терентьевой в Дзержинске, на которой был вырезан не такой, но весьма похожий знак. Похожий по графике, но совершенно иной по смыслу.

— А вот такую татуировку вы кому-нибудь делали? — спросила она, выкладывая снимок пореза.

— Это что? — спросил Голощапов.

— То, что нас интересует. Это вырезали на трупе, — сказала Катя. — Такую татуировку вы кому-нибудь делали?

— Я же сказал: этому чудику Родиоше.

— Нет, взгляните внимательно, это другая графика.

Голощапов осторожно взял снимок в руки.

— Что, прямо на коже ножом? — спросил он. — Да тут все наоборот. Словно перевернуто. Нет, такого я не делал. Бог мой... вы что, подозреваете, что это я??

— Нет, нет, — Катя успокаивающе покачала головой. — Просто необходима ваша помощь, дело серьезное.

— Да я вижу сам, — Голощапов вернул снимок на место и налил себе коньяка. — Нет, такое тату я не делал никому.

— Значит, вы и на концерты группы «Туле» ходили? — спросила Катя. — Что там за народ у них?

— Разный. Но сейчас всю музыку они к черту послали.

— А как мог такой юродивый оказаться у них в группе? Ну, этот Родиоша? Не знаете, как он попал к ним?

— Я сам сначала удивился. Потом так, слухи по клубу мотались.

— Какие слухи?

— Что это вроде родич какой-то дальний прежнего кореша Момзена, которого он от себя отдалил, то есть турнул.

— Прежнего кореша?

— Ну, сейчас у него в адъютантах этот Жирдяй, в рот ему смотрит. Но он не гомик, понимаете? А тот, прежний кореш — тоже о-о-о-очень богатенький пацан из о-о-о-очень обеспеченной семьи, тот намеки стал делать... недвусмысленные намеки... А там вроде еще сестра имелась. Богатая наследница. Момзен сам на нее виды имел. У него-то самого денег нет, он пацан из Марьиной Рощи, мать учительницей немецкого языка в школе работала... Он строит из себя сейчас этакого лорда Генри, все Дорианов Греев возле себя плодит, учеников. А сам-то с детства от мамкиной зарплаты до зарплаты. А тут вдруг счастье подвернулось — богатая девка, которой замуж давно пора. Вроде как в университете они все познакомились, он любит там околачиваться, среди студентов паству свою вербует. Ну он девку-то и охмурил. Да не учел того, что брат ее тоже охмурился... В общем, та еще история. Скандал. Гомика-приятеля он от себя куда подальше послал, но с женитьбой на сестре, со свадьбой — дело ведь к свадьбе уже шло — тоже все, конечно, накрылось. Богатство из рук уплыло. Он чуть рассудка тогда не лишился от расстройства и злости.

Катя слушала, затаив дыхание. Если бы знал этот пьяница-сплетник Голощапов, какую информацию он сейчас выдал!

— Того парня ведь Феликсом звали? — спросила она.

— Кажется. Слухи про все это ходили, про несостоявшуюся свадьбу Димона Момзена. Но давно это было.

— У Феликса тоже татуировка на руке. Случайно не ваша работа?

Голощапов усмехнулся:

— Они тогда вместе приходили. Как сейчас Жирдяй за Димоном таскается, точно так тогда и этот Феликс за ним как собачонка бегал. Парень заказал мне орнаментальный крест. Это так называемый Узел Тронда. Довольно темный символ. Кстати, у Момзена он тоже есть.

— Где?

— Внизу, почти что в паху, догадайтесь сами, рядом с чем, — Голощапов выпил коньяк. — Сюрприз для вас?

— Что за символ такой?

— Очень древний. И это настоящая готика, а не вся эта нацистская муть. Темный знак. Черная метка с того света.

Глава 38
САМЫЙ СЧАСТЛИВЫЙ ВЕЧЕР

В этот вечер Машенька Татаринова поняла, что счастье в жизни есть. Это не сказка.

До конца ее рабочего дня оставалось два часа, но как назло дел привалило, даже ежедневный отчет пришлось варганить, что называется, прямо «на коленке», пользуясь планшетом и перекачивая на флешкарту.

Между двумя соседними бутиками на первом этаже «МКАД Плаза» разгорелся злой конфликт из-за оформления витрин световой рекламой, которая ну никак не хотела гармонировать друг с другом. Требования торгового центра на этот счет гласили: привести в соответствие с общим дизайном. Но никто из владельцев бутиков не желал уступать друг другу и переделывать оформление.

Машенька Татаринова находилась в самой гуще торговой войны, фиксируя обоюдные претензии арендаторов в свой блокнот, когда она увидела *его*.

Феликс шел по первому этажу мимо фонтана и стеклянных лифтов, направляясь в свой бутик «Царство Шоколада». На него обращали внимание все покупательницы — на его стильный сюртук, кружевное жабо и этот новый белый атласный жилет. Словно ожил кто-то из героев английского сериала, словно сам принц ночи посетил шумный, набитый покупателями торговый дворец.

У Машеньки Татариновой подкосились ноги — она сама не ожидала, что сегодня вид Феликса на нее так подействует. Она забыла обо всем, даже о своей работе, о том, что надо фиксировать претензии. Она пробормотала извинение: я сейчас вернусь, одну минутку, подождите.

И сорвалась с места — туда, к стеклянным лифтам, которые словно сказочные воздушные колесницы или хрустальные гробы... опускались и возносились синхронно, с точностью до секунды.

У лифтов она Феликса не нашла и отправилась прямо в «Царство Шоколада». Все, о чем она так мечтала на конной прогулке, всколыхнулось разом, и Машенька решила действовать. Все эти бабы, все эти ужасные бабы, тетки, телки — они все так пялятся на него, они тоже его хотят... кто-то уведет прекрасного принца... возьмет этого антикварного гота себе и станет смеяться над ней, глупой Машенькой, проворонившей свое счастье из-за непростительной робости.

— Феликс!

Он стоял у прилавка-витрины «Царства Шоколада» и забирал прямо оттуда коробки с конфетами. Продавщицы у кассы наблюдали — дело хозяйское. Машенька не ожидала, что окликнет его вот так громко, так страстно.

Феликс, антикварный гот, обернулся. Он смотрел на Машеньку, словно не узнавая ее, не понимая, кто перед ним. Он был где-то далеко сейчас. Несколько коробок с конфетами лежали перед ним на прилавке. И еще одну коробку он держал в руках. Не шоколад, а марципан.

Машеньке сейчас не нужны были никакие конфеты. Никакие подарки от него. Она жаждала поцелуя.

— Привет, — сказал Феликс. — А, это ты.

Обычно говорят наоборот: А, это ты, привет.

Но Машенька не обратила внимания на эту маленькую странность.

— Слушай, я вот что подумала. Ты как к лошадям относишься?

— Что? К каким лошадям?

— Ну, покататься на лошади не хочешь? Я подумала, мы могли бы... встретиться и вместе... я могу это устроить, у меня мама — инструктор конной школы в парке «Косино».

— Где? — Феликс внимательно посмотрел на девушку, улыбнулся уголком губ. — Почему нет?

— Правда? Ты правда хочешь? Мы могли бы... да когда угодно, когда ты сможешь. Там лошади спокойные, ну, есть и с норовом... но мы выберем лучших, я это устрою.

— Прекрасно. Я могу тебе позвонить? — Феликс положил коробку с марципаном к остальным и достал из кармана сюртука Iphone. — Какой у тебя номер?

Машенька продиктовала, она чувствовала, что вся горит: он взял у нее номер телефона! Она думала, что он нажмет и перезвонит, чтобы исключить ошибку, но Феликс этого не сделал и телефон убрал. Вместо этого он спросил:

— А сегодня ты во сколько заканчиваешь?

— В шесть, но могу и раньше.

— Ты красивая.

— Это ты...

— Что я?

— Это ты красивый. Классный. Просто потрясающий. Это ты... я давно хотела сказать тебе... я...

Феликс наклонился и взял ее за подбородок. Машенька закрыла глаза. Она как никогда желала поцелуя. Но Феликс не поцеловал, видно, стеснялся продавщиц. Он лишь коснулся ее щеки тыльной стороной ладони.

— До встречи, детка.

Машенька вышла из «Царства Шоколада» на ватных ногах. В душе крепла уверенность — они встретятся сегодня вечером. Он позвонит сегодня. У него был тако-о-о-о-й голос...

И она не ошиблась. Звонок раздался на мобильный, когда она уже с сумкой через плечо спускалась из управленческого офиса по служебной лестнице. Она схватила телефон, но звонок оборвался. Она глянула на номер — не из списка, у нее все номера в списке обозначены, а этот нет, это Феликс!

И сразу пришло СМС: *«Жду у бокового входа, выходи, любимая»*.

Огромный торговый комплекс имел три выхода — центральный, тот, что из «Азбуки вкуса» на другом конце, и боковой — этот выходил прямо на съезд к МКАД и огромной парковке.

Машенька стремглав полетела через первый этаж — опять мимо фонтанов и стеклянных лифтов, мимо всей этой мишуры, всего этого барахла, мимо салона, где она делала маникюр в стиле Черной розы, мимо «Царства Шоколада».

Она летела на крыльях. Любимая... Феликс впервые назвал ее так... значит, она не ошиблась, все это время он тоже искал с ней встречи и горел, и мечтал, только робел, так же как и она.

Боковой выход. Вертящиеся двери. Никого навстречу — тут автостоянка и дорога, отсюда только, как правило, выходят к машинам.

У дверей стоял черный внедорожник с затемненными стеклами. Лишь на такой крутой тачке и могут ездить антикварные готы, принцы крови...

Машенька ринулась к авто. Дверь рядом с водителем тут же распахнулась, и высунулась мужская рука, Машенька в любовной горячке уцепилась за нее, чтобы подняться на высокое сиденье и...

Она даже ничего не успела толком понять. Ее схватили сзади грубо, с силой, причинив боль. Рука, пахнущая бензином, залепила ей сразу и рот и нос, заглушив крик. А потом кто-то нажал ей на шею, прямо на сонную артерию.

И Машенька провалилась в небытие.

Глава 39
ВИРТУАЛЬНАЯ МОДЕЛЬ

Полковник Гущин после доклада у начальника ГУВД снова приехал в экспертно-криминалистическое управление по просьбе Сивакова. Тот сидел у себя перед широким экраном компьютера.

— Вот все эти дни складывал как мозаику, — сказал он, кивая на соседний рабочий стол, где на подставке разложены глиняные черепки. — И так и этак вертел. Но вручную не складывается, ни один фрагмент не подходит к другому. Но есть одна интересная деталь, — он открыл файл с увеличенным в несколько раз снимком одного из глиняных осколков. — Вот тут. Сейчас увеличу до максимума.

— Я ничего не вижу, — признался Гущин. — Глина, она и есть глина.

— На осколке углубление размером в пять миллиметров, это не прокол и не воздушный карман, это опять же фрагмент, часть целого, — сказал Сиваков. — И на этом осколке то же самое, хотя тут еще меньше — около миллиметра.

На экране компьютера возникло зернистое изображение чего-то, полковник Гущин надел очки — бесполезно.

— И что это такое может быть?

— Мы сканировали эти фрагменты и загрузили в программу, и вот какую виртуальную модель предложил компьютер, — Сиваков переключил файл.

На экране возникла вращающаяся трехмерная виртуальная картинка — выпуклый осколок, а в нем продольный разрез, нет, скорее узкое отверстие, похожее на щель.

— Прорезь? — спросил Гущин.

— Тебе это ничего не напоминает? Никаких ассоциаций? — спросил Сиваков.

— Нет.

— Мелочь при себе есть?

— Что? Какая мелочь?

— Деньги, монеты, — Сиваков «кликнул», открывая новый файл. — Мы и это прогнали через компьютерную программу. И получили виртуальную модель. Это не глиняный горшок, не чаша, как мы думали сначала, это вообще не предмет посуды. Это совсем другая вещь. Вот так компьютерная программа представляет ее себе в виртуале.

На экране появилась трехмерная модель маленького бочонка с прорезью в верхней части.

— Копилка? — спросил Гущин.

— Глиняная копилка в форме бочонка, — ответил Сиваков. — А это вот ее разбитые части.

Полковник Гущин смотрел на экран компьютера. Пусть так. Но что все это дает? И в этот момент позвонила Катя. Она захлебывалась от впечатлений:

— Федор Матвеевич, они знакомы, они знают друг друга!

— Кто? Да ты где?

— Я все еще на Таганке. Они знают друг друга, понимаете? Дмитрий Момзен и Феликс! Момзен был женихом Мальвины, у них свадьба намечалась даже!

Катя начала сбивчиво и быстро объяснять — все про визит в салон тату в Товарищеском переулке.

— Между Момзеном и Феликсом произошел конфликт из-за того, что Феликс гей, они поссорились, и свадьба его сестры расстроилась. Дмитрий Момзен теперь не может жениться на Мальвине. Федор Матвеевич, вы понимаете? О чем нам говорила Ласточка — он не может жениться на женщине мечты! А Мальвина к тому же и очень богата. Все сразу он потерял. Федор Матвеевич, вы понимаете, кто такой Андерсен? Кого под этим именем Ласточка имела в виду?

В кабинете раздался новый звонок — уже по «кораллу» — прямой связи. Сиваков поднял трубку.

— Это тебя, из оперативно-технического, — сказал он. — У тебя сотовый занят, они не могут тебе дозвониться уже несколько минут.

Катин голос все еще звучал в мобильном. Гущин взял трубку «коралла».

— Товарищ полковник, это служба контроля за объектом. Там в Пыжевском что-то неладно. Четверть часа назад во двор особняка въехал черный джип, машина принадлежит Дмитрию Момзену, мы проверили по базе. И только что прослушка доложила — в гараже слышны женские крики.

Глава 40

В ДВУХ ШАГАХ ОТ КРЕМЛЯ

Черный джип Дмитрия Момзена въехал во двор особняка в Пыжевском. Автоматика включилась, подняла дверь гаража, и джип газанул внутрь.

За рулем сидел сам Момзен. Олег Шашкин по прозвищу Жирдяй занимал слишком много места на заднем сиденье. В своих объятиях он крепко держал лишившуюся чувств Машеньку Татаринову.

Весь путь от «МКАД Плазы» на юге, сюда, в центр Москвы, в Пыжевский...

Весь этот долгий путь он держал свою добычу цепко, как великое сокровище. С того самого момента, как он ощутил ее рядом — ее теплоту, ее хрупкость, ее слабость, ее страх, с того самого момента, когда она вскрикнула, увидев их в машине — их, а не Феликса, с того самого момента, как пальцы его... толстые грубые пальцы сомкнулись на ее нежном горле, пережимая сонную артерию... и она пискнула, как птица, в его руках, забилась и затихла, потеряв сознание... С того самого момента Олег Шашкин по прозвищу Жирдяй чувствовал себя на вершине блаженства.

Внутри все пело, в груди бушевал огонь — такой, который не потушить, в чреслах все закаменело. Он ощущал себя массивным как никогда, могучим, готовым в одно мгновение осыпать ее, девушку своей мечты, поцелуями и одновременно сломать ей хребет, сделать ее матерью своих детей, искупав в своей страсти, и умертвить — прямо там, в их постели, в их первую брачную ночь.

Первая брачная ночь... Пусть она началась вот так — с похищения, с сомкнувшихся пальцев на теплом горле, с этого дурманящего аромата ее враз обмякшего тела — пусть так, это ничего не значит. Настоящий кайф еще впереди.

От всех этих мыслей Олег Шашкин рос и твердел так, что самому даже не верилось. Целовал Машенькины рыжие волосы и лоб, покрытый испариной. И каждый раз встречал в зеркале заднего вида взгляд Дмитрия Момзена. В голубых глазах его бушевало белое пламя.

Весь путь Машенька была как мертвая. И только когда они въехали в гараж, она слабо застонала. Ресницы ее дрогнули.

Момзен выключил мотор.

— Мы дома.

Олег Шашкин наклонился и поцеловал Машеньку в губы — впервые. Он почувствовал, как его тело прошил электрический заряд в тысячу вольт.

— Хорош тут лизаться, — усмехнулся Момзен. — Бери ее в дом.

В этот миг Машенька очнулась и открыла глаза. Секунды она тупо смотрела на Олега Жирдяя, потом со стоном повернула закостеневшую шею, увидела машину, Момзена.

Она дико вскрикнула и забилась.

— Тихо, тихо, тихо, — Олег Шашкин крепче сжал ее и начал осторожно высаживаться из высокого джипа с ней на руках. — Тихо, тихо, это я, любимая, это я.

— Ты что... пус-с-с-ти...

— Это я, ты у меня... детка моя... моя красавица... ты со мной, ты моя, — голос Олега Шашкина дрожал от возбуждения. — Никто никогда больше... никто к тебе не прикоснется, не взглянет, только я... ты моя..

— Пусти... ты что? Вы кто?! Где я???! — Машенька лихорадочно озиралась, одновременно слабо, но все активнее и активнее начиная вырываться из рук. — Пусстиии меня!

— Ты моя... это должно случиться, я тебя предупреждал, ты моя... никто не смеет тебя... с тобой... быть с тобой, только я... я твой, твой!

— Пусстиии меня! Толстый! Урод! Пусти! Я закричу!

— Моя, ты моя!

— Ай-й-й-й! Урод вонючий!! Ай-й-й-й! Помогите!!!

Машенька закричала на весь гараж. И в испуге и остервенении отвесила Олегу Жирдяю звонкую оплеуху. От неожиданности он разжал руки, и она шлепнулась прямо на бетон у джипа.

Однако тут же вскочила и, шатаясь на нетвердых ногах, бросилась к двери гаража, истошно крича: помогите! Кто-нибудь! Помогите мне!!

Дверь гаража с лязгом опустилась. Момзен нажал на кнопку дистанционного пульта. Олег Шашкин налетел на Машеньку всей своей стокилограммовой тушей. Но она, сверкая глазами и отчаянно вопя, снова ударила его и вцепилась своими ногтями... ах, тот самый маникюр Черная роза — ему в щеку, оставив на ней алые борозды.

— Ты что? Царапаться? Ты — царапаться? — взвыл Олег Шашкин. Он не выносил, когда кто-то — неважно кто, даже девушка мечты — причинял ему боль. — Сука, я по-хорошему хотел с тобой!

— Помогите! Помогите мне!! — Она, крича, снова замахнулась, но он поймал ее руку, крутанул так, что хрустнул сустав.

Машенька дико заорала от боли, и вопль этот... Ох, словно стрелу выпустили из туго натянутого лука... Олег Жирдяй внезапно ощутил, как внутри все стало так горячо, что-то отпустило разом...

Вот... вот оно... и не надо больше притворяться... сдерживать себя, держать в узде...

Он с размаху кулаком ударил Машеньку в лицо. И она отлетела снова к джипу к самым ногам Дмитрия Момзена, который молча наблюдал за происходящим.

Шашкин подскочил и ударил Машеньку снова — на этот раз по спине, и она вскрикнула опять.

Он ударил ее ногой, поддев носком своего тяжелого армейского ботинка ее промежность.

— А-а-а-а-а!

Это уже кричала не Машенька, это орал он сам в неистовстве и страсти. Он любил ее, как никогда, в этот миг. Запомнишь меня! Запомнишь меня, сука, бью, значит, люблю, я люблю тебя и бью, и буду бить...

— И буду би-и-и-и-ть!

Машенька визжала от боли — у нее были сломаны рука и нос, и лицо превратилось в кровавую маску, она уже просто визжала на одной высокой вибрирующей ноте, где лишь мука и боль...

И в этот момент со стороны дома послышался шум, в дверь гаража забарабанили.

— Прекратить немедленно! Открыть дверь! Это полиция! Отпустите женщину! Всем выйти!

— Менты, — Дмитрий Момзен произнес это спокойно, словно это не дверь их гаража содрогалась от ударов. — Доигрались мы. Псы нагрянули. Что стоишь, рот разинув? Что столбом застыл?!

— Я не... Дима, что нам делать теперь?

— Забыл, чему я учил?

— Дима, но мы... у нас тут сам знаешь что... все в доме, они найдут...

— Возьми себя в руки. Ну? Я кому сказал?! Приди в себя!

— Но мы... а как же она?

— Ты ее хотел, так забирай с собой. — Момзен пнул распростертое тело и одновременно швырнул своему приятелю связку ключей. — План «К»! Вот не думал, что он так скоро нам пригодится.

Первыми прибыли к особняку в Пыжевском патрульные полицейские машины отдела Пятницкий — полковник Гущин позвонил на Петровку в МУР и в отдел полиции, что на Пятницкой улице, — ближайший отдел к Пыжевскому переулку.

Время — семь вечера — тот патовый момент, когда ваш навигатор со шкалой пробок показывает: город стоит. С Никитского из ГУВД оперативная группа во главе с Гущиным в Замоскворечье по пробкам могла добраться не скоро, а действовать надо было безотлагательно.

Но и патруль из отдела Пятницкий пробился к особняку лишь через восемнадцать минут. Сотрудники полиции сразу же бросились одновременно в армейский магазин и к закрытому гаражу. Они тоже услышали доносившийся оттуда крик.

Никто из них, даже полковник Гущин, ввинтившийся в оперативной машине в гигантскую пробку, растянувшуюся от Лубянки до Варварки, не представлял, какие события впереди и что вообще такое может случиться в самом центре Москвы.

Полицейские стучали в дверь гаража, потом пытались ее выбить. Затем ринулись в особняк, но тут с мезонина, с застекленной террасы грянула автоматная очередь — пули выбили искры из плитки, выстилавшей двор, и одна, как назло, попала прямо в закамуфлированный передатчик, заткнув его навсегда.

В этот момент в Пыжевский прибыли еще патрули отдела Пятницкий. Мгновенно оценив ситуацию — выстрелы, вооруженные преступники в доме, они перекрыли переулок и...

Вот тут-то и начался кошмар. В НИИ в Пыжевском и в расположенных тут офисах закончился рабочий день — поток людей хлынул на улицу и заструился в направлении Ордынки и станции метро Третьяковская. У многих тут стояли машины, и они пытались выехать, другие, наоборот, въехать, чтобы свернуть в Старомонетный. Когда раздалась автоматная очередь, все сначала опешили, а потом началась паника — люди побежали кто куда, машины запрудили переулок, забив его наглухо.

Сотрудники полиции первым делом... да что там говорить, надо было организовать эвакуацию людей из опасной зоны!

Автоматные очереди — две разом ударили с верхнего этажа, вспугивая всех голубей тихого Замоскворечья.

— Граждане, уходите, покиньте переулок, тут находиться опасно! — громыхал полицейский мегафон.

Из особняка били из автоматов прямо туда — на звук.

Воя сиреной, на углу взвизгнув тормозами, остановилась машина «Скорой помощи» — странного вида, похожая на длинный фургон. Из нее горохом посыпались не врачи, о нет... вооруженный спецназ пользовался таким транспортом во время часа пик, когда дорогу на улицах в гигантских пробках водители уступали лишь «Скорым».

Полковнику Гущину и оперативникам пришлось бросить машину в начале Ордынки и бежать до Пыжевского переулка на своих двоих. Вся улица тоже оказалась забита транспортом, пробка — полный коллапс. За мостом на Варварке полицейские уже все перекрыли, но тут в тесном старинном Замоскворечье это было словно мертвому припарки.

В Пыжевском Гущин увидел только пустые брошенные машины и сотрудников спецназа — они заняли позиции, рассредоточились. Он быстро переговорил с командиром спецназа и доложил ситуацию: двое опасных преступников, подозреваемых в серийных убийствах, и с ними женщина... что за женщина — пока неизвестно... оперативники вели наблюдение за домом, прослушивали... пришлось действовать вот так...

В этот момент спецназ попытался штурмовать особняк. Автоматные очереди и взрыв — из дома бросили гранату, потом еще одну и...

Пыжевский переулок — узенький, тихий, похожий на ущелье, содрогнулся от взрывов. В розовом здании НИИ взрывной волной выбило стекла. Осколками посекло знаменитые пихты Пыжевского переулка, посаженные тут еще в незапамятные времена.

— Вызывайте подкрепление, — посоветовал Гущин. Увы, не он распоряжался этой операцией по захвату.

— Деться им все равно отсюда некуда, — ответил командир спецназа. — Ни выехать, ни въехать, тут все перекрыто намертво, а дом мы блокировали.

После взрывов гранат наступило подозрительное затишье. Спецназ готовился к новому штурму особняка. Полковник Гущин понимал — сейчас в ход пойдут спецсредства — шашки со слезоточивым газом разом забросят во все многочисленные окна этого чертова дома... этого дурдома, который оказался с огромным сюрпризом.

Прячась за припаркованными машинами, Гущин продвинулся вперед — вот отсюда дом, палисадник и двор просматриваются хорошо — калитка и забор развворочены взрывом, в ухоженном дворе ямы теперь, стекла разбиты — везде полно осколков. И никакого движения в особняке...

Он видел, как спецназовцы двинулись вперед с разных сторон. Пш-ш-ш-ш! Бамс! Первый контейнер со спецсредством влетел в окно армейского магазина. Пш-ш-ш-ш! Контейнеры полетели в мезонин и на крышу. Всего несколько секунд, и особняк наполнился белым дымом, и вот тут...

Бах! Двери гаража вылетели с треском и грохотом. В клубах одуряющего дыма возникло что-то огромное. Послышался рев могучего мотора, и что-то вырвалось наружу оттуда.

Ударила автоматная очередь, заставляя спецназ отступить. Гигантский, поразительного вида автомобиль предстал перед их глазами. Это был так называемый Бигфут, а фактически бронированный «Хаммер», поставленный на высоченные толстые колеса суперповышенной проходимости.

Такие авто полковник Гущин видел лишь по телевизору на экстремальных автогонках. Но эта дрянь вырулила прямо навстречу им из клубов ядовитого спецсредства «черемуха».

Наверху в башне восседал стрелок! Резиновая морда, хобот, стекла-очки — он не страшился никаких спецсредств, он же был в противогазе. И не автомат уже держал он в руках — там, на башне Бигфута, был закреплен гранатомет!

Ба-бах! Новый взрыв гранаты пробил брешь в стене многострадального НИИ почвоведения. Ба-бах! И от «Скорой» спецназа остались одни горелые ошметки. Ба-бах! Граната просвистела прямо над головой полковника Гущина, и он бросился ничком на тротуар, закрывая голову от посыпавшихся на него осколков стекла и кусков штукатурки.

Бигфут, отчаянно взревев мотором, вырулил в переулок и въехал, точно на холм, на патрульную полицейскую машину, превращая ее в лепешку.

Бабах! Лупили из гранатомета.

Бигфут подминал под себя машины с устрашающей легкостью. Спецназ поливал его огнем из автоматов, но пули лишь отскакивали от бронированных стекол и боков супермашины.

Двигаясь как танк, пробивая себе путь, въезжая на крыши машин, давя все эти авто: «шевроле», «вольво», внедорожники, «форды», «жигули», «мерседесы» и «тойоты», из которых давно уже выскочили и бросились как зайцы наутек все — и водители и пассажиры, Бигфут двигался вспять движению по парализованной Ордынке — туда, к мосту, за которым Кремль.

— Понял, куда они направляются?! — заорал не своим голосом кто-то то ли из спецназа, то ли из прибывших на подмогу «приданных сил» с Петровки, 38. — Вызывайте бронетранспортеры! Перекрывайте мост! Васильевский спуск!

Но было уже поздно что-то там перекрывать — Бигфут раздавил в блин последнюю стоявшую на его пути машину и въехал на мост.

К счастью, мост уже опустел — огромный, широкий, он словно приглашал прокатиться по нему с ветерком, чтобы закончить то, что начато, большим раскардашем, а может, и большой кровью.

Громко завыла сирена тревоги. С Красной площади, с Кремлевской и Софийской набережных в спешном порядке сотрудники федеральной службы охраны эвакуировали людей. Как на зло в этот теплый майский вечер Красная площадь ломилась от туристов. И зевак становилось все больше, как только там, за мостом на Ордынке, началась канонада.

Когда под грохот в дверь гаража Дмитрий Момзен выкрикнул: «План К!», Олег Шашкин по прозвищу Жирдяй вначале опешил и...

Он всегда думал, что они просто играют в некую потрясающую игру наподобие компьютерной, когда подключаешь новенький Xbox и погружаешься в виртуал с головой — палишь, стреляешь из автомата, танка, пушки, снайперской винтовки и орешь от восторга, поражая все мишени игры.

И вот эта игра их тайная, опасная, захватывающая, горячившая кровь игра неожиданно обернулась...

Олег Шашкин лишь глянул на окровавленное лицо Машеньки Татариновой, когда Олег Момзен рывком чуть ли не за волосы поднял ее с бетонного пола:

— Эх, какое дело прахом из-за рыжей шлюхи! Что опять столбом застыл?!

— Я... ничего, я с тобой! Тут в доме мы не можем долго... и сдаться не можем, у нас здесь оружие, тротил, мы ж переворот хотели... теперь нас посадят... нас посадят в тюрьму навсегда!

— Что струсил, сразу в штаны наложил? Бери гранаты! Противогаз не забудь!

Момзен кричал, сверкая глазами. Бешеный и бледный, он был неистов. В тот миг Олег Шашкин осознал — он во власти ненормального, но уже поздно менять эту власть над собой.

— «Семь психопатов» смотрел? — ревел Момзен, стреляя из автомата по полицейским с галереи. — Половой вопрос, политика, чистота крови, фашизм, страх смерти, искусство и прочее говно подождут. Сегодня мужик должен быть мужиком! Бери автомат, готовься! Запомнят нас! Они запомнят нас надолго!

Мужик должен быть... да... но не в этом доме в Пыжевском, полном оружия, собранного за все эти годы Рейнскими романтиками так любовно и трепетно, не в этом доме, который скоро превратится в глухой капкан.

Минутами позже за рулем огромного Бигфута Олег Шашкин, задыхаясь в противогазе, уже ни о чем не думал и почти уже ничего не страшился — он крутил руль могучей машины и просто давил в лепешку все, что стояло у них на пути к плану «К».

Машенька была с ним в кабине. Кажется, она умирала, но его это волновало уже мало.

Чистота крови... любовь... фашизм и прочее говно...

Момзен наверху в башне «Хаммера» управлялся с гранатометом. От взрывов у них обоих чуть не лопались барабанные перепонки.

Бигфут вырулил на пустой Большой Москворецкий мост. И в этот момент из ворот Спасской башни показались вооруженные бойцы федеральной службы охраны. Кремлевский полк был поднят по тревоге. На стене между зубцами появились люди в черном — снайперы. В отличие от полиции — шумной, храброй и бестолковой — эти действовали тихо, четко и очень быстро.

Дмитрий Момзен, только изготовившийся пальнуть снова из гранатомета, охнул и осел — три пули снайперской винтовки угодили ему в горло, грудь и перебили предплечье.

Из миномета со стороны Спасской башни выстрелили уже по Бигфуту, застопорившему на мосту — снаряд угодил в мотор, а два других разорвали в клочья огромные передние колеса.

И тяжелая машина накренилась вперед, всем своим многотонным весом круша, ломая гранитную ограду моста. Послышался оглушительный треск. И Бигфут — «Хаммер» вместе с обломками парапета, вместе с людьми рухнул в Москву-реку.

Полицейские, спецназ бежали со стороны Ордынки. Но не им пришлось прыгать в воду — все это сделала охрана Кремля. Ныряли несколько раз, пытаясь открыть заклинившие двери машины. Машеньку Татаринову подняли наверх первой. Боец ФСО в черном стал приводить ее в чувство, делая массаж сердца и искусственное дыхание. Машенька начала дышать и кашлять. То же самое проделали и с Олегом Шашкиным, который нахлебался воды и получил черепно-мозговую травму при падении машины. Раненый Момзен, когда его достали с самого дна, практически уже не дышал. Но его запихнули в реанимобиль «Скорой» и под усиленной охраной повезли в больницу.

Полковник Гущин, который все еще никак не мог прийти в себя от того, что видел и слышал в этот вечер, поехал следом за той «Скорой», которая увезла в Первую Градскую больницу спасенную девушку. Его интересовало — кто же она такая. И что произошло между ней и этими двумя, которые попытались штурмовать Кремль.

Глава 41
ЮНАЯ КРАСАВИЦА

О событиях в Пыжевском, на Ордынке и Большом Москворецком мосту Катя узнала из выпуска теленовостей. Она пила яблочный сок в этот момент дома после приключений на Таганке. И едва этим соком не подавилась.

До глубокой ночи она смотрела все новостные репортажи с места событий — информационные агентства бились в судорогах сенсации. В первом часу ночи, прослушав все, о чем бубнил телевизор, Катя уже решила — все, дело кончено. Майский убийца пойман. И то, что все закончилось вот так — лишнее подтверждение тому, что Майский убийца, Дмитрий Момзен — личность необычайная.

Однако во втором часу ночи, ворочаясь с боку на бок в постели, она подумала, что делать выводы пока рано. Надо послушать, что на этот счет скажет полковник Гущин.

И на следующий день его пришлось ждать долго. Но Катя выжидала. Она знала — в криминальной журналистике умение терпеливо ждать — не менее ценное качество, чем бойкое перо или же талант все с ходу выведывать и разнюхивать. Как-никак статья для толстого журнала все еще оставалась главным ее рабочим приоритетом. И казалось, что совсем скоро эта статья завершится с блеском и помпой.

Почти весь день она занималась своей репортерской текучкой для электронной версии «Криминального вестника Подмосковья». После обеда позвонила в ЭКУ эксперту Сивакову. И узнала новые данные о том, чем может оказаться тот самый предмет из глины, от которого черепки. Бочонком-копилкой...

Катя подумала об этом секунду. Бочонок-копилка... Ну да, есть и такие, копилки, они вообще разной формы. Но при чем тут копилка? Такие жуткие убийства — и черепки от копилки...

Полковник Гущин появился в Главке только под вечер.

— Ну? Федор Матвеевич? — Катя, войдя в его кабинет, уже полный сигаретного дыма, умоляюще сложила руки. — Ну что, как это было?

— А ты не знаешь? Вся Москва гудит. Сейчас кранами чертовню эту из реки достали, их авто. А до этого я полдня в Пыжевском провел — обыск у них тотальный в особняке. ФСБ там теперь командует, — Гущин курил так жадно, словно это первая сигарета за день. — Чего там у них только нет! И гранаты тебе, и патроны, и автоматы. Целый арсенал в двух шагах от Кремля накопили в тихом особнячке с мезонином. И литература экстремистского толка, и фотографий полно, и компьютеры все забиты разным дерьмом. Но мы-то с Сиваковым и экспертами искали там другое. Я когда этим умникам из ФСБ список наш зачитывал, они лишь хмыкали — сломанная игрушка конь-качалка без нижней деки, обломки бамбукового рожка для обуви, глиняные копилки. Такого мы там не нашли. Зато спиц металлических там, в гараже, полно, и прочего железа разного. И тряпок полно — все в машинном масле. Сиваков все забрал — может, среди тряпок тот самый рваный чехол от подушки обозначится. Нам любая материальная улика сейчас сгодится — любая. С допросами-то пока не выходит ни черта.

— Почему?

— У Олега Шашкина голова разбита, серьезную травму он получил во время падения. Врачи не разрешают с ним пока беседовать — дней десять, а то и больше. А главный фигурант Момзен, тот при смерти. Пули горло и легкое пробили, он сейчас на аппарате в реанимации, не дышит сам.

— Федор Матвеевич, а кто эта девушка, которую они похитили, я по телевизору слышала.

— Юная красавица, — ответил Гущин. — Надо же, профайлер-то прав оказался, а я думал все это туфта. Нет, как в воду глядел наш спец. Юная красавица Мария, Машенька, как она себя называет, Татаринова. Сейчас-то, конечно, по поводу ее внешности такого не скажешь — она избита сильно, лицо все распухло, в синяках. Но на фотографии, даже в паспорте, — хороша, очень хороша. Да, вся эта кровавая карусель закончилась ею — юной красавицей, девочкой мечты. Только вот одна закавыка.

— Какая?

— Она показания дает только на Олега Шашкина. Я с ней говорил — и так и этак. Нет, стоит на своем — бил ее Олег Шашкин. Момзена она вообще с трудом вспомнила — вроде видела однажды. И он ее не бил там, в гараже. Но похитили они ее вместе, вдвоем. И знаешь откуда?

— Откуда?

— Из «МКАД Плазы», она там работала. Говорит, что Олег Шашкин часто наведывался к ней туда, чуть ли не следил. Вот оно куда все поворачивается — торговый комплекс, где побывали супруги Гриневы. Оттуда их могли вести до самых Котельников.

— Так кто все же мог вести — Олег Шашкин или Дмитрий Момзен?

— Я думаю, что оба, — сказал Гущин. — Возможная версия: убивали вдвоем или через раз — то один, то другой. Вероятно, один убивал, другой наблюдал, потом наоборот. У них там такие снимки дома в Пыжевском на большом экране — оголтелый садизм. И есть два очень любопытных факта.

— Каких?

— Во-первых, девчонка эта, Машенька, показывает, что встретилась с Олегом Шашкиным и Момзеном впервые в Косинском парке. Момзену этот район хорошо знаком, раз он был когда-то вхож в дом Масляненко, небось там с Мальвиной гулял, со своей невестой, вокруг озера. А во-вторых, оказалось, что Мария Татаринова знает Феликса.

— Они знакомы?

— Она сказала мне, что сама подошла к машине и хотела сесть, когда ее туда втащили. Я спросил: как же так неосторожно? И девчонка проговорилась: она думала это парень ее, Феликс, там, за рулем. Вроде как свидание. Нетрудно было установить по ее описанию, что это за Феликс такой, он ведь заметный в своем балахоне и жабо. К тому же в «МКАД Плаза» кондитерский бутик «Царство Шоколада».

— Федор Матвеевич, так все сплелось...

— Для Момзена венцом подъема по социальной лестнице в убийствах вполне могла стать девушка Феликса, юная красотка. А Шашкин, по словам Татариновой, был в нее влюблен, если это можно, конечно, так назвать. Судя по всему, Олег Шашкин был полностью подконтролен Момзену.

— Мы же вроде как выяснили, что Феликс — гей, — осторожно заметила Катя. — Зачем ему девушка?

Полковник Гущин запнулся. Потом сказал:

— Видела бы ты их вчера с гранатометом на этой хренотени с колесами. От таких можно ждать чего угодно. Никаких сдерживающих тормозов — это факт.

Катя кивнула — да, тут вы правы.

— Рано или поздно Шашкина мы допросим, — продолжил Гущин. — Насчет Момзена неизвестно, как там все в реанимации сложится. Но у нас дело о серийных убийствах. Одно ясно теперь — Родион Шадрин у них был все то время, пока в «Туле» обретался, как на ладони. Им могли прикрыться как щитом. И вещь лейтенанта Терентьевой ему там, в Пыжевском, могли в сумку сунуть. Нам надо иметь дополнительные улики на Момзена. Нам все равно предстоит найти самое начало веревочки. Где они все могли сойтись. Вроде как познакомились они все в университете. Вот мы этим и займемся — выяснением подробностей жизни нашего Майского убийцы.

Джека Потрошителя... ненастоящего Джека Потрошителя, — подумала Катя.

— Я завтра поеду, снова попытаюсь расспросить Мальвину, — сказала она. — В любом случае... Если Ласточка не появится, то... мы поговорим вполне обычно — о Дмитрии Момзене, об их отношениях, о несостоявшейся свадьбе. Если же Ласточка вдруг придет, то... я постараюсь побольше расспросить ее об Андерсене. Эта девушка Мария... Машенька об Андерсене ничего не говорила? Олег Шашкин при ней не называл так себя или Момзена?

Полковник Гущин отрицательно покачал головой.

Глава 42
У ОЗЕРА

Катя решила ехать в Косино на следующий день на своей машине — так удобнее. В это утро она не торопилась, как обычно. Даже встала намного позже. Спустившись во двор, она открыла гараж — их с подружкой Анфисой общий друг крошечный «Мерседес-Смарт» грустно дремал в плену у скуки.

— Сейчас прокатимся далеко, — сообщила ему доверительно Катя. — Вот увидишь, это будет незабываемо.

Она даже не подозревала, что слова ее — вещие. И представить себе не могла, *какие события впереди*.

С Фрунзенской набережной до Косино — путь неблизкий. Пробки на Комсомольском проспекте, на Садовом кольце, на Земляном Валу — намаявшись в них, Катя решила миновать кошмарную Рязанку и ехать через шоссе Энтузиастов и МКАД. Но выиграла она от этого мало, скорее проиграла. И поняла, что к пробкам надо относиться стоически, иначе рехнешься.

На МКАДе крошка «Смарт» даже разогнался немножко, весь искрясь на майском солнце, точно игрушечный.

И тут Катя поняла, что делает огромную ошибку — она ведь не позвонила Вере Сергеевне Масляненко и не договорилась о встрече. Настолько ее воображение потрясли события в Пыжевском, что она... она просто об этом напрочь забыла. А ведь Масляненки каждый сам по себе — мать на своей шоколадной фабрике, Мальвина, возможно, на лекции, Феликса неизвестно где носит, и Ласточка...

Катя поймала себя на мысли, что *думает о Ласточке, как о реальном живом существе*.

Она съехала с МКАДа — проделала большую часть пути, и что же теперь, поворачивать назад? Можно позвонить сейчас...

Но Катя решила — нет, раз уж так вышло, что без звонка, так и поеду — фактор неожиданности. Если Масляненки дома — хорошо, если их нет, то... Может, все-таки кто-то есть. Время всего половина первого, в богатых домах рано не встают. Кто бы там ни находился сейчас — Мальвина ли, сама хозяйка Вера Сергеевна или ее сын, она задаст вопросы о Дмитрии Момзене и о несостоявшейся свадьбе любому из них.

С улицы Большой Косинской она свернула в парк к Святому озеру и... ее поразил великолепный вид — в этот солнечный день конца мая, почти по-летнему знойный, озеро манило прохладой и тенистыми берегами. На песчаном пляже загорали отдыхающие. В озере уже купались — самые смелые. Слышался плеск и смех детей.

Катя медленно поехала по аллее для транспорта. Она миновала школу верховой езды — с аллеи хорошо было видно, как «на кругу» рысили всадники.

Катя подумала о *юной красавице* по имени Машенька. Она так и не видела ее — интересно, какая она? Венец всего происшедшего, всех этих кровавых страшных убийств, «подъема по социальной лестнице» по трупам жертв, и... последняя жертва, к счастью, спасенная...

Последняя ли?

Аллея вывела на улицу новостроек — как и там, в Дзержинске, как и там, у Черного озера — тут новые многоэтажки.

Внезапно Катя увидела впереди у ресторана «Менуа» на светофоре синий фургон «Фольксвагена». Самый обычный фургон — новенький, как и все в этом микрорайоне. На боку фургона — яркая надпись: «Царство Шоколада».

Фургон принадлежал фабрике, а за рулем его... Катя газанула — благо улица свободная, поравнялась на светофоре, заглянула в кабину водителя и..

За рулем фургона сидел Роман Ильич Шадрин — отчим.

Внезапно Катя ощутила, как спина ее, руки, лоб покрылись холодной испариной.

Отчего? Она не могла объяснить — это был мгновенный прилив страха, нет, ужаса. Он прошел так же быстро, как и наступил, но...

Она вцепилась в руль. Куда он направляется? Фабрика не здесь. Здесь только дом его богатой родни, то есть не его родни, а его красавицы-жены. И он имеет, по оперативным данным, совсем другую машину, легковую. Почему сейчас он ведет фургон фабрики? Да, он в прошлом своем — личный шофер мужа Веры Масляненко, он водит любой транспорт, но куда он едет?

На Оранжерейной улице и в парке и дальше — глубже в парк — Катя преследовала его неотступно. Ей казалось, что и скрытно. Она уже поняла — да, он направляется именно туда, в дом родни своей жены.

Она дала ему фору — пусть приедет туда первый, иначе он заметит ее машину.

Сидела в «Смарте» на обочине и смотрела, как стрелка на часах приборной доски описывает круг. Выждав время, она вышла, закрыла машину и пешком пошла к дому.

Синий фургон у ворот кирпичного замка под медной крышей она увидела издали. Машина у калитки, ворота открыты. Романа Ильича нет.

Катя бегом преодолела расстояние до дома, обогнула машину и вошла через открытые ворота во двор.

Все то же самое... как и там, в доме в Котельниках... ворота настежь, машину только-только успели загнать внутрь, как смерть... смерть их настигла... а здесь...

Она оглянулась — двор все такой же запущенный, как и в прошлый раз, — на дорожках сор, газон уже совсем зарос, клумбы заглушили сорняки.

Позади дома послышался какой-то шум — Катя выглянула из-за угла: Роман Ильич Шадрин открывал двери гаража. Возле гаража стоял роскошный серебристый «Мерседес» — на нем ездила Вера Сергеевна. Роман Ильич открыл гараж, потом вернулся к «Мерседесу», сел за руль и медленно начал загонять машину в гараж.

Катя посмотрела вверх на окна дома — пыльные. Но... или ей сейчас послышалось, или там внутри музыка играет.

Она вернулась к входной двери и увидела, что та приоткрыта. Послышались шаги, хруст гравия — Роман Ильич возвращался к фургону.

Катя скользнула за дверь в прохладный холл — она наблюдала за ним через щель.

Роман Ильич открыл уже теперь багажник фургона и начал вытаскивать оттуда что-то громоздкое.

Большой вместительный контейнер из желтого пластика с крышкой — в таких контейнерах на шоколадную фабрику доставляли сыпучие грузы. Пластиковый контейнер походил на огромный сундук.

Слабые отзвуки музыки доносилась со второго этажа. Внезапно все стало очень громко — видно, распахнули дверь. Музыка, знаменитые «Шестнадцать тонн» — что у них наверху, вечеринка, что ли? Что привез им Роман Ильич? Что в том контейнере?

Катя уж было хотела заявить о своем присутствии: эй, есть кто дома? Но что-то удержало ее, заставило оглянуться сначала по сторонам.

Все тот же запущенный холл, как и сад, — пыли на дорогой мебели и роскошной люстре стало еще больше, словно тут вообще никто не убирался с тех самых пор, как они с полковником Гущиным побывали здесь.

Возле самой двери стояли две больших туго набитых сумки — как будто кто-то приехал или собирался уезжать. Катя нагнулась и пощупала — в одной сумке явно обувь — вон как выпирает, а в другой — какие-то вещи. Край молнии разошелся и...

Она увидела корешок книги, запихнутой в сумку сверху. Еще не понимая, что она делает, потянула молнию и достала книгу.

Коричневый потрепанный переплет. *Ханс Кристиан Андерсенъ. Сказки и истории.*

Катя смотрела на обложку, потом открыла титульный лист — антикварное издание 1893 года. Великолепные иллюстрации. На внутренней стороне надпись шариковой ручкой:

Хотел подарить «Пиноккио», но у антиквара только это, сказки... Надеюсь, станешь любить меня больше своих книжек. Эта самая сладкая наша сказка: я люблю и хочу тебя, ты моя...

Примерно посередине книга открывалась легко, чуть ли не сама. Было очевидно, что именно это место в ней читали чаще, чем все остальное. Стоя в пустом пыльном холле этого дома, где сейчас с верхнего этажа звучали «Шестнадцать тонн», замирая каждую секунду от того, что отчим... Роман Ильич может войти, Катя открыла книгу на том самом месте, где эта книга открывалась сама.

Свинья-копилка...

Сказка «Свинья-копилка»

Страницы сплошь заляпаны пятнами — жирными пятнами, грязными пятнами, бурыми пятнами. Засалены, затрепаны, надорваны, словно это место читали и перечитывали. Вверху над текстом иллюстрация — копилка-свинья на комоде. Этакий маленький *глиняный бочонок на ножках с пятачком и прорезью на спине для монет.*

Катя держала эту книгу, эту сказку и...

Сколько игрушек было в детской! А высоко, на шкафу, стояла глиняная копилка в виде свиньи. В спине у нее, конечно, была щель... и две монеты в копилке уже лежали...

Кукла с подклеенной шеей сказала: «Давайте играть в людей — это всегда интересно!»

«Шестнадцать тонн» там, наверху, во дворе — фургон и желтый ящик, а здесь, в холле, сумки с вещами и..

Кукольный театр поставили прямо перед свиньей-копилкой... вся сцена как на ладони. Начать хотели комедией. Начали с конца.

Лошадь-качалка заговорила о тренировке и чистоте породы.

Детская коляска — о железных дорогах.

Комнатные часы толковали о политике — тики-тики!

Бамбуковая тросточка гордилась своим железным башмачком.

На диване лежали две вышитые подушки — очень миленькие и глупенькие.

И вот началось представление. Зрителей просили щелкать и хлопать в знак одобрения.

Но кнут заявил, что щелкает... только непросватанным барышням.

— А я так хлопаю всем! — сказал пистон.

«Где-нибудь да надо стоять!» — думала плевательница.

Все пришли в такой восторг, что даже отказались от чая. Это и называлось играть в людей. Причем тут не было никакого злого умысла, а всего лишь игра...

Музыка наверху затихла. Катя захлопнула книгу. Она чувствовала — со всех сторон ее окружает тьма, тьма, тьма. И она в этой кромешной тьме майского солнечного дня совершенно одна.

Наверху хлопнула дверь, и громкий веселый голос Веры Сергеевны произнес:

— Правда, все прошло здорово? Нам надо в следующий раз снова попробовать.

Грянул фокстрот. И под его азартный ритм бесчисленных ударных Катя, крепко сжимая книгу в руках, поднялась по лестнице.

Самая мирная картина открылась ее взору: справа две смежные комнаты: спальня хозяйки и небольшой уютный сиреневый будуар с эркером, в котором два спокойных кресла и стол.

За столом сидели Вера Сергеевна и Мальвина. Стол ломился от угощений — пирожные, конфеты, другие сладости, чай.

Мальвина сидела спиной к двери и что-то рассказывала матери с набитым ртом, она с аппетитом поглощала шоколадные конфеты.

Лицо Веры Сергеевны — такое бесстрастное, она кивала дочери — да, да, да.

Но вот она обернулась к двери на звук шагов.

Лицо ее мгновенно покрылось мертвенной бледностью.

Остекленевшими от ужаса глазами она уставилась на Катю, словно видела не ее, а кого-то за ее спиной.

Не призрака — нет, саму смерть.

Глава 43

ОПЕРАТИВНАЯ ИНФОРМАЦИЯ

Полковник Гущин с великим нетерпением ожидал вестей из больниц — с кем из фигурантов с Пыжевского доведется пообщаться. Однако новости и вечером и утром следующего дня были все те же — у Олега Шашкина состояние средней тяжести, и он пока не контактен. У Дмитрия Момзена тяжелое. Врачи делают все возможное.

Со вчерашнего дня опергруппа отрабатывала учебные заведения — МГУ и другие вузы на предмет того, где Момзен мог познакомиться с Олегом Шашкиным, Феликсом Масляненко и Мальвиной.

Эти новости пришли в полдень, когда полковник Гущин только-только закончил свой доклад у куратора в министерстве о событиях в Пыжевском, завершившим, как тогда всем казалось, дело о пяти убийствах с шестью жертвами.

Оперативники позвонили Гущину на мобильный, когда он покинул кабинет куратора.

— Федор Матвеевич, установили: Дмитрий Момзен и Шашкин познакомились в МГУ, не на факультете, а на собраниях исторического общества. С Феликсом Масляненко несколько раньше там же. Шашкин проучился в МГУ три года, затем завершал образование за рубежом. Феликс проучился всего год на философском факультете. Сам Момзен тоже окончил философский факультет МГУ десятью годами раньше. В университете его помнят и не слишком жалуют. Однако нет никаких данных, что Мальвина Масляненко работает в МГУ, преподает там, она не числится в штате университета.

— Это что-то типа платных курсов, она студентам лекции читает, — сказал Гущин. — Я от нее слышал сам и от ее матери. Она за рубежом стажировалась, специальность литература — филология, языки тоже. Хм, правда, учитывая ее состояние... Но, видно, на работе это не сказывается.

— Федор Матвеевич, в МГУ база данных по кадрам мощная, весь преподавательский состав — все, кто когда-либо преподавал в Москве, Петербурге и других университетских городах. Она в этой базе не числится.

— Я же говорю — она стажировалась и училась за рубежом.

— Дело в том, что... похоже на то, что у нее вообще нет никакого диплома. Никакого высшего образования. И... Федор Матвеевич, мы не поленились — проверили школу, в которой учился Феликс Масляненко — это частная гимназия в Вешняках рядом с музеем Кусково. Феликс был в младших классах, когда его сестру родители забрали из девятого класса. Там тогда произошел один неприятный странный инцидент, о котором директор гимназии наотрез отказывается говорить. После этого отец забрал ее домой. Она не получила даже школьного аттестата.

Глава 44
АНДЕРСЕН

— Вы? Это вы... Как вы сюда попали?

Вера Сергеевна Масляненко спросила это... почти спокойно. Но взгляд ее...

Ужас в глазах. Что-то непередаваемое словами, неописуемое. Беспредельный животный ужас.

Она смотрела на Катю и словно сквозь...

Катя, застывшая в дверях будуара, где женщины так мирно пили чай и ели сладости, никогда прежде не видела в глазах человека — такое. Будто сама смерть, да, сама смерть...

Андерсен...

Кто бы он ни был — Роман Ильич Шадрин, Феликс, Момзен, умирающий сейчас в реанимации, он находился сейчас здесь — прямо за спиной Кати, и Вера Сергеевна видела его.

Катя резко обернулась.

Никого.

Коридор второго этажа пуст. И на лестнице не слышно шагов. И внизу в холле все тихо.

— Я приехала к вам, простите, что без звонка. У вас ворота открыты и дверь входная, — сказала она, стараясь, чтобы голос ее... голос звучал спокойно, нормально.

— Это что, мы дверь забыли закрыть? — спросила Мальвина. — Мам, ну ты даешь, ты какая-то чудная сегодня. Рассеянная. Это после массажа. Знаете, мы ведь только что из СПА вернулись с мамой. Никогда меня мама так не баловала, как вчера и сегодня. Вчера весь день по магазинам. Я себе столько всего накупила, столько обновок, все такое дорогое. Мы были и в ЦУМе и в ГУМе. А сегодня утром мама решила везти меня в СПА. У меня сейчас такая истома, такая нежность во всем теле. Кожа как шелк. Да вы садитесь, — Мальвина вскочила и сама подвинула к столу третье кресло. — Раз приехали, значит, надо, по делу. Давайте я вам чаю налью. Вот конфеты, это наши, с нашей фабрики, попробуйте. Вкусные!

— Дочка, — сказала Вера Сергеевна, — Мальвина... девушка из полиции, по делу. Ей некогда с нами засиживаться.

— Да бросьте, ехали в такую даль к нам, и чаю не выпить? — Мальвина коснулась рукава Кати, приглашая ее к столу.

Катя села в кресло.

— У вас открыты ворота. Ваш родственник приехал. Муж вашей сестры Роман Ильич.

— Дядя Рома? А чего он тут у нас забыл? — спросила Мальвина.

— Я его попросила, — ответила Вера Сергеевна.

— Когда? Зачем?

— Проверить машину, мы сейчас ехали, что-то звук мотора мне не понравился. Гудит.

— А по-моему, все нормально. Ой, давайте я вам чаю налью, — Мальвина обернулась к Кате. — Тут черный, тут вот зеленый, а этот с чабрецом. Вам какой?

— Спасибо, я не хочу. Мне необходимо с вами поговорить.

— Ну съешьте хотя бы конфеты, — Мальвина подвинула к Кате коробку с шоколадом. — Вот эти самые вкусные. Простите, откуда у вас эта книга?

— Внизу в холле я увидела...

— Это моя книга, — Мальвина протянула руку, — дайте мне.

Катя тоже протянула руку — с книгой.

— Угощайтесь, ешьте конфеты, — сказала Вера Сергеевна. — И правда, вы должны попробовать все, чем богата наша фабрика. Все вопросы потом, сначала угощайтесь.

Катя положила книгу на скатерть между чашек, чайников и тарелок со сладостями. Она взяла шоколадную конфету.

— Я приехала поговорить с вами, Мальвина, о вашем женихе.

— О ком?

— О Дмитрии Момзене.

— О Диме??

— Не произносите это имя, — сказала Вера Сергеевна.

— О Диме? — вновь спросила Мальвина уже на тон выше.

— Не произносите это имя здесь, прошу вас! — Вера Сергеевна почти выкрикнула это.

Мальвина оттолкнула чашку, полную чая. Лицо ее вдруг покраснело, словно вся кровь хлынула в лицевые кровеносные сосуды.

— Мама, мне что-то нехорошо...

— *Ой, мне трудно дышать. Все горит.*

Тоненький писклявый детский голосок.

Ласточка явилась.

— Ой, живот... мой животик... нет, уже прошло. Вы чего тут делаете? — спросила Ласточка невинно.

— Мы... мы пьем чай, — ответила Катя.

Она снова пыталась, чтобы голос ее звучал нормально. Эта перемена... смена личностей произошла и в этот раз мгновенно. И к такому невозможно было привыкнуть, потому что это пугало до дрожи, несмотря на то что сейчас за столом сидел ребенок.

— Ласточка, я хотела спросить тебя...

— О чем? — Ребенок за столом потянулся за шоколадными конфетами и сграбастал целую пригоршню из коробки, отправил в рот, начал жевать, сладко чавкая.

— Ты ведь знала Диму?

— Диму?

— Жениха Мальвины.

— Не говори о нем.

— Почему?

— Он ее бросил. Назвал ненормальной и еще назвал **свиньей**. Он думал, я не слышу. А я все слышала, — Ласточка хихикнула. — Я пряталась. До свадьбы оставалось два дня. Мы так ждали, мечтали, думали, как оно все будет и какое платье красивое, белое, как роза.

— Кто мы?

— Я и Мальвина. А он сказал, что она сумасшедшая. Что с сумасшедшей свиньей нельзя жить даже ради ее денег. Он бросил ее. И ты не говори здесь о нем.

— Почему? — спросила Катя.

— Потому что *он* услышит, — прошептала Ласточка, — тс-с-с-с! Он все слышит.

— Кто он?

— Андерсен.

— Ну все, все, хватит, это надо прекратить! — не своим голосом выкрикнула Вера Сергеевна. — Я не могу... вы же видите, она тоже не может... Оставьте ее в покое, пожалуйста, пейте чай, ешьте конфеты. Это ее успокоит. Пожалуйста, ешьте конфеты...

Катя смотрела на конфету в своих пальцах — шоколад начал таять.

— Он его все равно убьет, — сказала Ласточка. — Как и тебя, как и всех.

— Расскажи мне о нем, все, что знаешь, расскажи мне об Андерсене, — Катя чувствовала, как дрожь... Нет, нельзя поддаваться, надо взять себя в руки. — Он сейчас тут, в доме?

— Да, — шепотом ответила Ласточка. — Я слышу его.

— Он внизу? — спросила Катя.

Ласточка насторожилась. Она прислушивалась. Лицо ее... нет, лицо Мальвины, странным образом изменившееся, покрылось мелкими бисеринками пота.

— Он внизу? — повторила Катя. — Это ведь дядя Рома, да? Роман Ильич? Это он подарил Мальвине книгу? Он во дворе, в холле?

— Он внизу, на дне, — прошептал ребенок. — Ой, он поднимается... я слышу... ой, живот болит...

— Ласточка!

— Он здесь, не отдавайте меня ему! ОН меня убье-е-е-т-т-т!!!!

Ласточка дико завизжала, выскочила из-за стола, ринулась к двери. Но путь ей преградил Роман Ильич Шадрин.

Он просто появился. Катя не слышала ни шагов его, ни шума на лестнице. Он просто возник в дверном проеме — массивный, темный.

Катя тоже вскочила с кресла. Отшвырнула конфету, сунула руку в карман:

— Роман Шадрин, лицом к стене, руки за голову, не двигаться, иначе стреляю на поражение!

— Маленькая сучонк-к-ка проболталас-с-с-сь... сто-о-о-й, ку-да-а-а-а? От меня не уйдеш-ш-ш-шь...

Голос, что раздался в комнате — такой отчетливый, с великолепной дикцией и вместе с тем такой жуткий, исполненный ярости и бешенства...

Голос был мужской.

По тембру не баритон, скорее тенор. Молодой, звучный, юношеский тенор.

Катя глянула на Романа Ильича — тот побледнел, но губы его были плотно сомкнуты. Это говорил не он.

И тут опять раздался пронзительный детский визг.

— А-а-а-а-а! Помогите!!!! Он меня схва-ти-и-ил! Он меня убьет, и-и-и-и-и!

Ласточка... Мальвина... нет, Ласточка — она упала на колени, вытянув вперед руки, словно защищаясь от невидимого врага, но вдруг руки ее обмякли, повисли как плети. Она захрипела, потом застонала.

— Убил... Он убил меня... ой, как же больно... болит...

Она скорчилась, обнимая живот, будто острое лезвие вошло глубоко в нее, пробив внутренности. Внезапно тело ее выгнулось, как в агонии. И она рухнула навзничь.

— Господи, Вера, что ты ей дала? — потрясенно прошептал Роман Ильич.

— Заткнись, мы тут не одни! — прошипела Вера Сергеевна.

— А, девка из полиции... но она ведь уже тоже поела твоих конфет...

Катя ринулась к Ласточке. И тут смысл сказанного дошел до нее.

Но некогда, некогда было разбираться сейчас с этим.

— Вызывайте «Скорую» немедленно! — крикнула она. — Что вы стоите, вызывайте врачей, это же ваша родная дочь!

Они не двигались. Но Катя чувствовала — еще мгновение, и они либо ринутся вон из комнаты, из этого дома, либо набросятся на нее, но... Ласточка, этот ребенок... он умирал прямо у нее на глазах.

Катя нагнулась, пытаясь приподнять Ласточку.

— Мальвина, ты слышишь меня... Ласточка, ты слышишь... все хорошо, я не дам тебе умереть... Вызывайте же «Скорую»! Вы все ответите! Вам все равно это не сойдет с рук... мы все знаем о вас.

— *Ничего ты не знаешь обо мне.*

Голос, произнесший это, был тот же — мужской, молодой, звучный, с великолепной дикцией, красивый, точно актерский, только сейчас слегка приглушенный.

Ласточка... нет, Мальвина открыла глаза. Лицо ее — оно снова изменилось — сморщилось, а потом разгладилось, словно сошла старая ненужная кожа и в мгновение ока выросла новая.

Это произнесли ее губы, ее язык.

Рука мертвой хваткой с чудовищной неженской силой вцепилась в Катино горло.

— Он здесь! Он опять здесь, этот дьявол! — закричала Вера Сергеевна. — Феликс, Феликс, ничего не действует! Она жива и ОН, Андерсен, здесь!

Андерсен поднялся на ноги. Он поднял Катю вслед за собой, словно она не весила ничего. Катя подумала: сейчас сломает мне гортань... и шею...

Но он лишь крепче стиснул кулак и отшвырнул начавшую терять сознание Катю прочь, как ненужную пока вещь.

— А, старая сука тоже тут, — произнес он. — Что ты мне дала? Что ты *ей* дала? Хотела отравить? Ты хотела ее отравить???!

— Не приближайся ко мне! Не смей! — Вера Сергеевна отпрянула в угол.

— Ядом в конфетах ее накормила? Хотела отнять ее у меня? Хотела забрать у меня мою радость, мою царевну, мою великую любовь?!

— Не подходи ко мне, ты чудовище!

— Ты хотела убить мою любимую? Мою Мальвину, моего мотылька? — ОН... Андерсен — *третья тайная личность Мальвины* — ревел как раненый зверь. И голос его был уже не звучен, не красив, не ошеломляющ, даже не страшен в обычном смысле этого слова.

Голос был жуток.

Такими голосами говорят мертвецы.

Или живые — те, кто потрошат... режут, кромсают живых на куски, упиваясь их муками и кровью.

В два прыжка «он» пересек будуар, пинком ноги опрокинул стол, полный посуды и сладостей, за которым хоронилась Вера Сергеевна, и схватил ее.

— Помогите! Феликс, сынок!

Феликс, оттолкнув застывшего в ступоре перепуганного Романа Ильича, ворвался в комнату с пистолетом в руках.

— Отпусти мать! — закричал он. — Не смей трогать мать!

— Надо было вас первых прикончить, все дражайшее семейство, освободиться, — руки Андерсена сомкнулись на горле Веры Сергеевны. Та задыхалась — с посиневшим лицом, с почерневшими губами, а он прикрывался ею как щитом от направленного на него дула. — Но это бы огорчило безмерно ее, мою любовь, мою радость... Хотели разлучить нас, хотели избавиться от меня? По-вашему, я не достоин ее, не обладаю, чем должен?! У меня нет того, что есть у других? Я обделен плотью, и поэтому я ущербный?? Я бы все равно провел с ней тысячи наших ночей, тысячи раз взял бы ее, так, что она сладко кричала бы в моих объятьях. Я не ущербный, слышите вы? Те, прочие грязные суки, они бы рассказали вам, как я брал их там, как *играл в людей с ними!* Они хотели меня! Они так кричали, когда я делал это... Но я люблю только ее, я ее раб, я ее господин, она моя навсегда. Никто, слышите вы, слышишь ты, я знаю, ты все пыталась, даже яду дала, — он повернул к себе почерневшее от удушья лицо Веры Сергеевны, — никто никогда нас не разлучит!

Все, что произошло дальше, случилось почти одновременно.

Вой полицейской сирены, визг тормозов.

Топот на лестнице.

Крик Феликса:

— Отпусти мою мать!!!

Грохот опрокидываемой мебели.

Выстрел!

Андерсен, взревев от боли, — пуля угодила ему в ногу — высадил Верой Сергеевной окно будуара.

Звон стекол, грохот.

Вера Сергеевна с воплем полетела вниз со второго этажа.

В комнату ворвались полицейские, Катя увидела впереди полковника Гущина.

Но Андерсена в этой его страшной ипостаси никто не мог удержать.

Выстрел! Феликс выстрелил в сестру снова и раздробил ей бедро, но Андерсена рана не остановила. Он бросился на Феликса.

— Ще-н-о-о-ок, попла-тиш-ш-ш-шься у меня! Глаза вы-рву-у-у!

Он ударил Феликса в лицо скрюченными, точно когти, пальцами и одновременно рванул его руку с пистолетом, ломая кисть.

А-а-а-а-а!

Феликс с чудовищной силой был отброшен в сторону полицейских. Катя сжалась в своем углу — у Андерсена в руках был теперь пистолет.

Полковник Гущин, оперативники — они все слышали голос Андерсена.

— Вы не возьмете меня. Не разделите нас. Она моя навсегда. Я выбрал ее. Я люблю ее! Я беру ее сейчас на ваших глазах! Акт любви!

Андерсен приставил пистолет к груди Мальвины.

— Не недо, стой, прошу тебя, Мальвина, не позволяй ему себя убить, скажи ему, что ты хочешь жить! — закричала Катя.

Выстрел!

Она... он... они рухнули на пол в брызгах крови.

Глава 45
РАЗНЫЙ УГОЛ ЗРЕНИЯ

Глаза человеческие устроены одинаково. Но видят все по-разному. Может, в этом все дело? Может, в этом причина того, что мир — такой реальный и привычный, по сути странен, изменчив и переменчив, лишен совершенства, сложен в самом простом, велик и мал, просторен и тесен.

Например, тот момент, когда к дому на Святом озере приехали «Скорые»...

Кате во всем страшном хаосе происшедшего почему-то особенно отчетливо запомнилось это — как на место приехали врачи. Это означало конец операции. Сама она не пострадала, только шея болела адски после той мертвой хватки. Она видела, как Веру Сергеевну укладывали на носилки, и она стонала от боли, но была живой.

Как со второго этажа бегом и тоже на носилках санитары выносили его... Андерсена... или Мальвину?

Кате хотелось заглянуть в лицо человеку, который лежал на носилках, но врачи не подпускали никого.

— Состояние критическое, до больницы не довезем.

— Носилки в машину, кислородную маску, быстрее, мы ее теряем!

Катя видела, как врачи в «Скорой» захлопнули дверь, машина тронулась с места под вой сирен, вырулила со двора и внезапно остановилась на дороге.

Оперативники побежали узнать, что случилось. Феликс — весь грязный, в пыли, с разбитыми губами — смотрел из окна.

Катя видела только это. Потом оперативники доложили Гущину, что врачи сделали все возможное там, в «Скорой», даже остановились, так как думали, что это в тот миг поможет — полный покой для пробитого пулей сердца. Но пациентка скончалась.

Мальвина?

Или Андерсен?

Если смотреть на все под таким углом зрения, вопрос так и остался без ответа.

Но видят все по-разному, в этом все дело.

ОНА в те краткие быстротечные минуты, когда «Скорая» выруливала со двора на дорогу, была собой.

Она помнила свое имя, данное от рождения — такое нелюбимое — Мальвина. В школе ее дразнили за него много и жестоко.

Она слышала все происходящее вокруг:

— Кислород! Мы ее теряем!

— Подключайте к аппарату!

— Кровотечение не остановить!

Она видела все, но угол зрения был необычен. Она видела как бы сверху: вот на каталке тело — одежда на груди разрезана хирургическими ножницами, рана обложена тампонами. Вокруг врачи.

Это тело Мальвины.

А если посмотреть дальше... в туман, что клубится... там еще одно тело — маленькое, скорченное.

Это тело девочки. У нее светлые, давно не стриженные волосы, клетчатые брючки, кроссовки и розовая замызганная футболка. Девочка вся чумазая, потому что она всегда любила прятаться, хорониться по самым темным углам, где так много пыли и паутины. Это Ласточка. Мальвина всегда, всегда представляла ее себе вот такой — со светлыми волосами, живой как ртуть. Но сейчас она мертвая.

А вот другое тело. В темных одеждах — он всегда носил темное. Возможно, потому, что на нем кровь не так видна. Он ведь любил ее и не хотел пугать.

Мальвина никогда не произносила его имени, но знала, что его зовут Андерсен. Высокий, широкоплечий, очень сильный, с прекрасным голосом — такой красивый мужской голос... когда они разговаривали по ночам, он околдовывал ее, потому что шептал ей на ухо, кричал на весь мир о вечной великой любви.

Рана на его груди в том же месте и тоже обложена тампонами. Сильный могучий мужской торс, как она желала его порой. Как просила его... Но он не мог, он никак не мог... ничего никогда, потому что... так уж вышло с ним... Это вселяло в него дикую ярость и обиду, и злость, и месть. Но Мальвина его прощала — он всегда был с ней, в отличие от того, другого, который бросил ее перед самой свадьбой.

Его глаза... Мальвина никак не могла уловить, запомнить его лица, но ей всегда казалось, что они похожи — он и он, этот и тот, другой... Глаза голубые, порой полные белого огня.

Поднимаясь все выше и выше над ними и над собой, распростертой на носилках, она видела...

Ах, это можно лишь представить, не увидеть — ведь это никогда не происходило на самом деле. Все лишь иллюзия, сотканная из ее грез.

Золотые пылинки в лучах солнца...

Оранжевые блики на чисто вымытых стеклах окон, смотрящих на Моховую...

Аудитория... Белые широкие подоконники, белый мрамор, скрипучие старые ступени, потемневший дуб панелей, запах воска, запах дерева, аромат духов, которыми пользуются студентки, воздух свободы и просвещения, пьянящий как вино...

Всего этого ей хотелось так же сильно, как и любви, но и с этим не вышло...

Только в мечтах, лишь в мечтах, не наяву.

Такой чудесный вечер в старой университетской аудитории. И столько людей пришло, некоторые сидят даже в проходах на ступеньках, отложив сумки и рюкзаки, открыв ноутбуки, слушают ее, записывают за ней, ловя жадно каждое ее слово. Да, каждое слово... Музыку слов...

Данте и Вергилий встречают ЕГО в аду... Да, несет свою отсеченную от тела голову, ибо ОН...

Ибо я даму нашел без изъяна и на других не гляжу, так одичал, из капкана-выхода не нахожу..

Я счастлив, я попался в плен, завидую своей я доле, мне ничего не надо боле, как грезить у твоих колен...

Грезил, отстраняясь от книг, и собирался в путь далекий...

Нога, я помню, подвернулась, едва ступил я за порог, в другой бы раз из суеверья я бы вернулся...

О-о-о-о-о! Вы-со-ко-о-о-о на шкафу стояла глиняная копилка в виде свиньи... о большем ни одной свинье с деньгами не о чем и мечтать... она ведь могла купить все, что угодно...

Театр поставили прямо перед ней... вся сцена как на ладони..

Где-нибудь да надо стоять! — думала плевательница.

А я так хлопаю всем! — сказал пистон.

Кнут заявил, что щелкает только непросватанным барышням...

Все пришли в такой восторг, что даже...

Свинья... да, свинья свалилась со шкафа и разлетелась вдребезги...

И отправилась гулять по свету... И остальные тоже...

Давайте играть в людей, это всегда интересно!

Чей гибок был стан, чей лик был румян, лежит бездыхан...

Я встал на колени... О-о-о-о-о, пусть его тени приют будет дан...

Там, в светлой, светлой, светлой *сени райских полян...* в аудитории, они... все они смотрели на нее с огромным изумлением.

А она смотрела на них — среди тех, кто в аудитории, те пятеро и один.

Пять девушек и парень. Та из них, что лишилась глаз, пришла в темных очках, чтобы не пугать окружающих.

Они все о чем-то ее спрашивали, задавали вопросы, их интересовала лишь лекция, поэты Плеяды, поэзия трубадуров, но она... она, Мальвина, которая снова была собой *полной, не расщепленной на части,* слышала лишь их предсмертные крики.

Как же страшно они кричали...

Нестерпимо...

Никакого приюта...

Никакого света...

За это за все.

Мальвина это поняла. И приняла — в последний свой миг она протянула руки темноте.

Глава 46
ФЕНОМЕН

Порой с течением времени некоторые события представляются еще более удивительными, чем даже в самый первый момент. Хотя и тогда они поражали воображение.

Катя осознала это в ходе своей работы над многострадальной статьей для толстого журнала МВД.

Совершенно небывалая вещь — готовую статью она понесла на рецензию не редактору, нет, а полковнику Гущину, который сроду, кажется, не брал в руки толстых журналов министерства.

Но эту статью он прочел.

За рецензией Катя зашла через два дня.

В окнах просторного гущинского кабинета — первые отблески заката над Никитским переулком.

— Дед наш слег от расстройства, — это было первое, что сообщил Гущин. — Светило психиатрии Давид Гогиадзе. Простить себе никак не может, что проворонил редчайший феномен психиатрии — расщепление личности. Говорили ведь мы ему — так нет, своим авторитетом попер. Если бы тогда во время гипноза...

— Нет, Федор Матвеевич, — Катя покачала головой. — Разве вы не понимаете, с кем мы имели дело? Андерсен не появился бы тогда, никакой гипноз не заставил бы его показать себя нам тут, в полиции. Это означало раскрыть себя, свою тайну. Но не этого он боялся даже. Он страшился, что из-за его появления пострадает Мальвина. А Ласточка его так боялась... она тоже не посмела показать себя тогда.

— Но ты вот в статье пишешь, и я это тоже теперь знаю по материалам дела — Мальвину все эти два года мать Вера Сергеевна держала в частном санатории — лечебнице в Швейцарии. Психиатры тамошние все наблюдали, весь этот феномен. Делали ей это... как называется?

— Электростимуляцию правого бокового сегмента префронтальной коры головного мозга, — сказала Катя. — Я со специалистами из Института Сербского разговаривала — это такой метод лечения воздействия на мозг. Они пытались таким образом разрушить эту третью личность, столь опасную. Но даже это Андерсена не смогло уничтожить, отделить от Мальвины. Он слишком сильно был к ней привязан. Он слишком любил ее, чтобы вот так просто исчезнуть.

Гущин смотрел на огни заката.

— Или магия, или чертовщина, или наука психиатрия, а может, все вместе, — произнес он. — И все это называется психический феномен... Расщепление личности на личности. Если бы сам своими глазами не видел и своими ушами не слышал, наверное, не смог бы поверить тоже. Так что не виню нашего дедулю-профессора за его скептицизм. От него мировая слава под конец уплыла, а мы дело раскрыли. Такое дело...

— Хорошо, что ее мать и брат начали давать правдивые показания, мы без их пояснений все равно бы как в потемках блуждали, Федор Матвеевич.

— Это, как ни странно, адвокатов Веры Сергеевны надо благодарить, — хмыкнул Гущин. — Они ее и Феликса уговорили, как только результаты токсикологической экспертизы пришли и стало ясно, что в тех конфетах, которыми она Мальвину... всю их троицу накормить решила напоследок, никакой не яд, а салициловая кислота.

— Вот этот момент я еще для себя не прояснила, как это получилось?

— Когда они отравить ее решили — не только мать и Феликс, а все они — вся семья, весь клан, как ты тут правильно пишешь — *их клан,* — Феликс обратился к тем, у кого он обычно наркотики покупал, попросил достать пистолет и яд мгновенного действия. Но те, видно, перетрухнули — одно дело кокаин толкать, другое отраву. Да яд к тому же еще найти надо. А они искать не стали, всучили Феликсу под видом яда салициловую кислоту. Феликс с матерью начинили этим шоколадные конфеты перед тем чаем. Когда Мальвина их поела в достаточном количестве, ей обожгло желудок, вызвав боль. В тканях ее тела не обнаружено яда, не яд стал причиной смерти, а выстрел. Как только адвокат растолковал все это Вере Сергеевне, объяснил, что за покушение на убийство с негодными средствами — так ведь это называется, осудить кого-либо практически невозможно, и посоветовал сотрудничать со следствием, она смекнула, что давать показания в ее же интересах. И главное, в интересах ее...

— Феликса?

— Нет, — Гущин покачал головой, — фабрики. Ее шоколадной фабрики. Разве ты не поняла, с кем мы имеем дело в лице Веры Сергеевны?

— «Царству Шоколада» все равно теперь конец, — заметила Катя. — Я специально справлялась в Интернете — после всего, что открылось, после всех этих публикаций по материалам расследования, их продукцию — шоколад и конфеты — магазины больше не заказывают. Федор Матвеевич, а я вас давно спросить хотела.

— О чем?

— Как вы тогда приехали так вовремя и так неожиданно туда, на Святое озеро?

Гущин покосился на Катю.

— Хоть тут успел, — хмыкнул он. — А то те два года... Когда стало ясно, что мать — не Мальвина даже, а мать Вера нам солгала по поводу лекций дочери и ее образования, я... в общем-то ложь невеликая, но... Меня словно что-то толкнуло — езжай разберись сейчас же. Ты ведь туда совсем одна отправилась... Но я до самого конца не мог предположить, что дело обернется вот так.

Катя кивнула: да, феномен...

— В общем, как я сейчас понимаю из показаний Веры Сергеевны, Феликса, Надежды, ее мужа Романа Ильича — всех их, всей семьи, дело это началось давно. Сначала появилась Ласточка, и это произошло с Мальвиной еще в школе. Ей там несладко приходилось — сверстники доводили до истерик.

— Она и Родион Шадрин дети одного отца, это называется дурная наследственность, — заметил Гущин.

— Возможно, но она у них проявилась по-разному. У Мальвины в виде расщепления личности. И она с этим жила, она приняла это. Одна личность — ее настоящее «я» обладало редкими талантами к литературе, к языкам. Никакого образования родители ей не дали, потому что боялись, что тайна феномена выплывет наружу. И начнется вся эта карусель — психдиспансер, трудности с визами — а они ведь подолгу за границей бывали... В принципе Ласточка никого не беспокоила собой — они все старались с этим жить так же, как семья сестры Веры Сергеевны Надежды жила с сыном-аутистом. Ласточка на протяжении многих лет оставалась все тем же инфантильным ребенком, а Мальвина росла, взрослела, но жила в воображаемом мире, где она считала себя преподавателем университета, читающим лекции студентам. Она не встречалась с парнями, родители заботились о ней, брат тоже заботился по мере сил. Он познакомил ее со своим старшим университетским приятелем Дмитрием Момзеном. И вот с этого все покатилось в тартарары.

— Я когда узнал про его смерть в больнице... — Гущин достал сигарету из пачки, потом взглянул на Катю и снова убрал ее. — Время смерти у них совпало, так странно... В доме — выстрел, а там, в клинике у него сердце остановилось.

— Это просто совпадение, Федор Матвеевич, — сказала Катя. — Андерсен не Дмитрий Момзен. Он другой. Он появился, чтобы... нет, не защитить Мальвину и не утешить ее после разрыва с женихом. Как бы это сказать, он появился, чтобы любить ее и в то же самое время... чтобы разрушить все. Я об этом с психиатрами из Сербского говорила. Так вот, в психиатрии бытует мнение, что при этом феномене расщепления личности одна личность всегда стремится занять доминирующее положение и уничтожить другие личности. Это мы и наблюдали. Но в нашем феномене была некая уникальность — одна личность была влюблена в другую насмерть. Андерсен был влюблен в Мальвину — все беды, все убийства именно из-за этого. Вы ведь видели его там, в доме.

— И до смерти не забуду. Голос... как вообще молодая женщина с ее голосовыми связками могла говорить таким голосом? Словно парень — здоровый, мощный. И... я ведь видел тогда перед собой парня, мужика, не женщину. Как она... он двигался там, как дрался... Мать из окна швырнул, прыгнул на Феликса как тигр. Такая силища... неудивительно, что он... то есть она... того бедного парня Кирилла Гринева в Котельниках убила одним ударом.

— Не она, он, Андерсен, — поправила Катя. — Их всех убил он. И Ласточку. И Мальвину. Их всех убил ОН.

— Читал про это расщепление, что некоторые личности на древних языках начинают болтать — на латыни, на древнееврейском, на персидском... Интересно, какими же голосами? — Гущин покачал головой. — Да, или магия, или чертовщина, а все наука психиатрия. И главное, все эти психиатры-спецы много говорят, но объяснить конкретно, четко не могут!

— Кто может объяснить феномен, Федор Матвеевич? О многих вещах мы способны лишь догадываться. Но, к счастью, вы с коллегами собрали по этому делу уже достаточно фактов, чтобы о чем-то судить конкретно.

— О чем же ты, именно ты судишь конкретно в этом деле?

— Ну, я продолжу о знакомстве Мальвины и Дмитрия Момзена. То, что он обаял, влюбил ее в себя очень быстро, нет сомнений. Я его видела в Пыжевском. Парень он видный.

— Фашист, на такие дела замахивался...

— Да уж. И он жестокий, бессердечный, — сказала Катя. — Возможно, сначала он ничего не замечал, что с Мальвиной что-то не так. Я записи допросов Веры Сергеевны слушала, она об этом подробно рассказывает. Все у них быстро завертелось — весь их скоротечный роман. Мальвина ведь богатая невеста, а он денег желал. Потом он увидел появление Ласточки. И какое-то время решил терпеть. На кону большие деньги, фабрика, капитал. Но, видно, постоянно думал об этом и уже перед самой свадьбой решил, что... В общем, как бы ни был он плох, в этом осудить его трудно — кто решится связать судьбу с сумасшедшей, в которой живут как бы два человека? Он сказал о своем решении, о разрыве, Мальвине в крайне грубой жестокой форме, оскорбил ее. Назвал свиньей, богатой сумасшедшей свиньей. Думаю, сделал это намеренно, чтобы сразу оборвать все отношения. Они расстались. Мы с вами решили сначала, что свадьба расстроилась из-за Феликса, из-за его притязаний на Момзена, но Феликс никогда не был гомосексуалистом. Этот слух о сорванной свадьбе Момзена, который я слышала от мастера татуировок в салоне, гулял по клубам, по Москве в такой вот форме, потому что истинная причина разрыва тщательно скрывалась. Мальвина осталась одна за два дня до свадьбы. А тут еще болезнь отца, который уже не верил врачам и больницам и ждал конца дома в компании сиделок и медсестер. Все наслоилось — жених бросил, отец умирал и не желал с этим мириться, устраивал дома оргии с сиделками, с Софией Калараш, потому что так ему казалось, что он продлевает себе жизнь, отпугивает смерть. Все это происходило на глазах Мальвины. Все кипело в ней как в котле — боль разрыва, страсть, сексуальная неудовлетворенность, рухнувшие надежды на брак, жалость к умирающему отцу и вместе с тем жгучая обида на него за то, что он распутничает чуть ли не на глазах у домашних. Всего этого слишком много для больной психики. И Мальвина этого не выдержала, она... Она опять расщепилась. Появился Андерсен. Федор Матвеевич, вы видели ту книгу сказок?

— Видел, вещдок сейчас к делу приобщен. В архив отправится вместе с делом, когда оно будет закрыто.

— Очень показательно, какая сказка выбрана, — сказала Катя. — Это редкое антикварное издание Мальвине подарил Дмитрий Момзен в первые дни их романа. Посвящение написано его рукой. Там ведь есть и «Русалочка», и «Дикие лебеди», и «Соловей», но Андерсен, который появился, выбрал именно «Свинью-копилку». В этом была их связь с Мальвиной. То оскорбление во время разрыва, ранившее смертельно, — богатая свинья с деньгами. Это стало знаком, символом... мучительным символом, от которого они оба пытались избавиться, разбивая символ на глиняные черепки, расщепляя его как бы на части. Это мне психиатры объяснили — явление переноса в метафорической форме эмоций, причинивших страдание, на материальный объект. И тут профайлер ошибся, и мы были не правы. Предметы, оставленные в ранах и возле трупов — не ключ и не послание убийцы. Это лишь способ избавления, отторжения воспоминаний, причинявших боль. Эта сказка оказалась в центре кровавого кошмара. А насчет самих предметов... Феликс говорил на допросах, что он видел у сестры в ее сумке «странное барахло», которое она всюду носила с собой — обрывки ткани, глиняные черепки, деревяшку, что-то еще, на что он просто не обратил внимания. Этот знаковый набор предметов «из сказки» собирал Андерсен. Он же оставлял этот «мусор» на телах жертв. Но все дело в том, что сумка-то принадлежала именно Мальвине, и в свои свет-лые часы она тоже видела эти предметы. Но не избавлялась от них и не удивлялась им. Она просто закрывала на это глаза. Вещи были как бы частью Андерсена, частью их обоих, частью их тайны. Психиатры объясняют это феноменом «разделенного слияния» — с одной стороны перед нами расщепленный разум, но в то же самое время это единый биологический индивид.

— Оба хранили общую тайну и пытались избавиться от одних и тех же воспоминаний? Ну да, фактически это все же один человек, хоть и «расщепленный», — Гущин задумчиво кивнул. — Но ведь убивал он, а не она.

— Да убивал он, Андерсен. У него имелся собственный повод для убийств. Доминантная личность всегда жаждет власти. Но кроме жажды власти Андерсена сжигала страсть, плотская страсть, желание обладать женщиной, которую он любил — Мальвиной. Эта третья личность... он был мужчина во всех своих проявлениях — кроме одного, телесного. Он мог разговаривать мужским голосом, мог доминировать как личность, он мог жаждать власти, он мог быть хитрым и осторожным, расчетливым. Ему недоступно было лишь то, чем обладает любой обычный мужчина — он не мог сделать Мальвину своей в физическом смысле. Он был ущербен в физическом плане. Его сжигала страсть и желание, ярость, злоба, чувство реванша — полный набор классического сексуального маньяка. Так и возник наш маньяк — Майский убийца. Для него момент убийства и нанесения ран был аллегорией плотского обладания женщиной. Он ведь сам об этом сказал третьей жертве Асе Раух. Знаете, как мне психиатры объяснили насчет феномена расщепления: есть две противоположные точки зрения — одни специалисты считают, что после «переключения» одна личность не может вспомнить, чем занималась другая личность в момент своей активности. А другие психиатры утверждают — нет, личности знают и помнят друг о друге, может, не все, но многое. Так вот в нашем феномене все три личности помнили и знали друг о друге. Но Андерсен доминировал над Мальвиной и Ласточкой, которая им была смертельно запугана.

— Да, ты тут подробно все это в статье разбираешь со ссылками на специалистов, — сказал Гущин. — А в реальности вот как раз с этого момента в дело вступила вся их семья, весь их клан.

— С момента второго убийства, когда в поле зрения полиции внезапно попали Родион Шадрин и его отчим, — уточнила Катя. — И знаете, Федор Матвеевич, я в статье это не стала писать, но я в одной вещи, на которой мы поиск строили, сейчас сомневаюсь.

— О чем ты? — спросил Гущин. Он слушал внимательно и с великим интересом.

— Профайлер говорил о подъеме по социальной лестнице с каждым новым убийством. И на первый взгляд все вроде бы именно так — и эта личность, Андерсен, жаждала власти, и все жертвы принадлежали к разным социальным слоям. Однако что выяснилось во время следствия? София Калараш — первая и ключевая жертва — была постоянно на глазах в доме у Мальвины и у Андерсена. Андерсен убил ее потому, что она возбудила его похоть первой — с ней ведь имели интимные отношения в доме и отец Мальвины, и ее единокровный брат Родион Шадрин. Вторая жертва — продавщица Елена Павлова... вы сами мне сказали — если бы они тогда втроем не поехали в тот супермаркет, то...

— Да, как выяснилось, в тот вечер не только Родион и его отчим Роман Ильич были в том магазине. Отчим, точнее вся их семья, весь клан скрыли от нас тот факт, что приехали они туда вместе с... Мальвиной на машине Веры Сергеевны. Отчим Роман Ильич был за рулем, они с Родионом помогали Вере Сергеевне — муж ее в тот момент был уже при смерти, нужны были памперсы, резиновые простыни, много чего по хозяйству. Они приехали в тот магазин вместе, в торговом зале Мальвина пропала. Появился Андерсен. Он и заметил продавщицу. Он и убил ее на заднем дворе у подсобки. Роман Ильич сейчас на допросах ничего не скрывает — они вышли к стоянке и обнаружили, что машины нет. Он позвонил сразу Вере Сергеевне — так и так. Та велела в первую очередь отыскать дочь. Они искали Мальвину и машину в тот момент, когда полиция приехала на место убийства и у Родиона проверили документы. Ведь искали мужчину. Нет, Екатерина, тут я с тобой не соглашусь. Подъем по социальной лестнице, венцом которой стала его же возлюбленная, женщина его мечты Мальвина, все же имел место. Андерсен убил сотрудницу полиции Терентьеву не только потому, что она работала в Дзержинском ОВД, куда вызывали Родиона на допрос, не только затем, чтобы навести на него подозрение. Нет, он хотел показать себя, посеять еще больше страха. Вот мы выяснили, где он пересекся с супругами Гриневыми. Столько мест проверяли, а ведь было все просто — салон красоты на Земляном Валу. Накануне убийства Феликс, который всюду сопровождал Мальвину, привез ее туда. Они оба делали стрижки. Феликс сейчас этого не скрывает. В салоне Мальвина разговорилась с Викторией Гриневой, которую муж тоже привез в салон. Они болтали, как обычно болтают женщины из богатых семей — сплетни и общие знакомые... Гринева рассказала об их с Кириллом недавней свадьбе... Счастливые молодожены, и... вот тут и появился Андерсен. Он слушал, ничем себя не выдавая. Все, всю подноготную — где живут, где построили новый дом. На следующий день Андерсен на машине Феликса уже вел Гриневых от самого их дома в Москве — в торговый центр «МКАД Плаза», а затем и до дома в Котельниках. Заметь, накануне в салоне красоты находилось много женщин — и парикмахеры, и уборщицы, однако Андерсен выбрал в качестве жертвы именно Викторию Гриневу. Потому что такой в его списке еще не было.

— Мальвина умела водить машину? — спросила Катя.

— Да, ее учил отец, так Вера Сергеевна говорит. Еще она говорит, что с самого приезда из-за границы они с Феликсом старались, чтобы Мальвина была у них в доме под неусыпным надзором. Однако накануне убийства Гриневых Вера Сергеевна уехала в Петербург на бизнес-форум, а Феликс после поездки в салон красоты сорвался в штопор без матери — ему несладко приходилось в роли сторожа сестры. В тот день он устроил вечеринку с проститутками и кокаином. В результате — полная отключка. Он не уследил, Мальвина уехала из дома на его машине. И Андерсен убил в очередной раз.

— Ну а теперь об их семье, — Катя помолчала. — Честно говоря, не знаю даже, как об этом сказать. Писать-то легче в статье. И предательством это не назовешь... Когда родная мать вот так поступает с тобой... Я не о Мальвине сейчас, ее-то как раз тогда два года назад их семья защитила, выгородила. Я о Родионе Шадрине.

Полковник Гущин отложил статью, встал и подошел к окну. Он стоял к Кате теперь спиной, она не видела его лица.

— Вы абсолютно правы, Федор Матвеевич, все дело в шоколадной фабрике, — сказала Катя. — Вера Сергеевна ее создала, как вы говорили, с нуля. Это и есть ее главное детище, она стремилась сохранить фабрику, свой бизнес любой ценой — вы сами это знаете. Если бы все еще два года назад выплыло наружу, вся правда, шоколадному бизнесу настал бы конец, как вот сейчас, когда фабрика практически уже парализована отсутствием заказов... Они все это понимали — вся семья, и Феликс, и Надежда, мать Родиона, и Роман Ильич. Они все отравлены этим миражом, этим шоколадом как ядом. И чтобы сохранить свой семейный источник благосостояния, источник денег, готовы были пойти на что угодно.

— Знаешь, когда Вера Сергеевна в больнице очнулась, — едва гипс ей на ноги сломанные наложили, первым делом просила позвонить на фабрику, — заметил

Гущин. — Только потом уж заговорила о том, что в доме произошло. А она ведь тоже мать, как и Надежда Шадрина. Обе клянутся сейчас, что пошли на обман ради своих здоровых детей — Феликса и младших, ради их будущего.

— Целью моей статьи было подтвердить тот факт, что, по моему убеждению, семья маньяка всегда в курсе того, что происходит, — сказала Катя. — И что ж... теперь я это доказала. Но все, конечно, совсем не так, как я предполагала сначала. Правда-то гораздо страшнее и печальнее. И опаснее...

— Вера Сергеевна видела, что творится с Мальвиной, — Гущин смотрел в окно, — Андерсен... он появился у нее на глазах, она видела и слышала его, она его боялась. А тут убийство Софии Калараш. А затем поездка в магазин и тот звонок Романа Ильича, что Мальвины нигде нет и кругом полно полиции, слух о том, что в магазине кого-то зверски убили. И в это время Мальвина... Андерсен возвращается домой на машине весь в крови. Вера Сергеевна сразу все поняла. А потом позвонила сестра Надежда и сообщила, что у Родиона там, у магазина, проверили документы и теперь повесткой вызывают в Дзержинский ОВД. Сестры сразу договорились, что полиция не узнает о том, что в магазине в тот день была и Мальвина. Надежда просила сына Родиона не говорить об этом ничего. И парень... не знаю, как чувствуют аутисты... и вообще что у них с мозгами, — Гущин тяжело вздохнул, — но Родион все понял. С этого момента он перестал разговаривать при людях, он умолк. Он помнил себя в их доме на озере... То, что в доме он обрел родного отца, которого не имел долгие годы, что отец перед смертью просил его заботиться о Феликсе и Мальвине и помогать... Он все понял и умолк. Он только барабанил. Отбивал ритм.

— Андерсен тоже защищал Мальвину, — сказала Катя. — Его страшило, что ее могут заподозрить. Именно поэтому в третий раз в случае с Асей Раух он дал ей возможность узнать себя настоящего, истинного Андерсена, услышать свой голос. Но не увидеть при этом Мальвину. Вот для этого он и оставил Асю в живых, предварительно ослепив ее. Он нуждался в живом свидетеле. То обезболивающее, что он ей вколол...

— Нашли у них в доме, это из старых запасов отца. Его мучили боли, в доме имелись разные препараты, в том числе и для местной анестезии. Знаешь, некоторые вещи очень просты, даже удивляешься, как же это ты сразу-то не додумался, не сложил, — Гущин вздохнул. — Это вот как с приемом, используемым при нападении на жертву. Когда ты идешь по парку, как Ася Раух, например, и слышишь шаги сзади, вроде кто-то тебя преследует, начинаешь тревожиться. А вот если никто тебя не преследует, а *идет тебе навстречу по парковой аллее...* Молодая женщина, правда, немного странная, ну так что же... Она проходит мимо, начинает удаляться в противоположном направлении. И вот в тот момент, когда ты уже забываешь о ней, сзади тебя шарахают по голове. А там, в Котельниках, она просто подъехала к их дому и вошла в ворота, когда Гриневы их открыли, чтобы запарковать машину. Кирилл Гринев не встревожился и не испугался — женщине, наверно, что-то нужно спросить у него... А в следующий миг удар по голове, раскроивший ему череп.

— Вера Сергеевна на допросах клянется, что два года назад они не могли ни надзирать, ни контролировать дочь — отец умер, в доме суматоха, подготовка к похоронам, сами похороны, вопросы бизнеса, наследство, фабрика... Опять эта фабрика, — сказала Катя. — Ведь Вера Сергеевна защищала вовсе не дочь, не Мальвину, а фабрику. Когда Родион с отчимом отправились к следователю в Дзержинский УВД, несмотря на все уверения сестры в том, что они ничего следователю про Мальвину не скажут, Вера Сергеевна была в панике. Она была уверена — полиция что-то заподозрила, и теперь не только Родион, но и все они, его родственники, у полиции на примете. Андерсен совершил новое убийство и убил на этот раз сотрудницу полиции. Вера Сергеевна ринулась к сестре Надежде. И они стали решать все сообща, по-семейному. Полиция начнет копать, рассуждали они. Если узнают правду, с бизнесом семьи Масляненко будет покончено навсегда. Семья потеряет репутацию, имя, деньги, потеряет шоколадную фабрику, потеряет источник дохода и благосостояния, потеряет все. Нужно действовать, спасать ситуацию. И необходимо чем-то жертвовать. Раз уж так вышло и полиция заинтересовалась именно Родионом, то можно пожертвовать им в интересах семьи, в интересах остальных детей. Именно его выставить в роли убийцы-маньяка. Как только у полиции будет достаточно улик и они поймут, что поймали того, кто им нужен, и он психически больной, аутист с рождения, то копать дальше, вскрывать все семейные тайны полицейские не станут. Извините, Федор Матвеевич, но это почти дословно то, что обе сестры на допросах твердят.

— И они правы оказались. Тогда, два года назад, мы и не копали семейные тайны. Забрали парня.

— Сестры также решили, что все надо немедленно прекратить. Мальвину увезти из страны и анонимно поместить в Швейцарии в психиатрическую клинику. А Родиона выдать полиции. Вера Сергеевна обнаружила в комнате Мальвины окровавленные вещи, среди них лифчик лейтенанта Терентьевой. Она отдала его сестре и та сама, своими руками положила эту вещь в сумку сына. А тот анонимный звонок в полицию насчет знакомства Родиона и Софии Калараш сделал Роман Ильич. Вы слышали их допросы... Мать Родиона так буднично об этом говорит сейчас, никаких эмоций — мол, а что нам было делать? Сестра меня просила, умоляла на коленях, мол, Родиошечку все равно не осудят, никакой тюрьмы, только психбольница, а ему там самое место. Он ведь такой... ему все равно где быть... Им надо пожертвовать ради семьи. За это вот «пожертвование», за обман, за своего сына, которого объявили маньяком, Майским убийцей, сестра Надежда получила от сестры Веры новый коттедж на Черном озере, полмиллиона долларов на расходы и на обустройство, новую машину, новую высокооплачиваемую работу для мужа и... Самое главное — ее младшие дети наравне с Феликсом были вписаны в завещание Веры Сергеевны как наследники всего капитала и фабрики. Им, конечно, пришлось несладко после ареста Родиона, но полиция помогла фамилию сменить и начать новую жизнь на новом месте... Они ведь считали, что все кончено. Все закончилось. Вера Сергеевна говорит — мол, врачи ее в Швейцарии уверяли, что после электрошоковой терапии с Мальвиной все будет в порядке. И какое-то время Андерсен действительно не появлялся. А затем он возник опять, и все повторилось. И вот тогда семья решила пожертвовать уже самой Мальвиной. Вера Сергеевна, когда разговаривала с нами после появления Ласточки там, на фабрике, и после сеанса гипноза здесь, в ГУВД, уже все для себя решила — такое больше не спрячешь... И то, что Родионом пожертвовали, не помогло, и все их прошлые усилия, весь их обман висит на волоске, стоит только не Ласточке, а Андерсену, третьей личности, проявиться в присутствии полицейских.

— Мать решила отравить родную дочь и приказала сыну купить яд. А Феликс купил еще и пистолет. — Гущин сунул в рот сигарету, которую так долго «вымучивал». — И тоже так буднично обо всем этом рассказывает сейчас. Помогать с вывозом тела она приказала Роману Ильичу. Тот взял на фабрике фургон и контейнер, туда они хотели спрятать тело Мальвины, наложить камней и утопить в Черном озере. Нет, мол, трупа... дочь пропала без вести... полиция в курсе, что у нее с головой плохо, подумают, что сбежала из дома, будут искать — не найдут никогда. А раз нет трупа, то никаких ДНК-экспертиз по последнему убийству, никто ничего уже не докажет. Вера Сергеевна собрала все вещи Мальвины, которые она носила после приезда из Швейцарии — разобраться невозможно, на чем могла кровь и ДНК последних жертв остаться, и решила все ликвидировать, и обувь тоже. В сумках, кстати, мы обнаружили джинсовые шорты Виктории Гриневой.

— Ну да, Андерсен, как настоящий классический маньяк, брал с мест убийств трофеи — вещи жертв. Не сразу, не с первого убийства. Он впервые взял вещи у Марины Терентьевой, затем уже у Гриневой... он входил во вкус с каждым новым убийством, — сказала Катя. — Вы ведь и чехол от подушки нашли в доме — тот самый разорванный, лоскуты от которого были использованы. Я вот только не могу понять, где Андерсен мог взять пистон?

— Новогодняя хлопушка, — Гущин затянулся дымом.

— Мать решила убить Мальвину. Сделала последние дни ее похожими на праздник — повозила по дорогим магазинам, в СПА... А затем уставила стол шоколадными конфетами с «ядом». Федор Матвеевич, вы опытный, вы семейный, вы отец, объясните мне, как это рассматривать? Как родительскую любовь? — Катя забрала листки со своей статьей. — Мы вот так подробно все это сейчас обсуждаем, но знаете, в какие-то мгновения мозг мой просто отказывается это понимать. Расщепление личности на три части принять и понять гораздо легче — чем вот такое... о чем они обе, Вера и Надежда, матери, говорят сейчас такими будничными голосами.

— Вера Сергеевна твердит одно: вы не знаете, что это такое — жить с сумасшедшим маньяком, — ответил Гущин. — Похоже, в этом она находит для себя оправдание. И ты права сто раз — они, семья, всегда знают, что маньяк есть маньяк. В следующий раз... не приведи бог, конечно, но учту, буду семью трясти как грушу, пока правда не посыплется. Вот уж не думал, что статья для журнала может меня чему-то научить.

— И самое последнее — татуировка Родиона и порезы на телах, — Катя вздохнула, хотя в глубине души была польщена признанием. — Столько времени мы на проверку этого следа потратили. А было-то ведь все опять очень просто. Родион все понял — что семья, мать... самое главное его мать, которую он любил, его предает. Но он обещал умиравшему отцу заботиться и помогать матери, сестре, брату, всей семье. Он решил пожертвовать собой — слышал в «Туле» разные красивые слова про самопожертвование, видел их татуировки, всю эту их символику. Ему дела не было, что символика фашистская, он об этом просто не думал, это все слишком сложно для его мозга, он понимал лишь «картинку» — татуировку. И он хотел иметь на себе татуировку, знак жертвенности. Пошел в тату-салон и сделал этот самый искаженный образ руны Онфер. Мальвина... нет, Андерсен увидел татуировку, когда вся семья собралась на похороны. Они тогда все ночевали в доме на Святом озере, Родион спал в гостевой комнате. Андерсен увидел и запомнил знак «как в зеркале» наоборот. Он ведь тоже слышал разговоры матери и тетки. Он подставлял Родиона, чтобы спасти не себя, нет, Мальвину, лишь о ней он думал.

— Но он ведь оставил знак и на теле Гриневой, спустя столько времени, хотя Родион уже давно сидел!

— Мне психиатры это объяснили, — ответила Катя. — Дело в том, что Андерсен... Федор Матвеевич, мы все же имеем дело с больным мозгом и психическим феноменом диссоциативного расстройства идентичности. Время для таких как Андерсен не имеет значения — там нет никаких временных перерывов, нет вчера, нет сегодня, нет двух лет тому назад. Все происходит здесь и сейчас непрерывно. Одни и те же действия повторяются. Для Андерсена просто не существовало тех двух лет, пока шло следствие, пока Мальвина лечилась в Швейцарии, а Родион был отправлен в Орловскую больницу. Это как открыть и закрыть глаза — миг между взмахом ресниц. Все продолжается... продолжалось... тот самый страшный май. О том, что Родиона уже нет смысла больше подставлять, *Андерсен просто не догадывался.*

Глава 47
ИЮНЬ

Лето — это всегда начало. Даже если кажется, что уже конец и все понятно и во всем разобрались весной, летом открывается новая страница.

Для Машеньки Татариновой лето началось с увольнения с работы — мать сказала, что после всего случившегося ноги Машеньки не будет в «МКАД Плаза». Синяки с лица Машеньки почти сошли, но она все еще пряталась от людей, все время проводила в клубе верховой езды, но не каталась больше верхом на парковых аллеях.

На конюшне ржали кони... Машенька убирала стойла и чистила лошадей. Порой она плакала украдкой, уткнувшись в теплый бок Прыгуна, а тот фыркал и лишь тряс головой — да, да, поплачь, милая, станет легче...

В палате больницы Олег Шашкин по прозвищу Жирдяй впервые после долгих дней почувствовал себя лучше. Врачи не сообщили ему о смерти Дмитрия Момзена, но разрешили сотрудникам ФСБ (они теперь вели дело в части этого эпизода) побеседовать с пациентом.

В палате безотлучно при Жирдяе дежурил офицер ФСБ, приставленный к нему и в качестве конвоира, и в качестве первого «контактера», чтобы получить показания. Олег Шашкин сказал ему, что помнит и Бигфут, и мост, и девушку... ту девушку, свою девушку... и ни о чем... слышишь ты... ни о чем не жалеет. Но до тех пор, пока из ближайшего «Макдоналдса» ему не принесут два роял-чизбургера, два... нет, три бифролла, большой картофель, сырный соус и молочный коктейль, он никаких показаний ФСБ давать не станет.

И офицеры ФСБ полетели в «Макдоналдс» за жратвой пулей — ведь дело... ох, какое дело — вся подноготная плана «К» того стоило.

В Вешняках в квартире с комнатой, превращенной в больничную палату, с набитыми повсюду на стенах скобами, бабушка и тетка тоже несли свою вахту возле Аси Раух. Бабушка жарила на кухне сырники. На столешнице, весь обсыпанный мукой, лежал газовый пистолет. Бабушка поглядывала на него искоса и слушала, как в спальне тетка и Ася занимаются, изучая азбуку слепых по специальному учебнику. Ася увлеклась этим делом — в кои-то веки за все эти два черных проклятых года она хоть чем-то увлеклась. И бабушка ради этого даже прочла инструкцию по стрельбе, чтобы тоже быть во всеоружии, когда они с Асей начнут ходить на занятия по чтению. Но сейчас она мирно лепила сырники. Ася их когда-то очень любила. И бабушка щедро сыпала в сладкий творог янтарный изюм.

Катя получила в издательстве толстого журнала МВД свежий номер со своей статьей. Она сидела за столиком летнего кафе на бульваре и запоем читала. У-у-у-ух ты! На пике положительных эмоций она достала мобильный и уже хотела набрать номер мужа, Драгоценного В. А., чтобы сказать ему... нет, спросить сначала, как он, как чувствует себя, как перелом — срастается? И вообще, можно ли дозвониться с мобильника на Гавайи??

Но она так и не позвонила. Лишь отправила СМС общему другу детства Сереге Мещерскому — лаконичное, коротенькое такое: *как он?*

Ответ пришел, когда Катя уже полностью насладилась своей статьей — Серега Мещерский обретался тоже где-то далеко по случаю лета. Ответ гласил: *он в порядке.*

На Черном озере... да, вот там, в Косино на Черном озере отдыхающих всегда меньше, чем на озере Святом. Даже в жаркий июньский полдень, когда тени от деревьев такие короткие и некуда скрыться от зноя.

На самом солнцепеке на пустынном берегу сидел человек и смотрел на воду. Это был Родион Шадрин. После окончания всех процессуальных формальностей его отпустили.

Перед тем как этому случиться, Катя и полковник Гущин долго обсуждали — а куда, собственно, пойдет Родион после того, как его выпустят? Домой? К ним — матери и отчиму?! После всего?!

Это спрашивала Катя — наивная... А полковник Гущин отвечал: а куда же еще? Куда ему деваться? Как будто есть какой-то выбор... Или место...

«Может, интернат?» — спросила Катя. Гущин только рукой махнул.

Послышался звон, громкие веселые возгласы — на велосипедах к озеру катила стайка детей. Двое, увидев Родиона, сразу отделились от компании.

Любочка и Фома Шадрины, теперь Веселовские. Фома тоненько ликующе вскрикнул и спрыгнул с велосипеда, кинулся к Родиону и обнял его.

Любочка подъехала и тихо слезла со своего велика. Потом она села на песок возле братьев.

Родион по-прежнему не говорил ни слова. Но он и не барабанил больше. Он взял брата и сестру за руки.

Солнце достигло зенита, и они все трое закрыли глаза и подставили лица жарким лучам.

ОГЛАВЛЕНИИЕ

ОГЛАВЛЕНИЕ

Литературно-художественное издание

ПО ЗАКОНАМ ЖАНРА

Степанова Татьяна Юрьевна

ЯД-ШОКОЛАД

Ответственный редактор *О. Рубис*
Редактор *Т. Другова*
Художественный редактор *А. Сауков*
Технический редактор *Г. Романова*
Компьютерная верстка *М. Лазуткина*
Корректор *О. Супрун*

ООО «Издательство «Эксмо»
123308, Москва, ул. Зорге, д. 1. Тел. 8 (495) 411-68-86, 8 (495) 956-39-21.
Home page: **www.eksmo.ru**   E-mail: **info@eksmo.ru**

Өндіруші: «ЭКСМО» АҚБ Баспасы, 123308, Мәскеу, Ресей, Зорге көшесі, 1 үй.
Тел. 8 (495) 411-68-86, 8 (495) 956-39-21
Home page: www.eksmo.ru   E-mail: info@eksmo.ru.

Сведения о подтверждении соответствия издания
согласно законодательству РФ о техническом регулировании
можно получить по адресу: http://eksmo.ru/certification/

Өндірген мемлекет: Ресей
Сертификация қарастырылмаған

Подписано в печать 20.02.2014. Формат 84x108 $^1/_{32}$.
Гарнитура «Newton». Печать офсетная. Усл. печ. л. 18,48.
Тираж 14 000 экз. Заказ 1250.

Отпечатано с готовых файлов заказчика
в ОАО «Первая Образцовая типография»,
филиал «УЛЬЯНОВСКИЙ ДОМ ПЕЧАТИ»
432980, г. Ульяновск, ул. Гончарова, 14

ISBN 978-5-699-70567-2

ВЫСОКОЕ
ИСКУССТВО ДЕТЕКТИВА

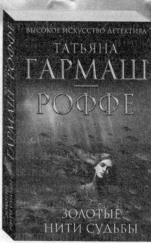

ВЫСОКОЕ ИСКУССТВО ДЕТЕКТИВА

ТАТЬЯНА
ГАРМАШ
-РОФФЕ

УКРЫТЬСЯ
В ОБЛАКАХ

ВЫСОКОЕ ИСКУССТВО ДЕТЕКТИВА

ТАТЬЯНА
ГАРМАШ
-РОФФЕ

ЗОЛОТЫЕ
НИТИ СУДЬБЫ

ТАТЬЯНА ГАРМАШ-РОФФЕ отлично знает, каким должен быть настоящий детектив, и следует в своих романах законам жанра. Театральный критик, она умеет выстраивать диалоги и драматургию чувств. Неординарная личность, она дарит часть своей харизмы персонажам. Непредсказуемость сюжетных поворотов, точность в логике и деталях, психологическая достоверность в описании чувств, — таково ВЫСОКОЕ ИСКУССТВО ДЕТЕКТИВА Татьяны Гармаш-Роффе.

2012-039

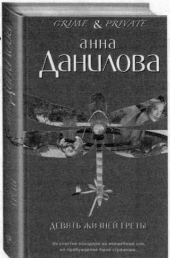

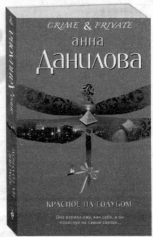